초등 국어 독해의 길잡이

독해력
키움

5단계

어린이집으로 가는 버스를 탄 아이들의 모습을 보면, 고개를 숙이고 무엇인가를 열심히 보고 있습니다. 아침 일찍부터 스마트폰에 빠진 것입니다. 아이들의 이런 모습은 초등학교, 중학교, 고등학교 과정을 거치면서도 그다지 나아지지 않습니다. 스마트폰에 빠지는 게 무엇이 문제냐고요? 무엇보다 아이들이, 보고 듣는 데만 익숙해져서 조각난 생각조차 하지 않는 습관에 젖어 버려서 큰 문제이지요.

컴퓨터도 그렇지만, 스마트폰도 손가락으로 화면을 넘기면서 빠르게 작업을 하게 되어 있는 기기입니다. 작업하는 속도가 빨라야 자부심을 느낄 수 있다고 하여 중간에 생각을 하거나 정리를 하는 시간은 아예 가지지 못한 채 슬쩍슬쩍 지나쳐야 합니다. 이러니 시간이 지나 나이가 들수록 생각의 깊이나 폭과는 거리를 두게 됩니다. 생각의 폭을 넓히고, 깊이를 더하기 위해서는 스스로 생각하는 버릇을 들여야 합니다. 하지만 보는 일에만 길들여져서는 그런 버릇을 들일 수가 없고, 반드시 읽어야 하는 것입니다. 일정한 분량의 글을 읽어서 뜻을 새기고, 새로운 생각을 떠올리고, 읽은 내용을 다른 분야에 응용하는 생각까지 해보아야 힘을 붙여 나갈 수 있습니다.

김갑주 선생님 약력

김갑주 선생님은 서울대학교 국어국문학과를 졸업하고 장훈고등학교에서 국어를 가르쳤으며, 대성학원과 종로학원에서 국어영역 명강사로 활약하였습니다.
그동안 중고등학교 국어 관련 집필을 하시다가 최근에는 초등학교 독서교육에 힘쓰고 있습니다.

우리나라의 대학 입시 제도는 복잡하고 변화무쌍하기로 악명이 높습니다. 이런 실정에서는 시간이 흘러 제도가 바뀌더라도 그대로 써먹을 수 있는 공부를 해 두는 것이 안심이겠지요. 동서고금을 막론하고, 교육 쪽의 학자들이 고교 과정까지 아이들이 필수적으로 공부해야 할 과목으로 언어 논리와 수리 논리를 들고 있습니다. 언어 논리는 언어로써 논리적인 사고력을 키우는 과목이고, 수리 논리는 숫자로써 논리적인 사고력을 키우는 과목입니다. 다른 과목을 위한 기초를 이 두 과목에 의해 마련할 수 있고, 추론, 비판, 창의, 적용 등의 사고 능력도 이 두 과목으로부터 키워나갈 수 있습니다. 게다가 제도의 변화에 흔들리지 않고 능력을 지켜나갈 수 있으니 언어 논리와 수리 논리는 얼마나 중요한지 모르겠습니다. 언어 논리를 키워나가는 데 가장 중요한 일이 읽기의 힘을 키우는 일입니다. 그것도 초등학교 때 집중적으로 키워두어야 가장 효과적입니다.

저는 고등학교와 대학입시 학원에서 30여 년 동안 아이들에게 책 읽기와 글쓰기 지도를 하였습니다. 가르치는 경력이 얼마 되지 않았을 때부터 줄곧 궁금했던 것 중의 하나는 고등학교 과정에 있는 아이들이 어째서 읽기의 능력이 이렇게 부족할까 하는 점이었습니다. 아이들을 관찰하기도 하고, 직접 이야기도 나누어보니, 읽은 책이 얼마 되지 않아서 그렇게 되었음을 알 수 있었습니다. 그래서 책을 왜 이렇게 읽지 않았느냐고 다시 물어보았더니, 읽기를 하는 올바른 방법을 가르쳐 주는 선생님도, 알려주는 책도 없고 보니 아예 읽기에는 관심도 취미도 붙이기 어려웠다고 하더군요. 그래서 저는 언젠가 아이들이 일찍부터 올바른 읽기 방법을 익혀, 흥미를 느끼고 책을 읽을 수 있도록 길잡이가 될 만한 책을 쓰고 싶었습니다. 오랜 기간 자료를 모으고 준비하였으며, 드디어 체계적으로 독해력을 향상시킬 수 있는 방법을 궁리하여 이 책을 쓰게 되었습니다.

책을 일곱 단계로 나누어, 학년별 교과 과정을 충실히 반영하면서 그보다 수준을 조금씩 높이도록 했습니다. 예컨대, 3단계라면 대체로 3학년의 교과 과정과 관련을 맺었지만, 문제에서는 눈높이를 약간 높였습니다. 무엇보다도 아이들의 읽기 능력을 빠른 시간에 키워갈 수 있도록 글을 고르는 데 공을 많이 들였습니다. 국어 교과서의 글은 물론이고, 사회와 과학 교과에서도 글감을 구해서 정리한 글을 실었습니다. 필요에 따라 교과서 밖에서 글을 골라서 수준을 높이려 하였습니다. 우리가 목표로 삼고자 하는 독해력 키우기는, 언어 논리를 다루는 분야이니 거기에 치중하도록 했습니다.

이런 생각도 미리 해보았습니다. 이 책은 아이들이 혼자 다루기에는 힘겨울 수 있으니까, 선생님이든 부모님이든 누군가 도와주어야 하지 않을까 하는 생각입니다. 그렇다고 처음부터 아이와 함께 문제 풀이에 나서라거나, 주입식으로 강의하시라는 뜻은 전혀 아닙니다. 아이가 글을 읽고 문제 풀이를 한 뒤에 채점하면서 질문하도록 하고, 책의 뒤에 붙은 해설을 보아가면서 도움말을 주시라는 것입니다. 그러려면 함께 공부해야 하는 번거로움은 있겠지만, 아이와 함께 문제 풀이에 애쓰다 보면, 정도 새록새록 더해질 테고 아이의 읽기 능력도 크게 길러지는 보람도 함께 느낄 수 있을 것입니다.

초등학생이 볼 책을 쓰면서 가장 어려운 점이 아이들 눈높이를 맞추는 일이라는 사실을 다시 확인할 수 있었습니다. 아이들 관점에서 이해할 수 있는 글이고, 풀이할 수 있는 문제인지 머릿속에 그려보기도 하고 선생님들께 여쭈어보기도 했습니다. 그런데도 눈높이의 문제는 속 시원하게 해결되지 않은 것 같습니다. 이렇게 남은 문제는 선생님들과 부모님들, 아이들의 바른말을 들어가면서 고쳐나가고 보완해 나갈 것을 약속드립니다.

대표 집필 김 갑 주

독해력 키움의 중요성

모든 과목 이해의 열쇠는 독해력

❖ 국어는 물론이고 수학, 사회, 과학, 영어도 독해의 힘이 있어야 높은 성적을 기대할 수 있습니다.
❖ 모든 과목에는 개념을 설명하는 글이 있고, 문제를 펼쳐 보이는 글도 있는데, 가장 먼저 이런 글을 이해해야 성적을 올릴 수 있습니다.

독해력은 초등 때 결정

❖ '세 살 버릇 여든 간다.'는 속담이 독해에도 꼭 맞아떨어집니다.
❖ 초등 과정에서 올바른 방법으로 독해력을 키워두면, 중·고등 과정은 물론이고 대학까지도 편해집니다.
❖ 가장 어려운 고비라고 하는 대학수학능력시험은 독해력이 튼튼해야 모든 과목에 걸쳐 좋은 성적을 낼 수 있습니다.
❖ 잘못된 독해 방식에 젖어 있는 사람은 고등학교에 가서 온갖 방법을 궁리하고 노력해도 혼란스럽기만 하고 성적이 잘 오르지 않습니다.

독해력 키우는 방법

❖ 여러 갈래의 글(설명하는 글, 설득하는 글, 이야기 글, 시 등)을, 갈래별로 나누어놓은 읽기의 이론을 익힌 뒤에 이 이론에 따라 많은 글을 읽어야 합니다.
❖ 갈래별로 나누어놓은 읽기의 이론은 이 책의 본문 앞에 실려 있으므로 잘 이해하여 몸에 배게 해야 합니다.
❖ 어떤 갈래의 글이든지 가장 먼저 이루어져야 할 일은 중심 내용(주제)을 찾는 것입니다.
❖ 중심 내용을 파악하기 위해서는, 글에 나타난 사실을 이해하고, 읽은 내용을 바탕으로 어떤 생각을 더 해 볼 수 있는지 떠올려보며, 때로는 읽은 내용을 따져서 비판도 할 수 있어야 합니다.
❖ 읽은 글 아래 문항의 수는 5~7개이고, 이 문항들은 유형별로 같은 번호가 지정되어 있어서, 반복 학습을 통해 독해력을 향상할 수 있도록 하였습니다.
❖ 문항 유형별로 풀이하다 보면 자연스럽게 독해력을 키울 수 있도록 문항 유형들이 유기적으로 배열되어 있습니다.
❖ 이 책에서는 1번이 '주제 찾기' 문제인데, 가장 중요하기 때문에 이 자리에 놓았으며, 그 아래에 놓인 모든 문제를 다 풀어 본 뒤에 다시 1번의 주제를 한 번 더 확인해보아야 정확한 주제를 찾을 수 있습니다.

도움주기

독해력 키움의 문제 앞에 놓인 글이든, 글 아래에 놓인 문제이든 아이들이 스스로의 힘으로 이해할 수 있도록 꾸몄습니다. 되도록 간섭은 줄이고, 부모님이나 선생님께서 아이를 도와주실 때는 다음에 유의하십시오.

01
글이나 문제에서 뜻을 모르는 낱말이 있다고 할 때는, 그 낱말의 앞이나 뒤에 놓인 다른 말과 연결하여 미루어 뜻을 떠올려 볼 수 있도록 힘을 키워주십시오. 쉽사리 사전을 찾도록 한다거나 글 전체, 문제 전부를 풀이해주는 방식으로는 남에게 기대는 버릇만 들게 할 것입니다.

02
이 책의 끝에 있는 체크리스트 점검표 작성을 도와주시고 주기적으로 확인해 주십시오. 아이의 약점을 파악하여 자주 틀리거나 이해가 부족한 문항 유형을 중심으로, 그 문항 유형의 어려움을 극복하기 위해서 무엇을 고치고 보완해야 하는지 알려주십시오. 고칠 점, 보완해야 할 점은 해설을 보면 잘 나와 있습니다.

03
주관식 문제는 예시에 따라 채점을 도와주세요.
한 낱말이나 빈칸이 정해진 하나의 구절로 답하는 문제에서는 0점과 모범 답안과 일치하는 만점밖에 없습니다.
여러 개의 낱말로 답하는 문제에서는 배점에 문항 수를 나누어 정답에 비례하여 채점합니다.
하나의 구절이나 문장으로 답하는 문제에서는 미리 주어진 조건을 고려하여 모범 답안의 내용과 일치하는 정도에 따라 점수를 주어야 할 것입니다.

독해력 키움의 구성

01

단계를 나누어 체계를 잡았습니다.

독해력 키움은 초등학교 교육 과정에 맞추어 1단계부터 7단계까지 모두 일곱 단계로 이루어져 있습니다. 그렇지만 학년과 단계가 꼭 일치하는 것은 아닙니다. 체계를 튼튼히 다진 다음, 키움의 속도를 높이기 위해 학년보다 한 걸음 더 나아가도록 하였습니다. 읽기 능력의 개인 차이를 고려하여 자신의 수준에 맞는 단계를 골라서 시작할 수 있습니다.

읽기의 이론을 자세히 소개하여 길잡이로 삼도록 했습니다.

글의 큰 갈래를 비문학과 문학으로 나누고, 갈래의 특성에 따른 읽기의 이론을 본문의 앞에 실었습니다. 단계별 수준을 고려하여 차이를 두고 소개하였습니다. 본문과 문제에 들어가기에 앞서 잘 익혀두어야 합니다.

모든 교과목에 걸쳐, 여러 갈래의 글을 골랐습니다.

국어 교과서의 글을 기준으로 삼아, 국어는 물론이고 바른 생활, 슬기로운 생활, 즐거운 생활, 그리고 예체능과 관련된 글도 망라하여 문제 앞에 싣는 글로 골랐습니다. 비문학(설명하는 글, 설득하는 글)과 문학(이야기, 시)을 균형을 맞추어 배치하였습니다. 글이 속한 내용 분야를 보아도 인문, 사회, 경제, 과학, 문화, 예술 등 참으로 다양합니다.

독해력을 체계적인 방법으로 키울 수 있도록 하였습니다. 04

'SSAT(미국 고등학교 입시)'와 '대학수학능력시험'의 독해력 평가 유형을 염두에 두고 초등과정에서 효과적인 독해력 향상을 위한 문항 유형을 만들었습니다. 이를 위해 짜임새가 좋은 지식의 체계로서, 창의적으로 생각하는 바탕으로서, 여러 분야에 두루 활용될 수 있는 글을 골랐습니다. 글 아래의 '주제 찾기1~요약하기7'의 문항 유형을 순서에 따라 풀어서, 분석, 이해, 추리, 적용의 종합적인 사고 능력을 키울 수 있습니다.

독해력을 키우기 위해 꼭 필요한 지식을 갖추도록 문제를 만들었습니다. 05

독해력은 문제만 많이 푼다고 키울 수 있는 단순한 기능이 아닙니다. 어법, 문학 작품과 관련된 지식, 그 밖의 배경 지식 등이 갖추어져 있어야 보다 튼튼하게 키울 수 있습니다. 글을 고를 때 이 점을 고려하였고, '세부내용 5'번 문제는 순전히 이런 목적에서 출제하였습니다.

창의력과 응용 능력을 키울 수 있도록 힘을 기울였습니다. 06

읽기는 종합적인 생각의 과정이어야 합니다. 글의 사실을 이해하고, 이해한 사실에 미루어 새로운 내용을 짐작해보고, 글의 성질에 따라서는 비판도 하면서, 때로는 새로운 생각을 떠올리거나 다른 일에 응용할 줄도 알아야 합니다. '미루어알기 4', '적용하기 6'의 문제 유형은 이런 의도에서 출제하였습니다.

Contents

초등 국어 독해의 길잡이
독해력 **키움**

I 논리적인 글 읽기

논리적인 글은 어떻게 읽나요?

물건이나 일을 정확히 가리키면서, 그 물건이나 일이 무엇인지 알리는 글을 설명하는 글이라고 합니다. 어떤 뜻이 있는 것으로 생각되는지, 어떠해야 하는지 힘주어 말하는 등의 내용을 담고 있는 글을 설득하는 글이라고 합니다.

설명하는 글이든 설득하는 글이든 물건이나 일을 정확히 가리키면서 내용이 이루어지기 때문에 모두 다음과 같은 방법으로 읽을 수 있습니다.

 제목 살피기 제목이 붙어 있다면 그것을 보고 중심 내용이 무엇이 될지 나름대로 떠올려 봅니다.

 문단 분석 중심 문장과 뒷받침 문장들로 나누어 가면서 문단별로 중심 내용을 파악합니다. 중심 문장은 글의 중심 내용을 담고 있는 문장으로, '～이다', '～하다', '～이어야 한다.' 등으로 끝납니다. 이런 중심 문장이 없으면, 반복된 중심 낱말을 사용하여 스스로 만들어보아야 합니다.

 글 전체의 구조 파악 내용의 중요도에 따라 문단별로 순서를 정하고 가장 중요한 내용이 실린 문단을 향해 다른 문단들이 어떻게 놓였는지 파악합니다. 같은 내용을 담고 있는 문단들은 묶어서 정리합니다.

 글 전체의 주제문 알기 3단계에서 파악한 내용에 따라 글 전체의 주제문을 떠올려봅니다. 글 전체의 주제문이 글에 있다면 밑줄만 그어두면 되고 없으면 스스로 만들어보아야 합니다.

1. 문장의 이해

논리적인 글은 문장이 어떻게 이루어져 있는지, 문법에 따라 정확한 뜻을 먼저 파악할 수 있어야 올바른 이해를 시작할 수 있습니다. 문장은 주어, 목적어, 서술어 등으로 이루어집니다.

문장의 개념

주어	문장의 주체를 나타내는 말로, '은/는', '이/가'가 붙습니다. 📘 가방이 크다.
서술어	주어의 상태, 움직임 들을 나타내는 말로, '-(이)다'가 붙습니다. 📘 하늘이 파랗다. 동생은 학생이다.
목적어	움직임을 나타내는 서술어의 대상이 되는 말로, '을/를'이 붙습니다. 📘 친구가 노래를 부른다.

2. 추론하며 읽기

1) 개념

① 이미 알려진 정보를 근거로 삼아 다른 판단을 끌어내는 것

② 글에 직접 드러나지 않은 내용을 글의 앞뒤 사실로 미루어 생각하며 읽는 것

③ 글에 담긴 의미를 생각하며 글을 더 깊이 있게 이해하는 것

2) 방법

① 글에서 찾을 수 있는 단서를 확인하여 글에 담긴 뜻을 추론합니다.

② 자신의 경험을 떠올려 글에 직접 드러나지 않는 내용을 추론하여 봅니다.

또 다음과 같이 글의 종류에 따라 구별하여 읽을 수 있어야 합니다.

1. 설명하는 글 읽기

글이 놓여 있는 순서에 따라 문단별로 중심 문장을 파악하고 뒷받침 문장들을 정리한 다음 글 전체의 중심 낱말을 알아내는 순서로 읽습니다.

설명문의 첫 단계에 낱말을 반복 사용해 가면서 중심 내용이 무엇이 될지 알려줄 수 있으니 이 낱말을 찾아서 새겨둡니다.

몸통인 둘째 단계에서 여러 가지 설명 방식을 사용해 가면서 자세하고 알기 쉬운 설명이 펼쳐지므로 이를 잘 정리할 수 있도록 합니다.

셋째 단계에서는 둘째 단계에서 말한 내용을 요약 정리하므로 다시 확인해 주면 됩니다.

읽고 나서는 새롭게 이해하거나 알게 된 사실, 지식, 정보가 무엇인지 정리할 수 있어야 합니다.

2. 설득하는 글 읽기

글이 놓여 있는 순서에 따라 문단별로 중심 문장을 파악하고 뒷받침 문장들을 정리한 다음 글 전체의 주제를 한 문장으로 정리하는 순서로 읽습니다.

첫 단계에서는 의문문을 사용하거나, 어떤 내용을 중심 내용으로 삼겠다고 노골적으로 말하면서 다루게 될 중심 내용을 제시하고, 왜 그것을 다루는지도 말하므로 이 내용을 반드시 파악해 두어야 합니다.

둘째 단계에서 중심 문제를 해결해 가는 과정에서 어떤 방법이 사용되는지 눈여겨 봐두어야 합니다.

셋째 단계에서는 이미 해결 과정을 거친 문제를 다시 요약하므로 이를 확인하면 됩니다.

읽고 나서는 글쓴이의 의견이나 주장이 나의 생각과 견주어보았을 때, 어떤 점에서 받아들일 만하고 어떤 점에서 받아들일 수 없는지 생각해 보아야 합니다.

Ⅱ 문학적인 글 읽기

문학적인 글은 어떻게 읽나요?

문학적인 글에 속하는 두 갈래의 글은 워낙 그 차이가 뚜렷하기 때문에 갈래에 따라 달리 읽어야 합니다.

1. 이야기

주인공을 비롯한 인물들이 등장하고, 사건이 있으며, 때와 장소의 배경이 정해져 있는 글입니다. '전기' 처럼 어떤 인물이 살아온 자취와 남길 말이나 일을 사실 중심으로 엮기도 하고, '소설'이나 '동화'처럼 사실 보다는 새롭게 꾸며낸 내용을 중심으로 엮기도 합니다.

이야기는 길고 내용이 복잡하게 얽혀 있기 때문에 놓여 있는 순서를 따라 읽어 가면서 다음 사항들을 따지고 정리합니다.

(1) 인물의 말과 서술자의 말 구별하기

이야기의 문장은 인물의 말(대사, 대화)과 서술자의 말(서술, 지문)로 구별됩니다. 인물의 말에는 작은따옴표(" ")가 앞과 뒤에 붙어 있고, 서술자의 말에는 그런 부호가 붙어 있지 않습니다.

인물의 말은 그 말을 한 사람의 마음이 어떠한지 떠올릴 수 있도록 하며, 어떤 사건이 일어나고 있는지 말해주기도 합니다. 서술자의 말은 인물, 사건, 배경을 그리기도 하고, 해설하거나 논평하기도 합니다. 어떤 말이라도 자신의 경험이나 지식에 견주어 가면서 거기에 담겨 있는 마음을 떠올려보는 것이 중요합니다.

※ 인물의 성격과 생각의 관계: 인물의 말과 행동으로 인물의 생각을 파악할 수 있지만 같은 말이나 행동이라도 인물의 성격에 따라 다르게 생각을 떠올릴 수 있습니다.

※ 인물이 처한 환경: 인물이 살아가는 그 당시의 모습과 지금의 모습을 비교하여 알 수 있습니다. 또 인물의 말이나 행동을 보면 알 수 있습니다.

※ 반언어적 표현과 비언어적 표현

반언어적 표현	대화를 할 때 목소리를 내는 것과 관련이 있는 표현. 말의 빠르기, 목소리의 크기와 높낮이, 억양, 말투 등
비언어적 표현	대화를 할 때 입을 통하여 나오지 않고 뜻을 전달할 수 있는 표현. 표정, 몸짓, 눈짓, 손짓, 옷차림, 태도 등

(2) 큰 문단으로 나누기

이야기는 수없이 많은 작은 문단으로 이루어집니다. 내용의 정리를 위해서는 이것들을 보다 크게 묶어 주어야 합니다. 묶을 때의 기준은 장면에서 등장인물의 변화, 사건과 배경의 큰 변화 등입니다.

(3) 전체의 주요 내용 정리하기

큰 문단으로 나누어 내용 정리를 해 두었으면, 이를 바탕으로 하여 이야기 전체의 줄거리와 주제를 정리해야 합니다. 주요 내용을 정리하기 위해서 등장인물의 말과 행동이 배어 있는 생각을 정리하고, 그에 대해 자신의 생각이나 느낌을 말해보는 방식으로 시작하는 것도 좋은 방법입니다.

2. 시

말소리, 규칙적으로 엮은 말의 질서가 지닌 아름다움을 잘 살린 글인데, 이런 글을 운문이라 합니다. 사용하는 말은 물건이나 일, 사람 등을 정확히 가리키기보다는 빗대기 때문에 다른 물건이나 일, 사람 등을 대신 떠올리게 합니다.

또 시인은 작품에서 자신을 대신할 수 있는 다른 인물을 내세워 목소리를 내는데, 이런 인물을 '화자'라고 합니다. 시는 화자에 의해 느낌과 생각을 표현하는 특징이 있습니다.

작품이 품고 있는 뜻이 여럿일 수 있기 때문에 제목을 미리 보고 어떤 뜻을 전하고자 한 것일지 이리저리 생각해 본 다음, 다음과 같은 단계를 따라 이해하고 감상합니다.

 1단계 모양 보기 몇 개의 큰 묶음으로 나누어져 있는지, 줄의 길이가 규칙적인지, 낱말이 반복되는지, 말소리의 크기에 변화를 주었는지 등을 눈여겨 보아둡니다. 왜 그렇게 특징 있는 모양이 되도록 했는지는 2~4단계를 모두 거친 뒤에 따져 볼 수 있습니다.

 2단계 표현의 이해 상식에서 벗어나 거짓말처럼 꾸민 말만 찾아서 그렇게 꾸민 까닭을 따져봅니다. 예를 들면, 어머니의 얼굴을 '세상을 훤히 비추는 보름달'이라 표현했다면, 따져볼 때 상식을 벗어난 거짓말입니다. 이 표현은 어머니의 얼굴이 '너그러우며 세상을 널리 감쌀 만큼 넉넉함'을 실감 나게 드러내기 위해 빗대어 표현한 것입니다.

 3단계 중심 대상 알기 몇 군데의 어려운 표현을 이해하고 나면, 무엇을 중심 대상으로 삼고 있는지 알 수 있습니다. 중심 대상은 글감입니다.

 4단계 화자의 마음 떠올리기 시에서 말하는 사람인 '화자'가 물건이나 일, 사람에 대해 어떤 느낌이나 생각을 말하고 있는지 정리합니다.

시의 이해와 감상에서 가장 중요하고 반드시 거쳐야 하는 단계는 2단계입니다. 위에서 예를 든 표현은 '비유'인데, 꼭 같이 빗대면서 뜻이 보다 복잡한 '상징'도 있습니다. 그 밖에, 못 난 사람을 '잘 났어 정말.'로 표현하는 것과 같은 '반어'가 있고, '죽는 것이 사는 길이다.'와 같이 어울릴 수 없는 뜻을 지닌 두 마디의 말을 함께 놓는 '역설'도 있습니다. 시는 이와 같이 상식에 어긋한 표현을 찾아서 '왜 그런 표현을 했을까?'라는 의문을 품고 그 까닭을 알아내는 데서 이해와 감상을 시작합니다.

Ⅲ 문항 유형에 따라 읽기

검증된 평가로 유명한 'SSAT'나 '대학수학능력시험'의 읽기 능력 평가 유형과 방법을 참고하여 초등 단계에서 가장 효과적이고 체계적인 독해력 향상을 위한 문항 유형 7개를 확정하였습니다. 모든 글의 문제 유형에 따른 배열의 순서는 고정되어 있습니다.

글을 읽고 문제를 풀 때는, 가장 먼저 '사실이해 3'을 새겨 두어야 합니다. 모든 글 읽기는 주어진 글의 사실이해로부터 출발해야 하기 때문입니다. 이 문항의 선택지에 실려 있는 내용은 주어진 글을 이해하는 데도 큰 도움이 됩니다. 따라서 이 문항과 선택지를 보면서 글의 내용을 정확히 파악하는 연습이 기본적으로 대단히 중요합니다.

● 주제찾기 1

독해에서 가장 중요한 활동. 글쓴이가 전하려고 한 중심 생각 찾기.

글 전체의 중심 내용 찾기. 중심 내용을 찾는 방법, 중심 내용을 알아야 떠올릴 수 있는 내용, 중심 내용을 표현한 방법 등을 묻는 유형.

설명하는 글, 설득하는 글에서는 문장이나 구절을 통해 직접 드러내기도 하지만, 드러내지 않은 글에서는 읽는 사람이 정리하여 주제문을 작성해 보아야 주제를 찾았다고 할 수 있습니다. 설명하는 글에서는 '이처럼', '이와 같이', '요컨대' 등의 말이, 설득하는 글에서는 '그러므로', '따라서' 등의 말이 문장의 맨 앞에 놓이면 주제문일 가능성이 높습니다. 이 문항은 다른 문항들의 이해와 깊은 관련성이 있어서, 모든 문항을 풀고 다시 확인해 보는 습관을 들여야 합니다.

이야기 글에서는 서술자의 말을 통해 직접 나타나기도 하지만, 대개는 인물의 행동이나 사건을 통해 읽는 사람이 스스로 파악해야 합니다. 이야기 글을 읽으면서 인물, 사건, 배경 중 무엇이 중심에 놓여 있는지 알아차리면 주제를 쉽게 찾을 수 있습니다.

시에서는 말하는 사람이 어떤 느낌이나 생각에 사로잡혀 있는지 파악하여 정리합니다. 시에서 말하는 사람의 느낌이나 생각을 파악하기 위해서는 비유, 상징, 반어, 역설이라는 4가지 표현 방법에 대한 이해가 가장 먼저 이루어져야 합니다.

● 글감찾기 2

'제목찾기 2'로 나타나기도 함. 글에서 반복하여 나타난 말이나, 글의 대상이 된 것.

　설명하는 글, 설득하는 글에서는 여러 번 반복하여 나타난 글의 중심 낱말을 찾아내는 것이 가장 중요합니다. 중심 낱말이 그대로 글감이 되기도 하며, 제목은 중심 낱말을 넣어 '~와(과) ~', '~의 ~', '~와(과) ~의 관계'라는 형식으로 만들 수 있습니다.

　이야기 글에서는 주제 찾기에서 이미 해둔 구성의 3요소 중 무엇에 초점을 맞추었는지 다시 확인하기만 하면 글감이나 제목을 쉽게 떠올려볼 수 있습니다.

　시에서는 어려운 표현을 이해하면서 사람, 사람의 마음, 자연, 사회 등 무엇을 시의 대상으로 삼고 있는지 떠올려 봅니다. 여러 번 나타나는 낱말은 글감, 제목과 관련이 깊습니다.

● 사실이해 3

글에 나타난 사실을 있는 그대로 이해했는지 확인.

　설명하는 글, 설득하는 글에서는 긍정과 부정의 정도, 원인과 결과의 관계, 생각과 까닭, 방법과 절차 등에 유의하면서 글에 나타난 사실을 있는 그대로 이해했는지 다시 한 번 확인합니다.

　이야기 글에서는 줄거리의 사실을 중심으로 이 문항이 만들어지므로, 선택지 내용이 글에 나타난 것인지 하나씩 따져보도록 합니다.

　시에서는 표현만 이해하면 확인할 수 있는 내용으로 이 유형이 이루어지므로 시의 표현에 대한 공부를 미리 해두어야 합니다. 이 공부는 이 책에 실려 있는 이론을 익혀두는 것으로 충분합니다.

● 미루어 알기 4

글에 나타난 사실에 미루어 짐작해 본 내용.

　설명하는 글, 설득하는 글에서는 글에 나타난 사실을 바탕으로 새로운 생각을 해 보는 유형의 문항이므로, 선택지의 각 항목에 나타난 내용이 글의 어떤 내용으로부터 이끌어낸 생각인지 정확히 찾아보아야 합니다.

　이야기 글에서는 등장인물의 성격, 사람됨, 마음, 뒤에 이어질 이야기 등이 물음의 대상이 되므로, 인물의 말이나 그려진 행동, 사건의 진행 과정 등을 파악해두고 물음이 요구하는 대로 짐작해 봅니다.

　시에서는 말하는 사람의 목소리 뒤에 숨어있는 느낌이나 생각을 떠올려 봅니다. 또 비유와 상징, 반어와 역설을 사용한 까닭을 생각해봅니다.

세부내용 5

글 전체의 모양, 어휘의 뜻, 어법, 글과 관련된 배경 지식 등.

앞에 주어진 글을 당장 이해하기 위해서도 필요하지만, 더 복잡하고 큰 글 읽기의 힘을 키우기 위해 반드시 필요한 지식을 갖추도록 하기 위해서 주어진 문항입니다. 거북하게 여길 필요 없이 주어진 문항을 통해 챙길 수 있는 지식을 머릿속에 있는 지식 창고에 저장하고 넘어가면 됩니다.

설명하는 글, 설득하는 글에서는 낱말의 뜻, 문장들이나 문단들을 이어주는 말의 구실, 고사 성어 등이 물음의 대상이므로, 이와 관련된 지식을 쌓아 둡니다.

이야기 글에서는 때와 장소를 알려주는 말을 주의 깊게 새기면서 담고 있는 뜻을 기억해두도록 합니다. 줄거리와 관련을 맺을 수 있는 역사의 사실도 익혀 둡니다.

시에서는 시 전체의 모양이 지니는 특징, 굳은 비유나 상징에 숨어있는 뜻을 묻습니다. 몇 묶음으로 되어 있는지, 줄의 길이는 어떤지를 눈여겨보고 답을 찾습니다. 늘 쓰이는 비유나 상징의 뜻을 미리 알아둡니다.

적용하기 6

글의 내용을 이해하고, 이를 바탕으로 새로운 생각을 떠올려보거나, 다른 일에 응용할 수 있는 능력.

설명하는 글, 설득하는 글에서는 글을 읽어서 알게 된 개념, 문제 해결의 방법 등을 다른 일에 실제로 적용할 수 있는지 측정하고자 하는 문항 유형입니다. '높임말'에 대한 글을 읽고 나서 높임말이 무엇인지, 어떻게 만들어내는지를 알아보고자 하는 문제라면 이 유형에 속합니다.

이야기 글에서는 인물, 사건, 배경 중에서 하나를 선택하여 글에 나타난 대로 새로운 인물의 사건, 배경을 그려 보일 수 있는지 물을 수 있으므로 인물, 사건, 배경을 글에 나타난 대로 잘 정리해두어야 합니다.

시에서는 작품에 나타난 느낌이나 생각을, 읽은 사람이 새로운 구절이나 문장으로 표현할 수 있는지 요구할 수 있습니다. 기본적으로 시에서 말하는 사람의 느낌이나 생각을 정확히 파악하는 힘을 키워나가야 합니다.

요약하기 7

글의 전체 또는 주요 내용을 간추리는 능력.

설명하는 글, 설득하는 글에서는 글을 읽으면서 중심 내용과 자잘한 세부 내용을 구별하고, 중심 내용만 간추릴 수 있는지 측정하려는 문항입니다. '주제찾기 1'을 해결하는 과정에서 찾아보았던 주제문이나 주제, 중심 낱말을 알고 있으면 쉽게 해결할 수 있습니다.

이야기 글에서는 '사실이해 3'을 풀이하면서 이미 해보았던 주요한 사건을 다시 확인하는 유형이므로 '사실이해 3'이 이미 충실히 이루어져 있다면 쉽게 풀 수 있습니다.

시에서는 출제되지 않습니다.

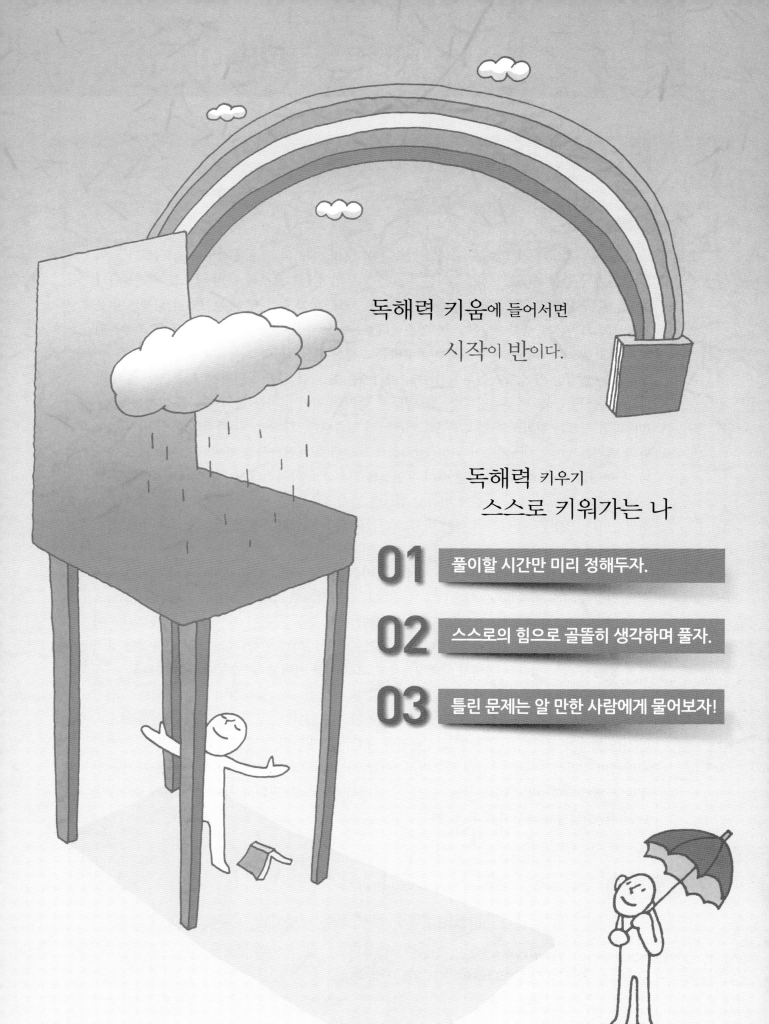

독해력 키움에 들어서면

시작이 반이다.

독해력 키우기
스스로 키워가는 나

01 풀이할 시간만 미리 정해두자.

02 스스로의 힘으로 골똘히 생각하며 풀자.

03 틀린 문제는 알 만한 사람에게 물어보자!

'국토'는 다음과 같은 의미를 지니고 있습니다. 첫째, 우리의 생존 공간입니다. 국토가 없이는 국가가 존재할 수 없으므로 우리는 수많은 외부의 침입으로부터 우리 국토를 지켜왔습니다. 둘째, 생활공간으로 의미가 있습니다. 정치, 사회, 문화 등 다양한 분야에서 삶을 누려온 조상들의 가치관과 생활양식이 녹아 있습니다. 셋째, 후손들이 살아갈 터전입니다. 조상들이 지켜 왔고 우리가 후손들에게 물려주어야 하는 소중한 자산입니다.

국토는 일정한 영역으로 이루어지는데, 여기에는 한 나라의 힘이 미치며, 영토(땅), 영해(바다), 영공(하늘)으로 이루어집니다. 영토란, 한 나라의 힘이 미치는 땅의 범위를 말하는데, 우리나라의 영토는 한반도와 부속도서로 이루어져 있습니다. 영해란, 한 나라의 힘이 비치는 바다의 범위를 일컫는데, 기준이 되는 선(기선)으로부터 12해리까지를 영해로 정해놓고 있습니다. 동해안은 섬이 적어서 썰물일 때의 해안선을 기선으로 하여 영해를 정하였고, 서해안과 남해안은 섬이 많아서 가장 바깥에 위치한 섬들을 직선으로 그은 선을 기선으로 하여 영해를 정하였습니다. 영공은 한 나라의 힘이 미치는 하늘의 범위를 말하는데, 영토와 영해의 위쪽 하늘까지입니다.

우리나라 국토 중, ㉠독도는 여러 가지의 가치를 가지는 곳입니다. 대한민국의 독립과 주권의 상징임을 가장 먼저 들 수 있습니다. 다음으로 군사적으로 매우 중요한 가치를 지니고 있으며, 선박의 긴급 대피 장소 등으로 활용되고 있습니다. 수산 자원이 풍부하고, 수심 200m 이하의 깊은 곳에는 해양 심층수가 있어서 경제적으로도 가치가 있습니다. 그리고 다양한 동식물과 조류가 살고 있다는 점에서 생태적으로도 그 가치를 인정할 수 있습니다.

비무장지대 역시 특별한 가치가 있는 국토의 한 부분입니다. 남북한의 경계가 되는 휴전선에서 남북으로 각각 2km씩의 구간에 걸쳐 설정된 지역입니다. 부근에는 군사 시설의 보호와 안전을 위하여 군인이 아닌 사람들의 출입을 제한하는 민간인 통제 구역이 있습니다. 그러니 사람들의 발길이 오랫동안 닿지 않으면서 생태계가 보존되고 복원되어서 최근에 큰 가치를 인정받고 있습니다. 이 부근을 찾는 사람들이 늘면서 한반도의 평화와 생태계 보전의 중요성을 다시 한 번 생각해 보도록 하고 있답니다.

주제찾기 **1.** 글을 쓴 주된 목적은 무엇입니까?

① 국토의 의미를 알리려고   ② 국토의 가치를 일깨우려고

③ 국토에 대한 이해를 바로잡으려고   ④ 독도의 상징적 의미를 알리려고

⑤ 비무장지대의 중요성을 강조하려고

제목찾기   **2.** 글의 내용에 어울리는 제목을 붙이세요.

> □□□□의 □□

사실이해   **3.** 글에서 다루지 <u>않은</u> 것은 어느 것입니까?

① 국토는 우리의 생존 공간이다.　　② 국토는 조상 대대로 살아온 곳이다.

③ 국토 중에는 섬들도 있다.　　④ 국토 중 영토의 면적이 가장 넓다.

⑤ 국토는 영토, 영해, 영공으로 이루어진다.

미루어알기   **4.** 아래의 표를 바탕으로 글의 내용을 바르게 이해한 것은 어느 것입니까?

통상 기선	통상적으로 사용하는 기준선으로, 썰물일 때의 해안선이 기선이 됨.
직선 기선	해안선이 복잡하여 일일이 해안선을 긋기가 힘든 곳은 가장 바깥에 있는 섬들을 직선으로 이어서 기선을 만듦.

① 동해안은 통상 기선에 의해 영해를 정할 수 있다.

② 남해안은 통상 기선에 의해 쉽게 영해를 정할 수 있다.

③ 서해안은 직선 기선과 통상 기선을 함께 사용하여 영해를 정한다.

④ 동해안은 남해안보다 영해를 정하기가 훨씬 어렵다.

⑤ 남해안은 서해안보다 영해를 정하기가 어렵다.

세부내용   **5.** 글에서 ㉠을 뒷받침하는 내용이 <u>아닌</u> 것은 어느 것입니까?

① 주권의 상징　　② 군사적 가치　　③ 배타적 권리

④ 경제적 가치　　⑤ 생태적 보고

적용하기   **6.** 글을 읽고 비무장지대에 관한 관심을 촉구하기 위해 널리 알리는 문구를 작성해 보았습니다. 빈칸을 채워 완성하세요.

> 비무장지대, □□□ □□와 □□□ □□임을 몸소 느껴 보세요.

	점 수
1~6번 문제의 점수를 더하여 총점을 쓰고 166쪽의 표에 막대그래프로 표시하세요	

| 평가
요소 | 1. ☐
20점 | 2. ☐
15점 | 3. ☐
15점 | 4. ☐
15점 | 5. ☐
15점 | 6. ☐
20점 |

170쪽 표의 해당하는 번호에 체크하세요.

온도계를 처음으로 고안한 사람은 갈릴레이로 1592년에 온도가 높아지면 공기의 부피가 커지는 성질을 이용하여 공기 온도계를 만들었습니다. 하지만 온도 변화에 빨리 반응하지 못하여 피렌체의 학자들은 이 온도계를 개량하여 알코올 온도계를 만들었습니다. 알코올 온도계 역시 체온을 측정하거나 너무 높은 온도를 측정하기에는 어려움이 있어서 수은[1] 온도계가 만들어졌습니다. 이처럼 과학 기술의 발전과 더불어 온도계는 다양하게 발전하였습니다.

온도계를 사용하여 물질의 온도를 측정하게 된 것은 약 300년 전부터입니다. 오늘날 온도계는 그 쓰임새에 따라 다양하게 개발되고 있습니다. 일상생활에서는 기온을 측정하는 온도계와 몸의 온도를 측정하는 체온계를 주로 사용합니다. 또 온도계 기능이 있는 가전제품이나 생활용품을 사용하고 있으며, 병원이나 공장에서도 쓰임새에 맞는 다양한 온도계를 사용합니다. 이렇듯 온도계는 우리 주위에서 늘 사용되고 있으며, 우리 생활을 편리하게 해줍니다.

일상생활에서 흔히 사용하는 체온계의 종류에는 수은 체온계, 귀 체온계, 이마 체온계 등이 있습니다. 그중 수은 체온계는 액체 샘에 알코올이나 기름 대신에 수은이 들어 있는 온도계로, 수은은 온도에 따라 부피가 매우 일정하게 변하여 정확한 온도를 측정할 때 사용합니다. 하지만 수은 체온계는 깨지면 위험하므로 점차 귀 체온계나, 이마 체온계와 같은 온도가 숫자로 나타나는 (㉠   )를 사용하고 있습니다.

부엌에서 사용하는 프라이팬의 온도계와 조리용 온도계로는 맛있는 요리를 만들기 위한 적절한 온도를 알 수 있고, 완성된 요리를 신선하게 보관하기 위하여 냉장고의 온도계를 사용합니다. 수족관의 온도계는 수족관 물속의 온도를 쉽게 측정하여 물속 생태계가 유지될 수 있도록 도와주는 역할을 합니다. 항상 물속에 담겨 있어서 방수[2] 기능이 좋고 유리에 잘 흡착[3]될 수 있도록 만들어졌습니다.

Note [1] 수은: 상온에서 유일하게 액체 상태로 있는 은백색의 금속 원소. [2] 방수: 스며들거나 새거나 넘쳐흐르는 물을 막음. [3] 흡착: 어떤 물질이 달라붙음.

주제찾기 1. 글의 중심 내용을 가장 적절하게 표현한 것은 어느 것입니까?

① 온도계를 발명한 과학자 ② 온도계와 관련 있는 과학 기술

③ 온도계의 종류와 활용법 ④ 온도계를 사용할 때 주의할 점

⑤ 온도계로 체온을 측정할 때와 조리할 때의 차이

글감찾기 2. 글감을 글에서 찾아 한 낱말로 쓰세요.

사실이해 3. 글의 내용과 거리가 먼 것은 어느 것입니까?

① 갈릴레이는 공기 온도계를 만들었다.

② 공기 온도계를 개량한 것이 알코올 온도계이다.

③ 약 300년 전부터 물질의 온도를 측정하기 시작했다.

④ 온도계의 기능이 있는 가전제품으로 체온을 잴 수 있다.

⑤ 수은은 온도에 따라 부피가 매우 일정하게 변하는 성질이 있다.

미루어알기 4. 글의 내용으로 미루어 알 수 있는 새로운 생각은 무엇입니까?

① 공기는 온도에 따라 팽창하는 양이 일정하지 않다.

② 알코올은 온도가 높을 때 부피가 빠르게 늘어나는 성질이 있다.

③ 수족관처럼 물속에서 사용하는 온도계는 방수 기능을 갖추고 있다.

④ 일상생활에서는 기온을 잴 때 온도계와 체온계를 많이 사용하고 있다.

⑤ 온도를 정확히 재기 위해서는, 액체 샘에 온도에 따라 일정하게 늘어나는 액체를 담아야 한다.

세부내용 5. ㉠에 알맞은 말은 어느 것입니까?

① 수은 온도계 ② 공기 온도계 ③ 알코올 온도계

④ 디지털 온도계 ⑤ 조리용 온도계

적용하기 6. 글을 읽고 온도계의 원리를 다음과 같이 정리해 보았습니다. 빈칸에 알맞은 말을 채우세요.

주변의 온도가 변화함에 따라 그 □□나 □□ 등이 일정하게 변화하는 액체나 고체의 성질을 응용한 것이 온도계입니다.

점 수

1~6번 문제의 점수를 더하여 총점을 쓰고 166쪽의 표에 막대그래프로 표시하세요

평가
요소   **1.** ☐   **2.** ☐   **3.** ☐   **4.** ☐   **5.** ☐   **6.** ☐
        20점   20점   15점   15점   15점   15점

170쪽 표의 해당하는 번호에 체크하세요.

산, 강, 평야, 해안 등과 같은 땅의 모양을 지형이라고 부릅니다. 우리나라 지형의 특징을 간략히 살펴보도록 하지요. 우리 국토는 약 70%가 산지로 이루어져 있으며, 북쪽과 동쪽에는 높고 험한 산이 많아서 이들은 연속적으로 이어져 산맥을 이룹니다. 우리나라에서 가장 높은 북쪽의 백두산에서 시작된 산맥은 금강산, 설악산을 지나 남쪽의 지리산까지 이어져 우리나라의 뼈대[백두대간]를 이룹니다. 큰 산맥에서 나온 작은 산맥들이 서쪽을 향해 뻗어 나가며 점점 낮아져 동쪽은 높고 서쪽은 낮은 지형이 나타납니다. 이렇게 우리나라는 동쪽이 서쪽보다 높아 북쪽과 동쪽의 산에서 시작된 강은 주로 남쪽과 서쪽으로 흐릅니다.

해안의 특징도 살펴보도록 하지요. 동해안은 해안선이 단조롭고 모래사장이 넓어, 해수욕장이 잘 발달하였으며, 수심이 매우 깊습니다. 남해안은 해안선이 복잡하며, 크고 작은 섬이 많아 다도해라고 부릅니다. 서해안은 해안선이 역시 복잡하고 섬과 만, 반도가 많습니다. 또 밀물과 썰물의 차가 대단히 커서 갯벌이 넓게 펼쳐져 있습니다.

한 지역에서 오랜 기간에 걸쳐 나타나는 지속적이고 평균적인 대기 상태를 '기후'라고 하는데, 기온, 강수량, 바람 등으로 나타냅니다. 기후는 지형과 밀접한 관계를 맺으면서 그 특징을 드러냅니다. 우리나라는 남북으로 길어서 위도[1] 차이가 크기 때문에 남북의 기온 차이도 큽니다. 또 동서의 기온 차이도 커서 ㉠비슷한 위도의 동해안 지역이 서해안 지역에 비하여, 해안 지역이 내륙 지역에 비하여 대체로 겨울에 따뜻하고 여름에 시원합니다. 동해안에 있는 강릉은 차가운 북서풍[2]을 막아 주는 태백산맥과 수심이 깊어 바닷물이 빨리 식지 않는 동해의 영향으로, 비슷한 위도에 있는 인천이나 춘천보다 겨울에 덜 춥습니다.

강수량의 특징을 살펴보면, 북쪽에서 남쪽으로 갈수록 강수량이 많아지고, 남해안과 동해안 지역이 내륙 보다 강수량이 많습니다. 연평균 강수량의 절반 이상이 여름에 집중됩니다. 여름에는 적도 부근의 태평양에서 불어오는 더운 바람의 영향을 받아 기온이 높아서 덥고 비가 많이 옵니다. 겨울에는 북쪽의 시베리아에서 불어오는 차가운 바람의 영향을 받아 기온이 낮아서 춥고 눈이 많이 내립니다.

Note   [1] 위도: 지구 위의 위치를 나타내는 좌표축 중에서 가로로 된 것. 적도를 중심으로 하여 남북으로 평행하게 그은 선이다.   [2] 북서풍: 서북쪽에서 동남쪽으로 부는 바람.

주제찾기

1. 빈칸을 채워 글의 주제를 완성하세요.

> 우리나라 □□의 □□과 □□의 □□

제목찾기

2. 빈칸에 낱말을 넣어 제목을 완성하세요.

> 우리나라의 □□과 □□

사실이해

3. 글에서 자세히 다루지 <u>않은</u> 대상은 어느 것인가요?

① 산맥　　② 강　　③ 평야　　④ 기온　　⑤ 강수량

미루어알기

4. 아래 글을 참고하여, 윗글에서 떠올린 내용으로 알맞은 것은 어느 것인가요?

> '만'이란 바다가 육지 쪽으로 들어온 곳이고, '곶'이란 육지가 바다 쪽으로 나와서 바다로 둘러싸인 곳을 말하는데, 곶보다 규모가 크면 '반도'라고 불러요.

① 동해안에는 '만'이, 서해안에는 '곶'이 잘 발달해 있다.
② 서해안에는 '반도'가, 남해안에는 '만'이 잘 발달해 있다.
③ 동해안과 남해안에는 '반도'라는 지명이 많이 보인다.
④ 남해안과 서해안에는 '만'과 '곶'이 두루 발달해 있다.
⑤ 우리나라 전 지역에 걸쳐 '반도'는 한 군데만 나타난다.

세부내용

5. ㉠ 다음에 이어질 내용은 무엇입니까?

① 여름에 무덥고 겨울에 춥다.　　② 겨울에 따뜻하고 여름에 시원다.
③ 여름에 비, 겨울은 눈이 많이 온다.　　④ 여름에 남풍이, 겨울에 북풍이 분다.
⑤ 사계절에 걸쳐 강수량이 풍부합니다.

적용하기

6. 지형과 기후의 관계를 표로 정리했습니다. 빈칸을 채워 완성하세요.

지형	기후
• 차가운 북서풍을 막아 주는 ①□□□□ • 수심이 깊어 바닷물이 빨리 식지 않는 ②□□의 영향	동해안에 있는 강원도의 삼척은, 같은 위도에 있는 경상북도 봉화나 청송에 비해 겨울에 ③□□□□.

	점 수
1~6번 문제의 점수를 더하여 총점을 쓰고 166쪽의 표에 막대그래프로 표시하세요	

| 평가요소 | 1. ☐ 15점 | 2. ☐ 20점 | 3. ☐ 15점 | 4. ☐ 15점 | 5. ☐ 15점 | 7. ☐ 20점 |

170쪽 표의 해당하는 번호에 체크하세요.

　　인간이 생활하고 있는 지구에는 다양한 환경이 존재합니다. 남극과 북극, 높은 산악 지대와 같이 혹독한 추위가 있는 곳과 정글, 사막과 같이 높은 온도의 환경도 존재합니다. 그리고 지구의 대기를 벗어나면 우리가 경험하지 못한 극한 상황을 접하게 됩니다. 하지만 첨단 기술로 개발된 여러 가지 장비나 특수복, 방화복 등으로 열의 이동을 차단하여 극한 상황에서도 체온을 유지하며 인간이 활동할 수 있습니다.

　　2012년 10월, 오스트리아 스카이다이버인 바움가르트너는 높이 39km에서 뛰어내렸습니다. 바움가르트너가 뛰어내린 곳의 기온은 영하 60℃로 매우 추운 곳입니다. 이렇게 온도가 매우 낮은 환경에서 체온을 유지하면서 안전하게 뛰어내릴 수 있었던 것은 첨단 과학 기술로 만든 특수복과 헬멧 덕분입니다. 특수복은 영하 68℃부터 영상 38℃까지의 온도를 견딜 수 있습니다. 이 특수복은 섬유 사이에 공기주머니를 넣어 온도와 압력을 조절할 수 있게 만들었고, 높은 곳에서 지상과 비슷한 기압을 유지하여 주는 최첨단 성능을 갖추고 있습니다. 또, 마찰열로부터 인체를 보호하기 위하여 세라믹, 광섬유와 같은 비금속 단열 소재가 쓰였습니다.

　　한편, 1,000℃ 이상의 뜨거운 불길에서 견딜 수 있는 방화복도 있습니다. 주로 소방관이 입는 방화복은 외부의 열이 몸으로 잘 전달되지 않고 불길에 닿아도 타거나 변형되지 않는 특수 소재로 만듭니다. 소방관이 높은 온도에서도 견딜 수 있는 것은 아라미드 섬유로 제작한 방화복 덕분입니다. 이 섬유는 열에 강하고 지름 5mm로 2톤이 넘는 자동차를 들어 올릴 정도로 튼튼하여 주로 항공용이나 군사용으로 이용되기도 합니다. 이처럼 온도가 매우 낮거나 높은 환경에서 사람의 몸을 보호하고 체온을 유지하기 위하여 첨단 기술을 이용한 옷이 개발되고 있습니다.

　　옷에 기능성을 부여하기 위해서 다양한 화학 약품을 처리하고 무기 성분을 혼합하는 연구가 활발하게 이루어지고 있는데 불에 타지 않는 섬유 및 항균 섬유 등이 그 예입니다. 또한, 최근 나들이옷 시장이 커지면서 습기를 흡수하고 보온 및 발수성이 뛰어난 섬유에 관한 연구가 ⊙급물결을 타고 발전하고 있습니다. 온도 또는 빛 등의 환경 변화에 따라서 색상이 변하거나 보온 기능을 더해주는 스마트 섬유도 개발되고 있습니다. 옷 표면에 난반사, 굴절 등 물리적 특성을 부여하여 시각적으로 색다른 느낌을 주는 옷부터 좋은 향기를 내주는 옷까지 고감성 옷 재료들이 속속 개발되고 있습니다.

주제찾기 **1.** 글의 주제문으로 알맞은 것은 어느 것입니까?

① 인간에게는 극한 상황을 이겨낼 능력이 있다.

② 혹독한 추위와 높은 온도는 특수복으로 견뎌낸다.

③ 온도가 매우 낮은 환경에서도 체온을 유지할 수 있다.

④ 열에 강하고 튼튼하여 끊어지지 않는 섬유로 옷을 만든다.

⑤ 첨단 기술에 의한 옷으로 어려운 환경을 이기고 잘 살 수 있다.

제목찾기 **2.** 무엇을 글감으로 삼고 있는지 글에서 찾아 쓰세요.

□□ □□□□ □□□□ □

사실이해 **3.** 글에서 설명한 '옷의 기능성'에 속하지 <u>않는</u> 것은 어느 것입니까?

① 불에 타지 않는다.   ② 세균이 접근하지 못하게 한다.

③ 빛에 따라 색상을 변화시킨다.   ④ 가상현실을 겪고 즐기도록 한다.

⑤ 습기를 흡수하고 보온할 수 있게 한다.

미루어알기 **4.** 글을 읽고 떠올린 생각으로 알맞은 것은 어느 것입니까?

① 우주 공간은 인간이 살 수 없는 곳이다.

② 특수복, 방화복은 열의 이동을 빠르게 한 옷이다.

③ 매우 높은 곳에서는 체온과 압력을 유지해야 활동할 수 있다.

④ 나들이옷은 천연의 재료로 만들어야 품질이 좋다.

⑤ 향기를 내는 옷이 시력의 보호에 유리하다.

세부내용 **5.** ㉠을 가장 자연스럽게 고친 것을 고르세요.

① 크게 유행하고 있다.   ② 성난 파도와 같은 기세이다.

③ 무서운 힘으로 덮치고 있다.   ④ 누구도 앞날을 떠올릴 수 없다.

⑤ 아무도 막을 수 없는 시대의 흐름이다.

요약하기 **7.** 글에서 설명한 내용을 정리하였습니다. 빈칸에 알맞은 말을 넣어 완성하세요.

극한 상황에 대처하는 옷	①□□□, 방화복
기능을 집어 놓은 옷	불에 타지 않는 옷, ②□□ 섬유 ③□□□ 섬유

	점 수
모든 문제의 점수를 더하여 총점을 쓰고 166쪽의 표에 막대그래프로 표시하세요	

인간이나 동식물에 영향을 미치는 자연적 · 사회적 조건 일체를 일컬어 '환경'이라고 합니다. 예컨대, 친구들과 선생님, 책상, 의자, 칠판, 운동장, 교문, 건물, 도로, 산, 하천, 햇볕, 공기 등 우리 주변의 모든 것이 환경에 해당합니다. 이런 환경은 인간과 영향을 주고받는 관계입니다. 환경은 스스로 정화[1]하고 균형을 유지할 수 있는 능력이 있습니다. 그런 만큼 인간은 다양한 환경이 서로 영향을 주고받으며 조화[2]를 이룰 수 있도록 배려[3]해야 합니다.

민우는 대도시의 아파트에 삽니다. 민우네 가족은 아버지, 어머니, 동생 그리고 민우까지 4명입니다. 도시는 건물과 자동차가 많고 복잡합니다. 도시에는 여러 시설이 있어 편리하지만 아름다운 자연을 느끼기는 힘듭니다. 그래서 민우네 가족은 집 근처의 공원을 자주 찾습니다. 공원에는 나무가 많고 잔디밭이 있어 조금이나마 자연을 느낄 수 있기 때문입니다.

민우의 사촌인 현서는 작은 어촌 마을에 삽니다. 현서네 가족은 아버지, 어머니, 현서, 이렇게 3명입니다. 현서네 집에서 조금만 걸어 나오면 바다가 있고, 현서네 집 뒤쪽으로는 낮은 산이 있습니다. 현서는 주로 바다와 산에서 여가 생활을 즐깁니다. 하지만 현서네 마을에는 편의시설이나 문화 시설이 거의 없어서 새로 나온 영화를 보거나 책을 사려면 한 시간 가까이 차를 타고 시내로 나가야 합니다.

매년 봄이면 중국 내륙, 몽골의 고원과 사막에서 시작된 황사가 불어옵니다. 황사로 된 미세먼지가 호흡 기관으로 들어가면 호흡기 질환을 유발[4]하고, 알레르기와 눈병 등을 일으킵니다. 이처럼 황사는 사람들의 건강을 해칠 뿐만 아니라, 반도체와 기계 고장의 원인이 되기도 해서 문제가 되고 있습니다. 황사를 통하여 다양한 환경이 서로 영향을 주고받는 범위가 매우 넓고, ㉠한 오염 물질이 ㉡또 다른 오염을 일으키는 특성이 있음을 알 수 있습니다.

Note [1] 정화: 순수하지 않거나 더러운 것을 깨끗하게 함. [2] 조화: 서로 잘 어울림. [3] 배려: 도와주거나 보살펴 주려고 마음을 씀. [4] 유발: 어떤 것이 다른 일을 일어나게 함.

주제찾기 **1.** 글의 중심 내용과 거리가 <u>먼</u> 낱말을 고르세요.

① 인간   ② 조화   ③ 균형

④ 환경   ⑤ 건강

제목찾기 **2.** 글의 내용에 알맞은 제목을 붙이세요.

☐☐☐ ☐☐☐ ☐☐

사실이해 **3.** '자연적 조건에 속하는 환경'만 모아 놓은 것은 어느 것입니까?

① 학교, 책상   ② 의자, 칠판   ③ 운동장, 교문

④ 하천, 공기   ⑤ 교문, 햇볕

미루어알기 **4.** '민우'의 집 근처에 있는 '공원'은 어떤 특성이 있는 장소입니까?

① 자연적 조건에 속하는 환경이다.
② 사회적 조건에 속하는 환경이다.
③ 자연과 인간에게 혜택을 주는 곳이다.
④ 사회적 조건을 즐기기에 편리한 장소이다.
⑤ 자연적 조건을 느낄 수 있도록 만들어 놓은 장소이다.

세부내용 **5.** ㉠과 ㉡에 해당하는 짝을 글에서 찾아 순서대로 늘어놓은 것을 찾으세요.

① 황사 – 눈병   ② 사막 – 황사
③ 먼지 – 호흡   ④ 미세 먼지 – 호흡기
⑤ 호흡 기관 – 알레르기

적용하기 **6.** 글의 내용을 보충하여 위 글을 '주장하는 글'로 바꾸어 썼을 때, 주제문으로 삼을 수 있는 문장을 찾아 쓰세요.

	점수
1~6번 문제의 점수를 더하여 총점을 쓰고 166쪽의 표에 막대그래프로 표시하세요	

평가
요소
1. □
15점
2. □
20점
3. □
15점
4. □
15점
5. □
15점
6. □
20점

170쪽 표의 해당하는 번호에 체크하세요.

지구를 떠나 다른 별이나 외계 생명체를 찾는 것은 인류의 오랜 꿈입니다. 1977년 미국 국립항공우주국은 태양계에서 비교적 먼 거리에 있는 목성형 행성인 목성, 토성, 천왕성 등을 탐사하기 위하여 보이저 1호와 보이저 2호를 발사하였습니다. 1호는 주로 태양계 외곽을 탐사하기 위한 목적으로 발사하였고, 그보다 먼저 발사된 2호는 주로 목성형 행성을 탐사하기 위한 좋은 조건을 고려하였습니다. 이 두 탐사선은 목성, 토성, 천왕성, 해왕성을 지나가며 행성 표면의 자세한 모습을 지구로 보내왔습니다. 이러한 모습은 아무리 성능이 좋은 망원경이라고 해도 지구에서는 알아낼 수 없습니다.

보이저호는 목성 근처를 지나며 목성 표면에 매우 강한 소용돌이 바람이 불고 있고, 목성이 고리를 가지고 있다는 것을 확인하였습니다. 그리고 목성의 북극과 남극에 지구에서 일어나는 오로라❶와 같은 현상이 있다는 것을 발견하였습니다. 이후 보이저호는 토성에 접근하여 토성의 고리가 수많은 얇은 고리로 이루어져 있다는 것을 알아냈습니다. 또 천왕성과 해왕성 근처를 지나면서 행성의 기상 상태와 위성❷, 고리 등을 탐사하였습니다. 이를 통하여 해왕성의 표면에 폭풍과 같은 거센 바람이 끊임없이 불고 있고, 해왕성의 위성 중에는 표면이 얼음과 암석으로 덮여 있는 위성도 있다는 것을 알아냈습니다.

(㉠) 보이저호는 30여 년간 여러 행성을 지나며 행성에 대한 자료를 지구로 보내왔고, 지금까지 지구에서 알아낼 수 없었던 많은 것을 알려주었습니다. 또 앞으로도 탐사선의 수명이 다할 때까지 먼 우주로 여행하면서 자료를 보내올 것입니다. 태양계를 벗어난 우주에도 생명체가 살고 있는 곳이 있을까요? 어떤 과학자들은 우주에 매우 많은 별이 있으므로 우주 어딘가에는 지구처럼 문명을 이룬 생명체가 살고 있을 것이라고 말합니다. 은하계에는 지구와 닮은 행성이 170억 개나 있다는 주장도 있습니다. 지구와 환경이 비슷하다면 생명체가 존재할 가능성이 있습니다.

Note ❶ 오로라: 주로 극지방에서 초고층 대기 중에 나타나는 발광(發光) 현상. ❷ 위성: 행성의 인력에 의하여 그 둘레를 도는 천체.

주제찾기 **1.** 주제로 가장 알맞은 것을 고르세요.

① 태양계 외곽 탐사   ② 태양계 행성 기상 상태

③ 외계 생명체 연구   ④ 행성 탐사의 조건

⑤ 우주탐사와 보이저호의 성과

글감찾기 **2.** 글감이 무엇인지, 아래의 빈칸을 채워 답하세요.

☐☐ ☐☐☐☐ ☐☐☐☐☐

사실이해 **3.** 글의 내용과 <u>어긋나는</u> 것은 어느 것입니까?

① 1977년 보이저호를 발사함.

② 목성형 행성이 여러 개 존재함.

③ 보이저 2호를 1호보다 먼저 발사함.

④ 보이저호는 목성 표면 모습을 보내옴.

⑤ 천왕성의 위성 표면에는 얼음이 덮여 있음.

미루어알기 **4.** 글을 바탕으로 미루어 짐작한 생각으로 알맞은 것을 고르세요.

① 외계 생명체의 신호를 발견한 적이 있다.

② 목성형 행성의 극지방에는 오로라 현상이 발생한다.

③ 태양계의 먼 행성을 탐사하는 데는 우주선이 두 대 필요하다.

④ 목성형 행성들의 기상 상태는 지구보다 훨씬 나쁘다.

⑤ 태양계를 벗어난 우주에는 별이 많지 않다.

세부내용 **5.** ㉠에 들어가기에 알맞은 접속어는 무엇입니까?

① 따라서   ② 이처럼   ③ 그러나

④ 그런데   ⑤ 그러므로

적용하기 **6.** 다음 글을 참고하여, 윗글에 나온 행성을 모두 찾아 쓰세요.

> 항성: 스스로 빛을 내며, 마치 천구 상에서 움직이지 않는 것처럼 보이는 별.
> 행성: 항성 주위를 도는, 스스로 빛을 내지 못하는 천체의 한 부류로, 질량이
> 충분하여 구형의 형태를 유지해야 하고 다른 행성의 위성이 아니어야 하며,
> 궤도 주변의 다른 천체는 배제되어야 한다.

	점 수
1~6번 문제의 점수를 더하여 총점을 쓰고 166쪽의 표에 막대그래프로 표시하세요	

　　우리나라 경제 제도의 특징은 세 가지로 요약해서 설명할 수 있습니다. 첫째, 사유 재산 제도입니다. 정당한 방법으로 얻은 재산은 개인 소유로 인정되며, 자유롭게 사용할 수 있습니다. 둘째, 혼합 경제 제도입니다. 자본주의 경제 체제를 기본으로 하고, 경제 질서를 유지하기 위해 정부가 부분적으로 개입합니다. 셋째, 자유와 경쟁입니다. 직업 선택과 소득의 사용이 자유롭고, 자신의 이익을 위하여 서로 겨룹니다. 자유와 경쟁은 경제 활동의 모습에서 우리 경제의 특징을 드러나게 합니다.

　　물건을 사는 모습, 은행에 돈을 저축하는 모습, 물건을 파는 모습, 물건을 팔아 번 돈을 다시 투자하는 모습 등에서 자유로운 경제 활동을 확인할 수 있습니다. 사람들은 자신의 능력과 적성에 따라 자유롭게 직업을 선택하며, 선택한 직업에서 자유롭게 일해서 벌어들인 소득을 자유롭게 소비하고 저축할 수 있습니다. 기업에서는 무엇을 얼마만큼 생산하여 판매할지 스스로 결정하고, 판매하여 얻은 수입을 어떻게 사용할지 자유롭게 결정합니다. 이와 같이 (　　　　⊙　　　　)

　　원하는 직업을 얻기 위해 경쟁하는 모습, 물건을 더 많이 팔기 위해 경쟁하는 모습, 기업에 필요한 인재를 구하는 모습 등에서 다양한 경쟁이 이루어지는 경제 활동을 하고 있습니다. 개인은 자신이 원하는 것을 얻기 위하여 노력하며, 원하는 직업을 얻기 위하여 경쟁합니다. 기업은 많은 물건을 팔아 더 많은 이윤을 얻기 위하여 여러 가지 방법으로 경쟁합니다. 더 많은 이윤을 얻기 위하여 질 좋은 제품을 만들거나 새로운 기술을 개발하고, 인재를 뽑는 등 다양한 노력을 합니다.

　　자유로운 경제 활동을 함으로써 자신이 원하는 직업을 가질 수 있으므로 더 즐겁게 일할 수 있으며, 자신이 선택한 일에서 자기 생각대로 직업 활동을 할 수 있으므로 일의 능률이 오릅니다. 또 자신이 번 돈을 자신의 의지대로 사용할 수 있으므로 더 열심히 일할 수 있습니다. 기업 간의 경쟁은 소비자들에게 다양하고 질 좋은 물건을 싸게 살 기회를 제공한다는 점에서 도움이 됩니다. 또한, 외국 시장에서 우리나라 제품의 경쟁력을 높여 국가 경제의 발전에 도움을 주기도 합니다.

주제찾기 1. 글에서 내용의 초점을 맞춘 두 분야는 무엇입니까?

① 사유 재산, 혼합 경제   ② 경제 제도, 경제 활동

③ 경제 체제, 경제 질서   ④ 직업 선택, 이윤 추구

⑤ 기술 개발, 인재 양성

제목찾기 2. 글감을 떠올려 아래의 빈칸을 채우세요.

□□□□□ □□□□ □□

사실이해 3. 우리나라의 경제 활동을 특징짓는 말은 무엇입니까?

① 소유와 독점   ② 통제와 분배

③ 자유와 경쟁   ④ 소득과 저축

⑤ 소비와 투자

미루어알기 4. 글을 읽고 떠올린 생각으로 적절한 것을 고르세요.

① 우리나라 정부는 개인의 경제 활동에 일절 개입하지 않는다.

② 우리나라에서는 번 돈을 외국에 있는 기업에 투자할 수 있다.

③ 우리는 학생 때부터 적성과 취미에 맞는 직업 훈련을 받게 된다.

④ 기업은 경쟁을 통해 더 많은 물건을 팔아 더 많은 이윤을 얻을 수 있다.

⑤ 기업은 개인들이 더 열심히 일할 수 있는 환경을 조성하는 것은 아니다.

세부내용 5. 글의 흐름에 따라, ㉠에 들어갈 문장을 구성할 때 필요한 낱말이 <u>아닌</u> 것은 어느 것입니까?

① 국가   ② 조작   ③ 경제

④ 자유   ⑤ 활동

적용하기 6. 다음 문장에서 떠올릴 수 있는 낱말을 글에서 찾아 쓰세요.

> 기업은 더 많은 이윤을 얻기 위해 질좋은 제품을 만들거나 새로운 기술을 개발하고, 인재를 뽑는 등 다양한 노력을 합니다.

	점 수
1~6번 문제의 점수를 더하여 총점을 쓰고 166쪽의 표에 막대그래프로 표시하세요	

평가요소

1. ☐ 20점 | 2. ☐ 15점 | 3. ☐ 15점 | 4. ☐ 15점 | 5. ☐ 15점 | 6. ☐ 20점

170쪽 표의 해당하는 번호에 체크하세요.

추운 겨울에 하얗게 내리는 눈을 본 적이 있나요? 돋보기로 눈을 자세하게 관찰하면 아름다운 형태를 볼 수 있습니다. 육각형 눈 결정은 꽃 모양, 가시 모양 등으로 모양이 조금씩 다르게 보입니다. 이처럼 입자가 일정하게 배열되어 규칙적인 형태를 가지고 있는 고체를 결정[1]이라고 부릅니다.

결정은 순수한 물질로 이루어지기 때문에 그 물질이 갖는 독특한 모양을 지니게 됩니다. 따라서 이 독특한 모양을 이용하여 여러 물질을 구별할 수 있습니다. 즉, (㉠   ) 또한 비슷한 물질들을 서로 비교할 때에 용액에 녹인 다음 다시 결정을 만들고, 결정의 모양이나 구조를 비교하여 비슷한 두 물질을 구별하기도 합니다. 결정이 만들어질 때 불순물은 용액에 그대로 남게 되기 때문에 순수한 물질이 얻어집니다. 염전에서 얻어지는 천연 소금에는 소금 이외에 여러 가지 물질이 들어 있는데, ㉡천연 소금을 녹여 진한 용액을 만든 후 천천히 식혀 생긴 소금은 천연 소금보다 불순물이 적어 훨씬 더 깨끗하고 짠맛이 납니다.

액체로 된 손난로 속의 금속 조각을 구부리면 하얀색 고체가 생기면서 열이 발생합니다. 현미경으로 손난로 속의 하얀색 고체를 관찰하면 길쭉한 바늘 모양이나 평행사변형 결정을 관찰할 수 있습니다. 손난로 속에 들어 있는 물질은 아세트산나트륨인데, 이 물질은 젤[2] 상태로 매우 불안정하여 손난로 속의 금속 조각을 구부리면 결정화가 시작되어 고체로 변하고 열이 발생합니다. 손난로에 아세트산나트륨 대신 티오황산나트륨을 사용하기도 합니다.

따뜻한 백반 용액을 서서히 식히면 정팔면체의 결정을 얻을 수 있습니다. 이 밖에 정육면체의 소금 결정, 납작한 육각 기둥 모양의 황산구리 결정도 있습니다. 대부분의 결정은 사람이 손으로 들 수 있을 만큼의 크기입니다. 그런데 멕시코의 나이카 광산에는 사람이 걸어 다닐 수 있을 만큼 커다란 결정이 있습니다. 이 결정은 셀레나이트 결정으로 길이가 11m 정도이고 무게가 55톤이나 되는 기둥 모양입니다.

Note [1] 결정: 원자, 이온, 분자 따위가 규칙적으로 일정한 법칙에 따라 배열되고, 외형도 대칭 관계에 있는 몇 개의 평면으로 둘러싸여 규칙 바른 형체를 이룸. 또는 그런 물질. [2] 젤: 용액 속의 콜로이드 입자가 유동성을 잃고 약간의 탄성과 견고성을 가진 고체나 반고체의 상태로 굳어진 물질.

주제찾기 **1.** 글의 중심 내용을 가장 잘 표현한 것은 어느 것입니까?

① 눈은 육각형의 결정으로 이루어져 있다.
② 물질의 결정은 과학적인 특성을 지니고 있다.
③ 용액 속에는 순수한 물질과 불순물이 섞여 있다.
④ 액체로 된 손난로 속에는 고체로 된 결정이 들어 있다.
⑤ 여러 종류의 결정이 나트륨 화합물이어서 소금 맛을 띤다.

글감찾기 **2.** 설명의 중심 대상이 된 낱말을 찾아 쓰세요.

사실이해 **3.** 글의 내용과 일치하지 <u>않는</u> 것은 어느 것입니까?

① 돋보기로 눈의 결정을 관찰할 수 있다.
② 결정은 대개 순수한 물질로 이루어져 있다.
③ 결정을 용액에 녹인 후 다시 결정을 만들 수 있다.
④ 결정을 만들 때 불순물은 용액에 남게 된다.
⑤ 손난로 속의 결정은 젤 상태로 되어 있다.

미루어알기 **4.** ㉠에 들어가기에 알맞은 문장을 고르세요.

① 물질은 제각기 고유한 특성을 지닙니다.
② 용액의 결정은 하나라도 같은 것이 없습니다.
③ 각각의 물질이 갖는 독특한 모양을 지니고 있습니다.
④ 순수한 물질의 특성을 연구하는 데 결정이 이용됩니다.
⑤ 비슷한 물질들 둘을 구별하는데 물과 용액을 이용합니다.

세부내용 **5.** ㉡의 이유로 적절한 것은 어느 것입니까?

① 소금 결정만 분리되기 때문에
② 용액 속의 불순물이 결합하기 때문에
③ 소금과 불순물을 구별할 수 없게 되기 때문에
④ 소금 결정이 걸러진 뒤에 불순물이 나오기 때문에
⑤ 순수한 소금 결정이 용액에서 소금기를 빨아들이기 때문에

적용하기 **6.** 일상생활에서 흔히 볼 수 있는 결정의 모양을 쓰세요.

	점 수
1~6번 문제의 점수를 더하여 총점을 쓰고 166쪽의 표에 막대그래프로 표시하세요	

　　기업이 광고하는 이유는 소비자들이 자기 회사 제품을 더 많이 사도록 해서 이윤을 더 많이 얻기 위해서입니다. 그만큼 광고는 사람들의 욕구를 자극하기 때문에 소비자들의 소비 결정에도 커다란 영향을 미칩니다. 그렇다면 우리는 광고를 잘 알아야 현명하게 소비할 수 있겠죠? 광고의 좋은 점과 나쁜 점에 대해서 함께 알아보아요.

　　우리 집은 보통 배달 음식을 시켜 먹을 때 집에 들어온 광고지를 보고 주문을 하는 경우가 많아요. 만약 음식점이 광고하지 않았더라면 우리가 어떤 식당에서 무슨 메뉴를 팔고 있는지 어떻게 알 수 있겠어요? 엄마가 장을 보실 때에도 어느 슈퍼마켓에서 언제 어떤 물건을 할인해 팔고 있는지 광고지를 꼼꼼히 살펴보고 가세요.

　　저희 누나는 굉장히 날씬한 모델들을 내세워 광고하는 식품 회사에서 일주일에 10kg을 무조건 빼게 한다고 광고해서 다이어트 식품을 구매했는데, 아무런 효과도 보지 못했어요. 요즘에는 소비자들이 후기를 참고하여 구매 결정을 한다는 점을 이용해서 돈을 받고 블로그에 ㉠구매 후기를 올리는 경우가 많아요. 사실 그런 글은 공정하게 쓴 것 같지만 그렇지 않은 경우가 많대요. 진짜 체험하고 자신의 이야기를 적은 글인지 아닌지 잘 판단해야 해요.

　　광고는 기본적으로 소비자에게 상품의 장점만을 부각해 판매로 이끌어 내야 하기 때문에 어느 정도 과장된 표현을 할 수는 있겠지요. 하지만 지나친 허위 과대광고는 소비자를 속이고, 피해를 주는 일이에요. 물건을 판매하는 사람도, 구입하는 사람도 스스로에게 떳떳하게, 바른 방법을 사용해야 합니다. 이제 광고가 지닌 좋은 점과 나쁜 점을 제대로 이해하게 되었으니, 광고로부터 좋은 정보는 얻되, 과장된 내용은 받아들이지 않는 현명한 소비자가 될 수 있을 거예요.

주제찾기　　**1.** 글을 읽고 어떤 부류의 사람이 가장 크게 공감할까요?

① 상품을 만드는 사람　　　　　　② 상품을 사려고 하는 사람

③ 집에서 상품을 고르는 사람　　　④ 광고에 대한 지식이 부족한 사람

⑤ 광고의 피해를 본 적이 있는 사람

제목찾기 **2.** 빈칸을 채워 글의 제목을 붙이세요.

☐☐☐ ☐☐ ☐, ☐☐ ☐

사실이해 **3.** 글의 내용과 거리가 먼 것을 고르세요.

① 광고의 목적은 이윤을 더 많이 얻는 데 있다.

② 광고는 소비자의 욕구를 자극하려는 경향이 있다.

③ 광고는 보는 사람에게 정보를 제공하여 이득을 준다.

④ 광고는 실제의 성능을 과장하는 거짓을 일삼기도 한다.

⑤ 광고가 지나친 허위 과대가 아니라면 아무런 해가 없다.

미루어알기 **4.** 물건을 사는 쪽에서 광고를 보는 목적은 무엇이라고 할 수 있나요?

① 공정한 거래　　　　　　　② 현명한 소비

③ 유리한 판매　　　　　　　④ 세련된 행동

⑤ 준비된 투자

세부내용 **5.** ㉠의 본래의 뜻을 적절하게 풀어놓은 것을 고르세요.

① 광고한 다음 올리는 글

② 친한 친구에게 쓰는 답장의 글

③ 상품의 결점과 단점을 따져서 써놓은 글

④ 사들인 물건을 사용하고 감상이나 평가를 적은 글

⑤ 기업에서 광고를 위해 상품의 평가를 모집하여 발표한 글

적용하기 **6.** '좋은 광고'의 조건을 써보았습니다. 빈칸에 알맞은 말을 넣으세요.

　상품의 실질적인 ①☐☐과 ②☐☐에 어긋남이 없도록 공정성을 확보함으로써, 소비자의 ③☐☐을(를) 얻을 수 있는 광고가 좋은 광고입니다. 이런 광고야말로 소비자에게 올바른 ④☐☐을(를) 제공하여 공익에도 이바지할 수 있습니다.

	점 수
1~6번 문제의 점수를 더하여 총점을 쓰고 166쪽의 표에 막대그래프로 표시하세요	

| 평가요소 | 1. ☐ 20점 | 2. ☐ 15점 | 3. ☐ 15점 | 4. ☐ 15점 | 5. ☐ 15점 | 6. ☐ 20점 |

170쪽 표의 해당하는 번호에 체크하세요.

비는 우리 생활과 밀접한 관련이 있습니다. 사람들은 빗물을 이용하여 농사를 짓거나 생활을 합니다. 하지만 가뭄으로 농사지을 물과 생활에 필요한 물이 부족하여 어려움을 극복하기 위하여 인공적으로 비를 내리게 하는 방법을 연구하게 되었습니다. 인공 강우는 구름 속의 작은 물방울이 빗방울로 성장하지 못할 때에 하늘에 구름 씨를 뿌려 강수(비, 눈, 우박 등)를 만들어 내는 것입니다. 우리나라에서도 가뭄에 대비하여 인공 강우 실험을 하고 있으며, 일부 지역에서는 인공 강우의 가능성을 확인하였습니다.

동계 올림픽이 열리는 지역에서도 눈이 부족할 경우에 인공으로 눈을 많이 내리게 하는 방법을 연구하고 있습니다. 또 물 부족으로 생기는 어려움과 안개나 우박, 태풍으로 인한 피해를 줄이기 위하여 인공 강우에 관하여 연구하고 있습니다.

〈인공 강우를 실제로 활용한 예〉

미국, 오스트레일리아	중국	우리나라
• 여름철에 농작물 재배를 위한 수자원을 확보하고, 뇌우[1]가 발달하기 전에 세력을 약화하기 위하여 인공 강우를 함. • 겨울철 산악 지역이나 가뭄이 심한 일부 지역의 식수 확보나 수력 발전에도 활용.	• 미세 먼지나 황사를 제거하여 맑은 날씨를 유도하거나, 산불이 발생한 지역에서 화재를 진압하기 위하여 인공 강우를 함. • 올림픽과 같은 스포츠 행사가 맑은 날씨에 열릴 수 있도록 인공강우 시도.	겨울철 동계스포츠 경기에 필요한 눈을 확보하기 위하여 인공 강설을 연구하고 있음.

(㉠) 인공 강우는 비용이 많이 들고, 인공 강우로 인하여 주변 지역에 가뭄이 들 수 있으므로 국가 및 지역 간에 갈등이 생기기도 합니다. 그리고 인공적으로 비를 내리게 하기 위해서는 많은 양의 구름 씨가 필요하므로 비용이 많이 듭니다. 또 수분의 양이 맞지 않거나 조절에 실패하면 폭우가 쏟아져 물난리가 나거나 우박이 떨어질 수도 있고, 번개가 그치지 않아 항공기 운항에 지장을 줄 수 있습니다. 그럼에도 불구하고 세계의 여러 나라에서는 폭염과 가뭄이 점점 심해지며 물 부족이 심해지고 있어서 미래를 위해서는 인공 강우에 관한 연구와 개발이 필요합니다.

Note 　1 뇌우: 천둥소리와 함께 내리는 비.

주제찾기 **1.** 글에서 전개한 내용은 글감의 두 가지 측면에 초점을 맞추었습니다. 무엇과 무엇입니까?

① 현상과 원인의 분석　　　　　② 실행의 방법과 문제점

③ 미칠 영향의 대응 방법　　　　④ 문제 상황의 확인과 해결책

⑤ 대립한 의견의 소개와 선택

제목찾기 **2.** 글의 내용에 어울리는 제목을 쓰세요.

□□ □□

사실이해 **3.** 글에서 두드러지게 강조한 현실은 무엇입니까?

① 지구 기온이 올라가고 있다.　　② 산불이 자주 발생하고 있다.

③ 물 부족이 점점 심해지고 있다.　④ 태풍이 그 규모를 키워가고 있다.

⑤ 가을과 봄의 구별이 없어져 가고 있다.

미루어알기 **4.** 사막 상공에 구름 씨를 뿌렸는데 비가 오지 않았다면, 원인이 무엇일까요?

① 구름 씨가 무거웠기 때문에

② 상공에 물방울이 부족했기 때문에

③ 구름 씨를 지나치게 많이 뿌렸기 때문에

④ 사막을 지난 지역에 비가 오고 있었기 때문에

⑤ 아주 높은 공중에는 물방울이 거의 없기 때문에

세부내용 **5.** ㉠에 들어갈 접속어는 무엇입니까?

① 그리고　　　　　　　　　② 그러나

③ 그러면　　　　　　　　　④ 그래서

⑤ 그런데

적용하기 **6.** 인공 강우가 해결해 줄 수 있는 문제를 하나만 쓰세요.

	점 수
1~6번 문제의 점수를 더하여 총점을 쓰고 166쪽의 표에 막대그래프로 표시하세요	

| 평가요소 | 1. ☐ 15점 | 2. ☐ 15점 | 3. ☐ 10점 | 4. ☐ 15점 | 5. ☐ 15점 | 6. ☐ 15점 | 7. ☐ 15점 |

170쪽 표의 해당하는 번호에 체크하세요.

청동기 시대에는 지배자와 지배를 받는 사람들이 생겨났고, 다른 마을 사람들과 싸우는 일도 잦아졌습니다. 사람들은 다른 마을 사람들이 침입하지 못하도록 마을 둘레에 도랑을 파고, 나무로 성벽을 세워 방어하였습니다. 지배자의 세력이 점점 커지면서 마침내 국가가 세워졌고, 이렇게 해서 우리나라에 세워진 최초의 국가가 고조선입니다. 고조선의 건국 과정에 대해서는, 고려 시대에 승려 일연이 쓴 「삼국유사」에 실린 단군왕검 이야기를 통해 전해오고 있습니다. 건국 이야기에는 그것을 만들고 간직해 온 사람들의 생각과 생활 모습이 담겨 있으므로 비현실적인 요소가 포함되어 있더라도 역사를 연구하는 데 중요한 자료가 될 수 있습니다.

단군왕검이 주인공인 고조선의 건국 이야기는 환웅이 하늘에서 내려왔다는 내용으로 시작합니다. 이는 새로운 지배자가 다른 곳에서 왔다는 의미이며, 지배자의 신성함을 강조하기 위하여 하늘의 자손임을 강조하기 위한 내용이라 볼 수 있습니다. 환웅이 바람, 비, 구름을 다스리는 신하를 거느리고 왔다는 내용으로 이어지는데, 이는 고조선 사회가 농경 사회였다는 것을 보여 주면서 지배자가 농사를 잘되게 하는 능력을 갖추고 있다는 사실을 사람들에게 보여 주려고 한 것으로 보입니다. 환웅이 웅녀와 결혼했다는 내용도 있는데, 이는 곰을 숭배하는 무리가 환웅이 거느리고 온 무리와 결합했다는 것을 의미합니다.

고조선 사회의 특징과 사람들의 생활 모습은 남아 전하는 당시의 법을 통해서 짐작해 볼 수도 있습니다. 중국의 역사서에 따르면 고조선에 8개 조항의 법이 있었다고 하지만 전하는 것은 3개 조항뿐입니다. 여기에는 첫째, 사람을 죽인 자는 사형에 처한다고 되어 있습니다. 사람의 목숨을 중요하게 여겼음을 알 수 있죠. 또 고조선의 지배자가 사형을 집행할 수 있을 정도로 강한 권력을 행사하였음을 알려주기도 합니다. 둘째, 남에게 상처를 입힌 자는 곡식으로 갚는다고 했습니다. 곡식으로 갚는 것은 벌금을 뜻하며, 벌금을 낼 수 있다는 것은 개인이 재산을 소유했음을 나타냅니다. 동시에 고조선이 농경사회라는 것도 보여 주고요. 셋째, 도둑질한 자는 도둑맞은 집의 노비로 삼는데, 죄를 면하려면 50만 전의 돈을 내야 한다고 했습니다. 이는 고조선이 노비 제도가 있는 신분 사회였음을 알려줍니다.

㉠고조선 시대에 들어서면 이전 시대와 생활의 모습도 많이 달라집니다. 평안북도 의주군 마송리 동굴에서는 민무늬 토기가 많이 발견되었는데, 이런 종류의 도구가 생활에 사용되었음을 알게 합니다. 뼈로 만든 칼과 숟가락도 발견되었는데, 재료를 자르고 음식을 떠서 먹었을 것으로 짐작하게 합니다. 흙으로 만든 국자, 시루 등도 발견되었는데 이들도 중요한 식생활의 도구였을 것입니다. 의생활을 보면, 옷은 삼베, 동물 털, 비단 등으로 만들고, 대부분의 사람은 짚신을 신었지만, 신분이 높은 사람은 가죽신도 신었을 것입니다. 사는 집을 보면, 집 짓는 기술이 발달하여 신석기 시대의 움집보다 땅 위로 올려 지은 움집에서 살았을 것으로 보고 있습니다.

주제찾기 **1.** 글 전체의 내용은 어떤 물음에 대해 답한 것이라고 할 수 있습니까?

① 고조선 사회에서는 어떠한 도구를 사용하였습니까?
② 우리나라에 세워졌던 최초의 국가는 어떤 모습이었습니까?
③ 고조선의 건국 이야기에서 비현실적 요소는 왜 끼어들었습니까?
④ 고대 국가가 세워지는 과정에서 공통으로 발견되는 특징은 무엇입니까?
⑤ 고조선 사회에서 먹고, 입고, 자고 하는 사람들의 욕구는 누가 채워주었습니까?

제목찾기 **2.** 빈칸을 채워 글의 제목을 붙여 보세요.

고조선의 □□□ □□□□

사실이해 **3.** 고조선 건국 이야기의 첫머리에서 가장 강조한 내용은 무엇입니까?

① 건국 시조의 신성함 　　　　② 농경 사회의 특수성
③ 천문 지리를 맡은 관리 　　　④ 신격화한 동물에 대한 숭배
⑤ 엄격한 법률에 따른 국가 통치

미루어알기 4. 남아 있는 고조선 사회의 법으로부터 새롭게 떠올린 내용은 어느 것입니까?

① 사람의 목숨을 소중하게 생각했다.
② 법을 집행하는 사람의 권력이 강했다.
③ 개인이 사사로이 재산을 소유할 수 있었다.
④ 노비가 있었다는 것으로 볼 때 신분 사회였다.
⑤ 도둑질한 사람은 죄를 면하기가 대단히 어려웠다.

세부내용 5. ㉠은 문단에서 어떤 구실을 하는 문장입니까?

① 앞과 뒤의 내용을 이어준다.
② 앞에 있는 내용을 요약해 준다.
③ 뒤에 펼쳐질 내용을 미리 소개한다.
④ 앞의 내용 중 어려운 것을 쉽게 풀어준다.
⑤ 뒤에 이어질 내용이 앞의 내용과 다름을 알려준다.

적용하기 6. 고조선 사회를 이해하기 위해 글에서 사용한 자료를 세 종류로 정리할 수 있습니다. 글에 나온 낱말로 빈칸을 채우세요.

□□□, 남아 있는 □, 발견된 □□

요약하기 7. 글의 내용을 표로 간추렸습니다. 빈칸을 채워 완성하세요.

자료	자료의 이해
건국 이야기	① □□에서 내려옴 – 다른 곳에서 옮겨 옴. ② □, □□, □□을 다스리는 신하 – 농경 사회 ③ □을 숭배하는 원주민
남아 있는 법	• 남을 죽인 사람은 ④□□에 처한다. • 상처를 입힌 사람은 곡식으로 갚는다. • 도둑은 ⑤□□로 삼는다.
발견된 도구	⑥ □, □, □라는 생존과 관련된 도구로서 당시의 생활상을 짐작하게 함.

점 수

1~7번 문제의 점수를 더하여 총점을 쓰고 166쪽의 표에 막대그래프로 표시하세요

170쪽 표의 해당하는 번호에 체크하세요.

단군의 건국 이야기에는 환웅이 땅으로 내려올 때에 바람, 구름, 비를 다스리는 신하 세 명을 데리고 왔다는 내용이 나옵니다. 농사를 중심으로 하여 살던 시대에는 바람, 구름, 비와 같은 기상 현상이 매우 중요하였습니다. 농산물을 생산하는 데 비의 양과 바람은 많은 영향을 끼칩니다. 우리 조상은 예전부터 농사를 짓는 데 필요한 정보를 얻기 위하여 비와 바람에 대한 기상 관측을 해왔습니다. 이러한 시도와 노력은 오늘날에도 이어지고 있습니다.

조선 시대 초기에는 비가 내린 뒤에 빗물이 땅에 스며든 깊이를 재어 비가 내린 정도를 측정하였습니다. 하지만 땅속에 스며드는 빗물의 양이 장소에 따라 달라 측정 결과가 정확하지 않았습니다. 이것을 보완하기 위하여 세종 때에는 세계 최초로 비가 내린 양을 측정할 수 있는 측우기를 만들어 활용하였습니다. 이것은 이탈리아의 가스텔리가 측우기를 사용한 것보다 약 200년 빠릅니다. 그리고 수표를 설치하여 하천에 흐르는 물의 양을 측정함으로써 홍수와 가뭄에 대비하기도 하였습니다. 세종 때 나무로 만들어서 마전교(지금의 수표교)에 세웠던 수표는 지금은 전하지 않고, 현재 세종대왕기념관에 보관되어 있는 수표는 후대에 만들어졌는데, 높이 약 3m, 폭이 약 20cm의 화강석으로 된 돌기둥입니다. 돌기둥의 양쪽 면에는 눈금을 새겼고, 뒷면의 눈금 위에는 ○표를 파서 수량을 헤아리는 표지로 삼았습니다.

바람도 농작물의 생산에 영향을 줍니다. 꽃이 피거나 열매를 맺는 시기에 강한 바람이 불면 꽃과 열매뿐만 아니라 가지까지 부러지는 등 농작물의 피해가 있습니다. 풍기는 바람을 관측하기 위한 도구로, 풍기 끝에 깃발이 나부끼는 정도를 보고 바람의 방향과 세기를 측정하였습니다. 강우량과 바람을 과학적으로 관측하고 통계적으로 파악하여 농사를 준비할 수 있게 하고 피해를 예방할 수 있도록 하였다는 점에서 측우기, 수표, 풍기는 조선 시대의 농업 기상학에 나타난 우리 조상의 기술과 노력이 돋보이는 기상 관측 기구하고 할 수 있습니다.

오늘날에는 조선 시대보다 더 과학적인 기상 관측 기구를 이용하여 날씨를 관측합니다. 오늘날의 기상 관측 기구에는 자동 기상 관측 기구와 기상 위성 등이 있습니다. 자동 기상 관측 장비는 예전에 사람들이 했던 기상 관측을 슈퍼컴퓨터의 도움을 받아 자동으로 할 수 있도록 설계한 장비로, 관측, 기록, 송신, 편집, 통계 등을 자동으로 처리합니다. 또 기상 위성은 우주 공간에서 지구의 기상 현상을 관측하기 위한 장비로 구름이나 태풍 등의 상태를 알 수 있습니다.

주제찾기 **1.** 글의 중심 내용을 파악하는 데 가장 큰 도움을 주는 문장은 어느 것입니까?

① 우리 조상은 예전부터 농사를 짓는 데 필요한 정보를 얻기 위하여 비와 바람에 대한 기상 관측을 해왔습니다.

② 조선 시대 초기에는 비가 내린 뒤에 빗물이 땅에 스며든 깊이를 재어 비가 내린 정도를 측정하였습니다.

③ 돌기둥의 양쪽 면에는 눈금을 새겼고, 뒷면의 눈금 위에는 O표를 파서 수량을 헤아리는 표지로 삼았습니다.

④ 꽃이 피거나 열매를 맺는 시기에 강한 바람이 불면 꽃과 열매뿐만 아니라 가지까지 부러지는 등 농작물의 피해가 있습니다.

⑤ 오늘날의 기상 관측 기구에는 자동 기상 관측 기구와 기상 위성 등이 있습니다.

제목찾기 **2.** 글의 제목을 완성하기 위해 빈칸을 채우세요.

조선 시대의 □□ □□ □□

사실이해 **3.** '수표'에 대해 글의 내용과 <u>어긋나는</u> 설명은 어느 것입니까?

① 하천에 흐르는 물의 양을 측정한다.

② 세종 때 만든 것이 지금까지 전한다.

③ 세종 때 처음 만든 것은 나무로 만들었다.

④ 현재 볼 수 있는 것은 돌기둥으로 되어있다.

⑤ 돌기둥에 새긴 눈금과 표지로 수량을 측정했다.

미루어알기 **4.** 조선 시대에 기상 관측 기구가 발달했던 점으로 미루어 볼 때, 전통 사회의 주된 산업은 무엇이었다고 할 수 있습니까?

① 농업
② 어업
③ 임업
④ 수산업
⑤ 수공업

세부내용 **5.** '풍기'와 거리가 <u>먼</u> 것을 고르세요.

① 바람
② 풍향
③ 풍속
④ 깃발
⑤ 추수

적용하기 **6.** 오늘날 '수표'와 '풍기'를 쉽게 볼 수 있는 곳을, 각각 하나씩 쓰세요.

요약하기 **7.** 조선 시대의 기상 관측 기구 이름을 글에서 찾아 모두 쓰세요.

	점 수
1~7번 문제의 점수를 더하여 총점을 쓰고 166쪽의 표에 막대그래프로 표시하세요	

| 평가 | 1. ☐ | 2. ☐ | 3. ☐ | 4. ☐ | 5. ☐ | 6. ☐ | 7. ☐ |
| 요소 | 15점 | 15점 | 10점 | 15점 | 15점 | 15점 | 15점 |

170쪽 표의 해당하는 번호에 체크하세요.

후삼국 통일 이후 안정을 이룬 고려는 주변 나라들과 싸우기도 하였지만, 평화적인 관계를 이어 나가려고 노력하였습니다. 당나라 이후 다시 중원을 차지하고 통일 왕조를 이루고자 했던 송나라와 고려는 초기부터 우호[1]적인 관계였습니다. 하지만 북방 민족 중, 거란, 여진, 몽골은 시대를 이어가면서 고려에 침입하여 고려를 곤경에 빠뜨렸습니다.

거란은 고려가 북진 정책을 추진하여 사이가 좋지 않았는데 거란이 발해를 멸망시킨 후에는 더욱 적대[2]적인 관계가 되었습니다. 거란은 3차에 걸쳐 고려에 침입했는데, 서희가 거란의 장수와 담판을 벌여, 고려가 송과 관계를 끊고 거란과 교류할 것을 약속하고 거란을 물러나게 하였습니다. 여진 역시 세력을 넓혀 고려의 국경을 자주 위협하였는데, 윤관이 별무반이라는 부대를 이끌고 여진을 물리쳤습니다. 몽골의 침입은 고려가 치명적인 피해를 보게 되는 사건이어서, 무신 정권이 허울[3]뿐인 고려왕과 더불어 맞섰지만 세계적인 대제국을 막을 수는 없었습니다.

북방 민족과의 적대적인 관계와 달리, 송과는 대체로 친밀한 관계였습니다. 송은 당 말기의 혼란기를 이겨내고 중국을 다시 통일하였는데, 고려는 송에 사신을 보내 정식으로 외교 관계를 맺고, 친선 관계를 유지하고자 했습니다. ㉠송은 북방의 거란과 여진을 의식하여 정치적·군사적 의도에서 고려와 교류하였고, 고려는 선진 문물을 받아들이려는 목적으로 송과 교류하였습니다.

이러한 군사·외교·문화 분야의 관계보다 고려와 주변 나라들의 무역 활동은 고려 사회에 힘을 주고 문화를 융성하게 하는 바탕이 되었습니다. 벽란도는 고려의 도읍인 개경과 가깝고, 수심이 깊어 큰 배가 드나들기 쉬웠습니다. 그래서 송의 상인은 물론이고 멀리 아라비아의 상인들까지 무역을 위해 이 항구를 통해 고려에 오면서 국제 무역항으로 크게 번성하였습니다. 아라비아와 고려의 무역 활동은 계속 이루어졌다거나 대규모로 이루어진 것은 아니었고, 송을 통해 고려에 건너와 아라비아의 문물을 소개하고 고려의 특산품을 들고 가는 정도로 이루어졌습니다. 그렇지만 고려를 다녀간 아

Note [1] 우호: 개인끼리나 나라끼리 서로 사이가 좋음. [2] 적대: 적으로 대함. 또는 적과 같이 대함. [3] 허울: 실속이 없는 겉모양.

라비아 상인들에 의하여 고려는 처음으로 '코리아'라는 이름으로 외국에 알려지게 되었다는 사실은 큰 의미가 있습니다.

외국과 무역 활동이 활발하게 전개되면서, 고려의 수도인 개경은 국제도시로서 면모를 갖추어갔습니다. 개경에서 팔관회라는 불교 행사가 열리면 송의 상인과 여진 상인이 참여하였고, 멀리 아라비아에서도 상인들이 왔습니다. 그리고 무역 활동은 화폐를 주조하게 하는 계기가 되기도 했습니다. 외국과의 무역이 활발해지고 상업과 수공업이 발전하면서 화폐를 만들게 된 것입니다. 무역에서는 주로 은을 사용하였고, 나라 안에서는 화폐를 만들었으나 화폐 대신 주로 쌀과 옷감을 사용하였습니다. 조정에서는 화폐 사용을 늘리려고 노력하였지만 큰 효과를 보지는 못하였습니다.

주제찾기 **1.** 글의 중심어만 모아 놓은 것을 고르세요.

① 고려, 초기, 북방 민족
② 고려, 북진 정책, 국경
③ 고려, 주변 나라, 관계
④ 고려, 중국, 친선 관계
⑤ 고려, 개경, 무역 활동

제목찾기 **2.** 글의 어느 한 가지 내용에 치우치지 않도록 하면서 제목을 붙이세요.

□□ □□의 이해

사실이해 **3.** 글의 내용과 일치하지 <u>않는</u> 것을 고르세요.

① 고려는 후삼국을 통일하였다.
② 고려는 송과 외교 관계를 맺었다.
③ 고려 초기에 거란의 침략이 있었다.
④ 고려 초기부터 몽골이 북방을 어지럽혔다.
⑤ 고려의 무역 활동에서 벽란도가 중심이었다.

미루어알기 **4.** 글의 내용에서 미루어 떠올린 생각으로 알맞은 것은 어느 것입니까?

① 고려는 단일 민족 국가가 아니었다.

② 고려는 북방 민족과 같은 핏줄이었다.

③ 거란은 외교 관계를 위해 고려에 굴복했다.

④ 여진은 고려 침입 후 북방 민족을 통일했다.

⑤ 아라비아 상인들에 의해 우리나라 이름이 알려졌다.

세부내용 **5.** ㉠에서 떠올릴 수 있는 한자 숙어는 무엇입니까?

① 갈이천정(渴而穿井): 목이 말라야 비로소 우물을 판다는 것이니, 곧 미리 준비하지 않고 일이 임박해야 서둘러 해결을 추구함.

② 등고자비(登高自卑): 높은 곳에 오르기 위해서는 낮은 곳부터 밟아야 한다는 말. 천 리 길도 한 걸음부터.

③ 백년하청(百年河淸): 오랜 세월이 흘러도 일이 좋아질 가망이 없다는 뜻. 원뜻은 황하의 물이 백년이 지나도 맑아지지 않는다는 말.

④ 상부상조(相扶相助): 이웃한 둘이 이익이 될 수 있도록 서로서로 도움.

⑤ 원교근공(遠交近攻): 먼 나라와 친하고 가까운 나라를 쳐서 점차로 영토를 넓힘.

적용하기 **6.** 글을 읽고 아래와 같은 생각을 떠올려 보았습니다. 빈칸을 채우세요.

> 고려와 송의 관계는 오늘날 □□□□와 □□의 관계와 비슷한 점이 있습니다.

요약하기 **7.** 글의 주요 내용을 표로 정리했습니다. 빈칸에 알맞은 말을 넣으세요.

고려 역사의 이해	
대외 관계	송 – ①□□ 관계 / 북방 민족 – ②□□ 관계
무역 활동	중심지 – ③□□□와 개경 주요 교역국 – 송, ④□□□□

	점수
1~7번 문제의 점수를 더하여 총점을 쓰고 166쪽의 표에 막대그래프로 표시하세요	

대뇌는 높은 단계의 정신 활동을 담당하는 영역으로, 대뇌겉질(피질)과 대뇌속질(수질), 바닥핵(기저핵)으로 구성되어 있습니다. 인간이 다른 동물과 달리 생각하고 말하고 창조할 수 있는 것은 다른 동물들보다 훨씬 큰 대뇌를 가지고 있기 때문이며, 이것을 바탕으로 인류는 문명을 발달시켜 온 셈이죠.

(1) 대뇌의 구조

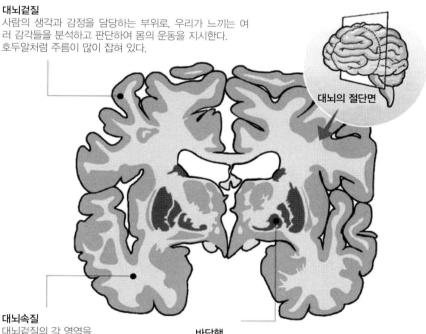

대뇌겉질
사람의 생각과 감정을 담당하는 부위로, 우리가 느끼는 여러 감각들을 분석하고 판단하여 몸의 운동을 지시한다. 호두알처럼 주름이 많이 잡혀 있다.

대뇌의 절단면

대뇌속질
대뇌겉질의 각 영역을 연결하는 신경섬유로 구성되어, 여러 가지 정보가 종합적으로 처리될 수 있게 해 준다.

바닥핵
대뇌속질 속에 있는 네 가지의 회백질 덩어리로, 대뇌겉질과 척수를 연결하며 의식적인 운동보다는 무의식적인 움직임과 근육의 긴장 등을 조절한다.
바닥핵이 손상되는 파킨슨병이 걸리면, 팔다리가 떨리고 경직되어 몸을 생각대로 움직일 수 없게 된다.

(2) 대뇌겉질의 영역과 기능

대뇌겉질의 표면적은 본래 신문지 한 장 정도의 넓이지만, 뇌머리뼈 안에 양 주먹을 합한 정도의 크기로 쭈글쭈글하게 뭉쳐져 있다. 이렇게 하여 생긴 주름에서 바깥으로 올라온 부분을 뇌이랑, 이랑 사이의 홈을 뇌고랑이라고 부른다. 대뇌겉질은 깊은 뇌고랑을 따라 이마엽(전두엽), 마루엽(두정엽), 관자엽(측두엽), 뒤통수엽(후두엽), 네 개의 부위로 나뉘며 저마다 다른 기능을 담당한다.

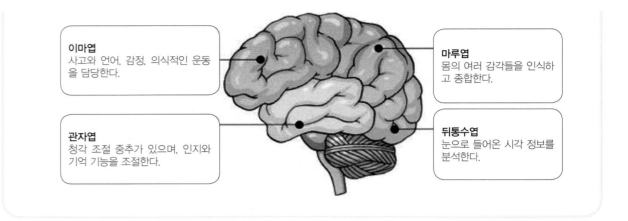

이마엽
사고와 언어, 감정, 의식적인 운동을 담당한다.

마루엽
몸의 여러 감각들을 인식하고 종합한다.

관자엽
청각 조절 중추가 있으며, 인지와 기억 기능을 조절한다.

뒤통수엽
눈으로 들어온 시각 정보를 분석한다.

주제찾기

1. 글의 중심 내용을 쉽게 파악할 수 있도록 어떤 방법을 사용하였습니까?

① 같은 내용을 반복했다.

② 항목을 나누어서 설명했다.

③ 같은 성질을 지니는 것끼리 묶었다.

④ 그림을 곁들여 자세한 설명을 덧붙였다.

⑤ 일이 이루어지는 순서에 따라 내용을 펼쳤다.

제목찾기

2. 글의 내용에 알맞은 제목을 붙이세요.

□□의 □□와 □□

사실이해

3. 대뇌의 기능이 <u>아닌</u> 것은 무엇입니까?

① 감각의 분석

② 몸의 운동 지시

③ 몸의 균형 유지

④ 근육의 긴장 조절

⑤ 몸의 여러 감각 인식

미루어알기 **4.** 글을 읽고 떠올린 말로 적절한 것은 무엇입니까?

① 유전 공학 ② 인공 지능
③ 정보 통신 ④ 가상현실
⑤ 생명 과학

세부내용 **5.** 친구를 심하게 괴롭히고도 표정의 변화조차 없다면 대뇌의 어떤 부위에 이상이 있는 것으로 짐작할 수 있나요?

① 속질 ② 바닥핵
③ 이마엽 ④ 마루엽
⑤ 관자엽

적용하기 **6.** 사람의 말과 행동에 이상이 있을 때, 뇌와 관련하여 분석할 경우 어떻게 해야 할지 아래의 빈칸을 채우면서 생각해 보세요.

> 사람의 느낌과 생각을 실질적으로 조절하고 담당하는 □□□□의 영역과 그 □□을 먼저 이해해야 합니다.

요약하기 **7.** 글의 내용을 간추리고 더 알아야 할 사실을 덧붙였습니다. 빈칸에 알맞은 낱말을 넣으세요.

> 사람의 뇌 중에서 4분의 3을 차지하는 가장 큰 부분인 대뇌는 좌우 두 개의 반구로 이루어져 있습니다. □□과(와) □□, 감정과 기억 등 높은 단계의 정신 활동을 담당하며, 고등 동물일수록 크게 발달하여 있어요. 사람의 뇌 비율이 다른 동물보다 큰 것은 □□가 뇌의 대부분을 차지할 정도로 크게 발달했기 때문이에요. 동물들의 뇌를 살펴보면, 동물의 □□는 대뇌의 크기가 점점 커지는 방향으로 진행됐다는 것을 알 수 있어요.

점 수
1~7번 문제의 점수를 더하여 총점을 쓰고 166쪽의 표에 막대그래프로 표시하세요

평가 요소 1. ☐ 15점 | 2. ☐ 10점 | 3. ☐ 15점 | 4. ☐ 15점 | 5. ☐ 15점 | 6. ☐ 15점 | 7. ☐ 15점

170쪽 표의 해당하는 번호에 체크하세요.

유엔은 산하에 수십 개의 기구를 두고 전 세계의 각 분야에서 일어나는 다양한 일에 관여합니다. 유엔은 규모가 크기 때문에 운영비도 많이 드는데, 회원국들이 내는 분담금으로 운영돼요. 분담금은 각 나라의 국민 소득에 따라 정해지므로 잘사는 나라는 많이 내고 가난한 나라는 적게 내지요. 분담금은 주로 평화 유지 활동에 쓰여요. 평화 유지를 위해 세계 곳곳에서 약 7만 명의 군인이 업무를 수행하고 있는데, 여기에 가장 많은 돈을 쓰고 있어요. 2008년 기준으로 평화 유지 관련 회비를 가장 많이 부담하는 10개국은 미국, 일본, 독일, 영국, 프랑스, 이탈리아, 중국, 캐나다, 스페인, 그리고 대한민국이에요. 유엔은 대표적인 국제기구답게 사용하는 공식 언어도 많아요. 영어, 프랑스어, 스페인어, 러시아어, 아랍어, 중국어까지 모두 6개 언어를 사용해요. 그래서 유엔에서 발송하는 모든 공문 또한 6개 언어로 작성된답니다. 국제기구 중 가장 규모가 큰 유엔은 효율적인 운영을 위해 6개의 주요 기관을 두고 있지요. 총회, 안전보장이사회, 경제사회이사회, 국제사법재판소, 사무국, 신탁통치이사회입니다.

총회는 유엔에 가입한 회원국 전체가 모여서 중요한 안건[1]을 의논하고 결정하는 전체 회의예요. 유엔의 대표기관이자 다른 조직들이 할 일을 지시하고 책임을 지는 곳이지요. 유엔에서 중요한 일을 하는 사람을 선출하는 곳이기도 한데, 유엔의 모든 업무를 총괄하는 사무총장도 총회에서 뽑는답니다. 총회는 매년 9월 셋째 주 화요일에 열리는데, 보통 석 달 정도 계속돼요. 경우에 따라서는 특별 총회를 따로 열기도 해요. 총회에서 결의한 내용 중에서 가장 유명한 것은 '세계 인권 선언'(기념일 12월 10일)이에요. 쉽게 말해 인간이 인간답게 살 권리가 있다고 규정[2]한 선언으로 1948년에 채택되었어요. 물론 총회에서 결의한 인권 선언은 법적 구속력은 없어요. 어느 나라에서 인권을 무시했다고 해서 법적으로 제재[3]를 가할 수는 없다는 뜻이에요. 하지만 이런 인권 선언을 통해 인권에 관한 관심을 한층 더 높일 수 있으므로 큰 의미가 있어요. 지구에 존재하는 모든 생명 중에서 인간이 가장 존엄한 존재이므로, 어떤 어려운 상황에서도 인간을 가장 먼저 생각해야 해요. 인간이라면 누구나 자신이 누려야 할 기본적인

Note [1] 안건: 토의하거나 조사하여야 할 사실. [2] 규정: 규칙으로 정함. 또는 그 정하여 놓은 것. [3] 제재: 일정한 규칙이나 관습의 위반에 대하여 제한하거나 금지함.

권리인 '인권'을 소중히 여기고 당당하게 주장할 수 있어야 해요.

안전보장이사회는 국가 간 평화와 안전을 유지하는 역할을 해요. 유엔의 궁극적인 목적을 수행하는 핵심 기구이자 가장 큰 힘을 발휘하는 곳이기도 해요. 뉴스에서 흔히 유엔의 '안보리'라고 부르는 기관이 바로 안전보장이사회를 줄여서 부르는 말이에요. 안보리는 왜 가장 큰 힘을 발휘하는 곳일까요? 다른 조직에서 내리는 결정 사항은 대부분 법적 구속력이 없는 권고 사항인 데 반해, 이곳 안보리의 결정 사항은 구속력이 있기 때문이에요. 쉽게 말해, 이곳에서 내린 결정을 따르지 않으면 군대를 동원하여 제재를 가할 수도 있다는 뜻이지요. 그래서 안보리에는 아무 나라나 들어가서 의견을 낼 수 없어요. 안보리는 상임 이사 5개국과 비상임 이사 10개국으로 구성되어 있으며, 특히 상임 이사국인 미국, 영국, 프랑스, 러시아, 중국의 의견을 중요하게 받아들입니다. 만약 어떤 나라를 제재하려면 상임 이사국들이 모두 찬성해야 가능하답니다. 이라크가 쿠웨이트를 침공한 1990년 걸프 전쟁의 경우, 유엔 안보리가 없었다면 쿠웨이트라는 나라는 사라지고 말았을 거예요. 이라크는 자기 나라의 석유를 쿠웨이트가 몰래 채취하고 있다면서 공격을 감행했어요. 군사력이 막강한 이라크군은 쿠웨이트의 수도를 불과 3시간 만에 점령했지요. 이 사건을 두고 이라크가 불법으로 쿠웨이트를 점령했다고 규정하고 철수하도록 촉구했어요. 그런데 이라크가 말을 듣지 않자 결국 안보리가 나서게 되었어요. 1991년 1월, 최신 무기를 갖춘 연합군이 이라크를 공격하기 시작했고, 이라크는 42일 만에 항복했어요.

주제찾기　　**1.** 대상의 어떤 측면에 초점을 맞추어 내용을 전개하였나요?

　　　　① 비용과 국가
　　　　② 결의와 제재
　　　　③ 업무와 권한
　　　　④ 운영과 기관
　　　　⑤ 분쟁과 해결

글감찾기　　**2.** 글 전체의 내용을 아우르는 글감을 글에서 찾아 쓰세요.

사실이해 3. 글의 내용과 일치하는 것을 고르세요.

① 유엔은 수십 개의 기구를 두고 있다.

② 모든 회원국이 같은 액수의 분담금을 낸다.

③ 우리나라는 평화 유지 관련 회비를 내지 않는다.

④ 한국어는 유엔에서 사용하는 6개의 공식 언어에 속한다.

⑤ 총회에서 공식 결의한 인권 선언은 법적인 구속력을 갖는다.

미루어알기 4. 글의 내용에 따를 때, 다음 중 유엔의 결의를 실행한 사례는 어느 것입니까?

① 일본이 조선을 식민지로 삼은 것을 규탄한 일

② 대한제국의 고종 황제가 헤이그 특사를 파견한 일

③ 중국이 일본의 난징 대학살에 대해 강대국에 호소한 일

④ 한국 전쟁에서 북한의 침략에 대해 연합군을 결성하여 응징한 일

⑤ 시리아의 내전으로 인하여 대규모로 발생한 난민에 대해 책임을 물은 일

세부내용 5. 글의 내용을 전개한 방식은 어떤 특징을 보여 줍니까?

① 대상이 무엇인지, 어떠한지 구체적으로 가리키고 있다.

② 큰 무리에 속하는 사물을 기준에 따라 작은 무리로 갈래짓는다.

③ 일이 일어나게 된 원인을 밝히고 그와 대응하는 결과를 밝힌다.

④ 두 대상이 얼마나 같은가, 또는 다른가를 견주어서 드러내 보인다.

⑤ 하나의 구조를 이루는 대상을 성분으로 나누어 살핌으로써 원리를 밝힌다.

적용하기 6. 중국이 남중국해에 대한 국제사법재판소의 결정에 따르지 않았지만, 제재를 가하기 어려웠던 까닭은 무엇인지 글의 내용에 바탕을 두고 답하세요.

요약하기 7. 글에서 설명한 유엔의 기관에 대해 표로 정리했습니다. 빈칸을 채우세요.

기관	하는 일	특징
총회	회원국 ①□□가 모여서 중요한 안건을 의논하고 결정	결의 사항은 법적 구속력이 ②□□.
안전보장이사회	국가 간 ③□□와 □□을 유지하는 역할	결의 사항은 법적 구속력이 ④□□.

	점수
1~7번 문제의 점수를 더하여 총점을 쓰고 166쪽의 표에 막대그래프로 표시하세요	

| 평가요소 | 1.□ 15점 | 2.□ 10점 | 3.□ 10점 | 4.□ 15점 | 5.□ 20점 | 6.□ 15점 | 7.□ 15점 |

170쪽 표의 해당하는 번호에 체크하세요.

　　김치는 주로 주재료나 추가로 들어가는 재료에 따라 이름이 달라져요. 그런데 재료를 떠올리기는커녕 "정말로 김치 맞아?" 하는 이름들도 있어요. 이번에는 김치 같지 않은 김치의 별난 이름과 김치에 관련된 이야기들에 대해 살펴봐요.

　　강원도에는 '서거리김치'가 있어요. 김치를 먹으면 눈을 밟을 때처럼 서걱거리는 소리가 나서 붙은 이름일까요? 아니면 설익은 채로 먹는다고 해서 붙은 이름일까요? 땡! 서거리는 '아가미덮개'를 뜻하는 강원도 사투리로, 소금에 절인 명태 아가미를 넣고 담근 깍두기를 말해요.

　　김치는 담그는 방법에 따라서 달리 부르기도 해요. 배추나 상추, 무를 살짝 절여서 곧바로 무쳐 신선한 양념 맛으로 먹는 김치를 '겉절이', 채 썬 무를 김치 양념으로 버무려 먹는 것은 '생채', 넓적하고 큼직하게 썬 무와 배추를 소금에 절인 후 김치 양념으로 버무려 담근 김치는 '섞박지', 무를 통째로 또는 큼직하게 썰어서 국물을 흥건하게 부어 담근 하얀 물김치를 '성건지', 절인 배추에 온갖 과일과 채소, 해산물을 넣고, 고춧가루로 연분홍빛을 낸 쇠고기 육수를 자박자박하게 부어 담근 김치를 '반지'라고 해요. 그리고 가을에 거둔, 중간쯤 자란 배추로 담근 김치를 '중걸이김치'라고 한답니다.

　　김치는 담그는 시기에 따라붙는 이름이 따로 있어요. 김장 김치가 익기 전에 먹기 위해 담그는 김치를 '지레김치'라고 해요. 김치를 막 담가 선선한 양념 맛이 배어 있다가 이제 막 맛있게 익어 가는 중간 단계로, 김치가 이 맛도 아니고 저 맛도 아닌 상태를 '미친김치'라고 하지요.

　　김치가 너무 익어서 마치 식초처럼 신맛이 강해지면 "김치가 촛국이 됐다."라고 하며 이를 '촛국김치'라고 해요. '묵은지'는 해를 넘긴 김장 김치로, 땅속에 묻어둔 김장독에서 자연 발효된 묵은 김치를 말해요. 잘 숙성되어 김치의 깊은 맛이 잘 보존된 상태지요.

　　수천 년 동안 우리 민족과 함께해 온 김치는 속담에서도 그 쓰임이 잘 나타나고 있어요. 못난 사람은 제때에 익지 않아 맛없는 김치로, 하찮고 못난 사람이나 그 행동거지는 김치를 먹고 남은 김칫국으로 비유하기도 해요.

열무김치 맛도 안 들어서 군내부터 난다.

사람이 어른이 되기도 전에 못된 버릇부터 배우는 경우를 비꼬는 말이에요. 실제로 열무김치는 완전히 익지 않으면 군내가 나서 먹을 수가 없어요. 여기서 덜 익은 열무김치는 어른답지 않게 못된 버릇만 든 사람을 뜻해요.

떡 줄 사람을 꿈도 안 꾸는데 김칫국부터 마신다.

해 줄 사람은 생각지도 않는데 미리부터 다 된 일로 알고 행동한다는 말이에요. 우리의 전통적인 먹을거리인 떡은 김치와 함께 먹으면 목이 메지도 않고 쉽게 질리지도 않아요. '떡' 하면 '김치'를 떠올릴 정도로 서로 궁합이 잘 맞지요. 비슷한 말로 "떡방아 소리 듣고 김칫국 찾는다.", "앞집 떡 치는 소리 듣고 김칫국부터 마신다."가 있어요.

김칫국 먹고 수염 쓴다.

시시한 일을 해 놓고 큰일을 한 것처럼 으스대거나 하잘것없는 사람이 잘난 체하는 것을 비유적으로 이르는 말이에요.

양반 김칫국 떠먹듯

아니꼽게 점잔을 빼는 사람을 보고 하는 말이에요.

나그네 먹던 김칫국도 먹자니 더럽고 남 주자니 아깝다.

자기에게 소용이 없는 것도 남에게는 주기 싫은 인색한 마음을 비유적으로 이르는 말이에요.

김칫국 채어 먹은 거지 떨 듯

남들은 그다지 추워하지 않는데 혼자 추워서 덜덜 떨고 있다는 말이에요.

주제찾기 **1.** 글쓴이가 제시한 글의 중심 내용을 글에서 찾아 쓰세요.

제목찾기 **2.** 글의 중심 낱말을 찾아 쓰세요.

Note **1** 미랭시 김칫국 흘리듯 한다.: 목숨만 붙어 있을 뿐 사람 구실을 하지 못하는 이가 김칫국을 질질 흘리며 마시듯 한다는 뜻으로 지저분하게 질질 흘리는 모양을 이름. **2** 젓가락으로 김칫국을 집어 먹을 놈: 어리석고 변변하지 못하여 어처구니없는 짓을 하는 사람을 뜻하는 말.

사실이해 **3.** 김치의 이름과 붙인 까닭의 짝이 잘못된 것은 어느 것입니까?

① 서거리김치 – 먹을 때 나는 소리

② 겉절이, 생채 – 담그는 방법

③ 섞박지, 반지 – 담그는 방법

④ 중절이김치 – 재료와 담그는 방법

⑤ 지레김치 – 담그는 시기

미루어알기 **4.** 글의 내용으로 볼 때, 김치의 이름은 대체로 무엇을 따라 붙여진 것입니까?

① 먹을 때 나는 소리   ② 주재료와 부재료

③ 담그는 방법   ④ 담그는 시기

⑤ 먹는 시기

세부내용 **5.** 글의 내용이나 형식에서 잘못되거나 모자란 점은 무엇입니까?

① 중심 내용을 뒷받침하는 내용이 전혀 없다.

② 뒷받침하는 내용이 주장과 어울리지 않는다.

③ 문단의 길이가 짧아서 내용이 충실하지 않다.

④ 문장과 문장, 문단과 문단의 연결이 자연스럽지 않다.

⑤ 첫머리에 약속한 주제에서 벗어난 내용을 가진 문단이 있다.

적용하기 **6.** 글의 내용을 참고로 하여 다음 속담의 뜻을 풀이하면서 빈칸을 채우세요.

속담: 젓가락으로 김칫국을 집어 먹을 놈

뜻풀이: □□□□ 변변하지 못하여 어처구니 없는 짓을 하는 사람.

요약하기 **7.** 글의 주요 내용을 두 항목으로 나누어 간추렸습니다. 빈칸을 채워 완성하세요.

	구체적인 예	특징
김치의 별난 이름	서거리김치, 섞박지, 성건지, 반지, 중거리김치, 미친김치 등	□□를 떠올리기 어려움
김치에 관련된 이야기	나그네 먹던 김칫국도 먹자니 더럽고 남 주자니 아깝다.	대개 □□한 사람을 빗대어 표현할 때 사용

	점 수
1~7번 문제의 점수를 더하여 총점을 쓰고 166쪽의 표에 막대그래프로 표시하세요	

평가요소 1. ☐ 15점 | 2. ☐ 10점 | 3. ☐ 15점 | 4. ☐ 15점 | 5. ☐ 15점 | 6. ☐ 15점 | 7. ☐ 15점

170쪽 표의 해당하는 번호에 체크하세요.

집에서 강아지를 길러 본 경험이 있나요? 외출했다가 집에 돌아오면 주인이 왔다고 반가워하지요. 낯선 손님이라도 오면 도망가거나 경계를 하고요. 그렇다면 동물들도 사람처럼 모든 사물을 다 알아보는 걸까요? 색깔도 다 구별하고요? 그건 아닙니다. 동물들의 눈에는 모두 다른 색깔, 다른 모양으로 보입니다. 이것은 동물들이 자연에서 살아남기 위하여 눈을 다양한 방법으로 적응시켜 온 결과예요.

눈이 내리면 강아지들은 팔짝팔짝 뛰면서 좋아합니다. 투우 소들은 투우사가 휘두르는 붉은 깃발을 보면 사납게 날뛰지요. 그렇다면 강아지는 하얀 눈을 좋아하고, 소는 붉은색을 보면 흥분하는 것일까요? 초롱초롱 빛나는 개의 눈망울을 보면 시력이 정말 좋을 것 같아요. 하지만 개는 바로 앞에 있는 주인도 알아보지 못할 정도로 시력이 매우 나쁘답니다. 그리고 심한 색맹[1]이라 색깔을 구별하지 못해요. 개의 눈에는 어둡고 밝은 것을 구분하는 간상세포는 많지만, 색깔을 구별하는 원추세포는 매우 적게 들어 있어요. 그래서 개는 알록달록한 색깔이라고는 거의 없는, 흑백텔레비전 화면 같은 세상을 본답니다.

그럼 눈 오는 걸 보면서 강아지가 좋아하는 까닭은 무엇일까요? 해가 보이지 않는 우중충한 날씨에 눈이 내리면, 강아지에게는 하얀 눈송이가 마치 컴컴한 배경 속에 흩날리는 불똥처럼 느껴진답니다. 강아지는 이 광경을 보고 짖으며 뛰노는 것이지요. 개뿐만 아니라 소도 색을 거의 구별하지 못합니다. 투우사가 사용하는 깃발이 붉은색이든 푸른색이든 소에게는 전혀 상관이 없어요. 소는 단지 투우사가 흔드는 깃발의 움직임을 보고 달려들 뿐이니까요.

특이하게 세상을 보는 동물로 개구리를 빼놓을 수는 없습니다. 물가에 가면 가만히 앉아 있는 개구리가 가끔씩 눈에 띌 거예요. 개구리가 물가의 풍경을 감상하고 있는 것일까요? 안타깝게 들릴지도 모르지만, 개구리는 풍경을 감상할 수 없답니다. 개구리는 움직이는 물체만 볼 수 있거든요. 물가의 풍경이 아무리 아름답다고 해도 움직이지 않는 이상 개구리의 눈에는 보이지 않아요. 단지 눈앞에 온통 회색 안개로 뒤덮인 것처럼 보일 뿐이지요.

ᴺote　■1 색맹: 색채를 식별하는 감각이 불완전하여 빛깔을 가리지 못하거나 다른 빛깔로 잘못 보는 상태.

개와 소, 개구리의 이야기를 듣다 보면 사람이 세상을 가장 다채롭게 보는 것 같지만, 사실은 그렇지 않아요. 태양에서 나오는 빛에는 적외선, 가시광선, 자외선, 엑스선, 감마선 등 여러 가지가 있는데, 사람은 이 중에서 가시광선밖에 보지 못합니다. 그럼 가시광선 말고 다른 빛을 더 볼 수 있는 동물도 있느냐고요? 물론이에요. 뱀은 사람이 보지 못하는 적외선을 봅니다. 사람의 피부에서는 적외선이 나옵니다. 따라서 뱀은 옷을 뚫고서 사람의 피부를 곧장 볼 수가 있지요. 뱀 앞에서는 옷을 입으나 마나 알몸이 드러난답니다.

곤충의 눈을 자세히 들여다보면, 수백, 수천 개의 눈이 모여 있는 것을 발견할 수 있어요. 이렇게 수많은 눈으로 이루어진 눈을 겹눈이라고 합니다. 눈이 많으니까 곤충이 바라보는 세상은 정말 멋질 것 같다고요? 하지만 아니랍니다. 눈 하나하나가 마치 렌즈와 같은 역할을 하므로 사물이 무척 크고 가깝게 보여요. 마치 눈에 비치는 각각의 모습을 조각조각 늘어놓은 것처럼요. 그래서 곤충들은 사물을 정확히 볼 수 없습니다. 텔레비전 뉴스에서 범죄자의 얼굴이 모자이크 처리되어 나오는 장면을 본 적이 있나요? 모자이크 화면에서는 사람의 얼굴은 알아볼 수 없지만 움직이는 모양은 어느 정도 알아볼 수 있습니다. 곤충이 보는 세계는 모자이크 처리된 화면과 비슷할 거예요.

주제찾기 **1.** 글의 주제문으로 알맞은 것을 고르세요.

① 사람과 동물이 세상을 보는 눈 세포는 서로 다르다.
② 동물에 따라 눈에 비치는 대상의 모습이 제각기 다르다.
③ 길짐승은 먹이를 사냥하기에 적합하게 눈이 진화했다.
④ 밝기에 따라 대상이 지니는 색깔이 달리 보이게 된다.
⑤ 모양은 광선의 종류에 따라 다르게 보이게 된다.

글감찾기 **2.** 사람과 동물들의 무엇을 글감으로 삼았는지 한 낱말로 쓰세요.

사실이해 **3.** 글의 내용과 <u>어긋나는</u> 것은 어느 것인가요?

① 개는 주인과 낯선 사람을 구별한다.

② 동물들은 생존을 위해 눈을 적응시켰다.

③ 소는 색깔은 못 보고 움직임만 볼 수 있다.

④ 개구리는 움직임이 없는 사물에는 반응하지 않는다.

⑤ 뱀은 화려한 옷을 입은 사람에 대해서는 공격하지 않는다.

미루어알기 **4.** 글의 내용에서 미루어 알 수 있는 것은 무엇입니까?

① 개는 회색곰을 유난히 겁낸다.   ② 소는 투우사가 달아나도 공격한다.

③ 낚시로는 개구리를 못잡는다.   ④ 뱀의 활동은 밤에 더 활발해진다.

⑤ 천천히 다가서면 잠자리가 달아나지 않는다.

세부내용 **5.** 읽는 사람들이 흥미를 느끼도록 글쓴이가 어떤 방법을 사용했습니까?

① 수수께끼 하듯이 물음을 던졌다.

② 관심이 많을 것 같은 소재를 골랐다.

③ 여러 사물에 자신의 감정을 집어넣었다.

④ 잘못된 상식과 진실을 견주면서 글을 펼쳤다.

⑤ 과학에 바탕을 둔 지식을 되도록 많이 소개하였다.

적용하기 **6.** 글에 나온 말로 아래 글의 빈칸을 채우세요.

> 매는 밝은 곳에서 색깔을 구별하는 ①□□□□를 많이 가지고 있으므로 낮에는 멀리 있는 물체도 정확하게 알아볼 수 있습니다. 하지만 매는 어두운 곳에서 물체의 모습과 움직임을 알게 해 주는 ②□□□□를 거의 가지고 있지 않기 때문에, 밤에는 물체를 볼 수가 없답니다.

요약하기 **7.** 대상을 보는 방법에 따라 글의 내용을 정리했습니다. 빈칸을 채워 완성하세요.

개, 소	사물의 ①□□, □□□을 본다.
개구리	②□□□□ 사물만 본다.
뱀	사람은 못 보는 ③□□□을 본다.
곤충	④□□□□ 늘어놓은 모습으로 사물을 본다.

점 수

1~7번 문제의 점수를 더하여 총점을 쓰고 166쪽의 표에 막대그래프로 표시하세요

옛날 아주 먼 옛날에 사람들은 오래 기억하고 싶은 일이나 함께 나누고 싶은 생각을 바위와 동굴 벽에 새기고 그렸대. 하지만 그렇게 새기고 그리는 건 쉽지 않았어. 게다가 바위나 동굴은 다른 곳으로 옮길 수도 없잖아. 땅바닥이나 나무토막에 그리기도 했지만 땅바닥에 그린 것은 금방 지워져 버렸고, 나무토막은 잃어버리기 일쑤였지.

그래서 사람들은 좀 더 쓰기 쉽고 그리기 편한 것, 옮기기 쉽고 간직하기 좋은 것을 찾았어. 흙을 빚어 점토판을 만들기도 하고, 나무를 쪼개 엮거나 풀줄기 안쪽을 얇게 벗겨 겹쳐서 쓰기도 했어. 옷감이나 얇게 편 가죽을 사용하기도 했지. 그러다가 종이를 발명한 거야. 쓰고 그리기 쉽고, 가볍고 간직하기 좋은 종이를 말이야.

나는 종이 가운데 으뜸인 한국 종이, 한지야! 옛날 중국에서 최고로 친 고려지도, 일본에서 최고로 친 조선종이도 모두 나야. 그런데 내가 어떻게 만들어지는지 아니?

제일 먼저 닥나무를 베어다 푹푹 찐 뒤, 나무껍질을 훌러덩훌러덩 벗겨서 물에 불려. 그러고는 다시 거칠거칠한 겉껍질을 닥칼로 긁어내고 보들보들 하얀 속껍질만 모아. 이렇게 모은 속껍질은 삶아서 더 보드랍게, 더 하얗게 만들어야 해. 먼저 닥솥에 물을 붓고 속껍질을 담가. 그리고 콩대를 태워 만든 잿물을 붓고 보글보글 부글부글 삶아. 푹 삶은 다음에는 건져 내서 찰찰찰 흐르는 맑은 물에 깨끗이 씻어.

이제 보드랍고 하얗게 바랜 속껍질을 나무판 위에 올려놓고 닥방망이로 찧어 가닥가닥 곱게 풀어야 해. 쿵쿵 쾅쾅! 솜처럼 풀어진 속껍질은 다시 물에 넣고 잘 풀어지라고 휘휘 저어. 그런 다음 닥풀을 넣고 다시 잘 엉겨 붙으라고 휘휘 저어주지. 아, 한지를 물들이려면 지금 준비해야 해. 잇꽃[1]으로 물들이면 붉은 한지가 되고 치자로 물들이면, 노랑, 쪽물은 파랑, 먹으로 물들이면 검은 한지가 되지.

이번에는 엉겨 붙은 속껍질을 물에서 떠내야 해. 촘촘한 대나무 발을 외줄에 걸어서 앞뒤로 찰망, 좌우로 찰방찰방 건져 올리면 물은 주룩주룩 빠지고 발 위에는 하얀 막만 남아. 젖은 종이처럼 말이야. 이렇게 한 장 한 장 떠서 차곡차곡 쌓은 다음 무거운 돌로 하루 정도 눌러서 남은 물기를 빼. 마지막으로 차곡차곡 눌러 둔 걸 한 장 한 장 떼어서 판판하게 말려야 해. 따뜻한 온돌 방바닥이나 판판한 벽에 쫙쫙 펴서 말리면 드디어 숨 쉬는 종이, 한지 완성!

Note

[1] 잇꽃: 국화과의 두해살이풀. 7~9월에 붉은빛을 띤 누런색의 꽃이 줄기 끝과 가지 끝에 핀다. 씨로는 기름을 짜고 꽃은 약용하고, 꽃물로 붉은빛 물감을 만든다.

보기 좋게 글씨를 쓰고, 아름다운 그림을 그리는 데는 내가 제일이야! 가볍고 부드러우면서도 질겨서 천 년이 가도 변하지 않거든. 나는 숨을 쉬니까 집 단장에도 좋아. 더운 날에는 찬 공기 들여 시원하게 하고, 추운 날에는 더운 공기 잡아 따뜻하게 하지. 또, 습한 날은 젖은 공기 머금어 방 안을 보송보송하게 하고, 건조한 날은 젖은 공기 내놓아 방 안을 상쾌하게 하지. 따가운 햇볕을 은은하게 걸러 주는 건 기본이고말고. 낡은 옷장에 나를 겹겹이 붙이면 새 옷장이 되고, 요리조리 모양 잡으면 안경집, 벼룻집, 갓집이 되지. 바늘, 실, 골무 같은 바느질 도구 넣는 반짇고리도 될 수 있어. 옷 만들 때는 옷본, 버선 말들 때는 버선본이 되고말고. 한겨울 옷 속에 나를 넣어 꿰매면 얼마나 따뜻하다고.

그뿐인가. 여기 보이는 게 전부 나로 만든 물건이야. 나를 새끼줄처럼 배배 꼬아 종이 노끈으로 만들어 엮으면 신발부터 붓통, 베개, 방석, 망태기가 되지. 옻칠하고 기름 먹이면 물 안 새는 표주박, 항아리, 요강도 되고말고. 저기 보이는 찻상, 구절판, 그릇은 물론이고 팔랑팔랑 시원한 부채도 돼. 저 위에 걸려 있는 탈도 모두 나로 만든 거라고.

나는 흥겨운 놀이에도 빠지지 않아. 방패연, 가오리연이 되어 하늘을 훨훨 날 수도 있고, 제기가 되어 이리 펄쩍 저리 펄쩍 뛰기도 해. 풍물패 고깔 위에 알록달록 핀 예쁜 꽃도 바로 나야. 나는야 못 하는 게 없는 재주꾼. 한지돌이! 나는 지금도 너희 곁에 있어. 내가 어디 있는지 알아맞혀 볼래?

주제찾기 **1.** 글의 중심 내용을 가장 잘 표현한 것을 고르세요.

① 한지가 처음 만들어진 때
② 한지의 생산으로 유명한 곳
③ 한지에서 볼 수 있는 종이의 특성
④ 한지를 만드는 과정과 한지의 쓰임새
⑤ 한지 만들 때 들어가는 재료와 만드는 방법

제목찾기 **2.** 글에 알맞은 제목을 찾아 쓰세요.

□□돌이

사실이해

3. 뜻이 다른 넷과 <u>구별되는</u> 하나를 고르세요.

① 한지　　　　　　　　② 점토판

③ 고려지　　　　　　　④ 조선종이

⑤ 한국 종이

미루어알기

4. 한겨울 옷 속에 한지를 넣는 까닭은 무엇일까요?

① 한지가 차가운 기운을 막아주기 때문이다.

② 한지가 찬 공기를 들여 시원하게 하기 때문이다.

③ 한지가 더운 공기를 잡아 따뜻하게 해주기 때문이다.

④ 한지가 찬 공기와 더운 공기를 번갈아가며 들이기 때문이다.

⑤ 한지가 젖은 공기를 머금거나 내놓아 습도를 조절하기 때문이다.

세부내용

5. '한지'를 대신할 수 있는 말은 무엇입니까?

① 닥칼　　　　　　　　② 닥풀

③ 닥나무　　　　　　　④ 닥종이

⑤ 닥방망이

적용하기

6. 한지를 만드는 순서에서 둘째와 셋째 단계를 기호로 쓰세요.

㉠ 물들이기	㉡ 종이뜨기
㉢ 물기 빼고 말리기	㉣ 속껍질 삶아 씻기
㉤ 속껍질 찧어서 닥풀과 섞기	㉥ 닥나무 쪄서 속껍질 모으기

요약하기

7. 한지의 쓰임새를 표로 간추렸습니다. 빈칸에 알맞은 낱말을 쓰세요.

쓰임새	활용한 특성
글씨, 그림의 바탕	①□□□, □□□□, 질기다.
집 단장	②□□ 조절, □□ 조절
각종 생활 도구	③□□□, 장식성, 실용성
놀이 도구의 재료	쉽게 구할 수 있음

점 수

1~7번 문제의 점수를 더하여 총점을 쓰고 166쪽의 표에 막대그래프로 표시하세요

만화 영화를 만들려면 먼저 이야기가 있어야 해요. 그냥 유령만 등장해서는 안 되고, 유령이 어떤 행동을 하고, 또 어떤 사건을 벌이는지 자세한 이야기가 필요하죠. 만화 영화에서는 그걸 시나리오[1]라고 해요.

"작가 쥐! 유령이 나오는 이야기를 써 보자."

"이건 어때? 낮에는 자고 밤에만 돌아다니는 유령이 있었는데, 고양이가 말썽을 피워 유령의 단잠을 깨우는 거야. 화가 난 유령이 고양이를 혼내 주기로……."

"우아. 재미있겠는데."

작가 쥐와 찍찍이는 유령에 관한 책도 보고 고양이를 몰래 따라다니며 행동을 관찰하기도 했어요. 그러면서 이야기를 여러 번 고치고 고쳐 시나리오를 완성했어요.

찍찍이는 작가 쥐가 쓴 시나리오를 들고 그림 쥐를 찾아갔어요.

"시나리오를 완성했어. 이제 그림을 그리면 되겠어."

"모르시는 말씀! 그림을 그리기 전에 먼저 주인공을 만들어야 해."

그림 쥐는 주인공인 유령의 모습을 어떻게 그릴지 고민했어요.

"만화 영화는 여러 사람이 나눠 그림을 그려야 하므로 표정이랑 행동까지 미리 정해 두어야 해!" / 그림 쥐는 시나리오를 보고 유령을 그리기 시작했어요.

화난 표정, 웃는 표정, 삐친 표정, 놀란 표정 등 갖가지 표정을 담은 얼굴 그림을 그리고, 앞, 뒤, 옆 등 여러 방향에서 본 유령의 모습도 그렸어요.

드디어 찍찍이 만화 영화의 주인공, 유령이 탄생했어요.

"만화 영화에는 배경 그림도 필요해. 주인공이 어디에 있는지 보여 줘야 하니까."

그림 쥐는 유령이 사는 영사실을 배경으로 그렸어요.

"주인공이 움직이면 배경도 조금씩 달라지니까 영사실 모습도 여러 방향에서 그려야 해."

그림 쥐는 영사실에 있는 소품들도 하나하나 따로 그렸어요.

"다 됐다. 찍찍이. 이걸 들고 작가 쥐에게 다시 가 봐."

그림 쥐는 주인공과 배경 그림을 찍찍이에게 주었어요.

"본격적으로 이야기 계획표를 만들어 볼까?" / "작가 쥐, 그게 뭐야?"

Note [1] 시나리오: 영화를 만들기 위하여 쓴 각본. 장면이나 그 순서, 배우의 행동이나 대사 따위를 상세하게 표현한다.

"집을 만드는 데 설계도가 필요하듯, 만화 영화를 만들 때도 설계도가 필요하지. 그걸 스토리보드라고 하기도 해."

작가 쥐는 네모 칸이 여러 개 그려진 종이에 앞으로 만들 만화 영화의 모습을 그려 넣었어요.

유령이 움직이는 모습을 그림으로 그리고, 유령이 할 말도 넣고, 어떻게 움직일지 방향도 표시했어요.

이 장면에서 저 장면으로 넘어갈 때 걸리는 시간도 꼼꼼히 적었어요.

이번에는 유령이 움직이는 것처럼 만들 차례예요.

그림 쥐는 스토리보드를 보며 주인공의 동작을 한 동작씩 따로따로 그렸어요.

"그림 쥐! 움직이는 동작인데 왜 연속 동작으로 그리지 않고 따로따로 그리는 거야?"

"나 혼자서 유령의 움직임을 다 그릴 수 없으니까, 동작의 시작과 동작이 달라지는 지점, 그리고 끝만 그리는 거야. 이걸 원화라고 해. 나머지는 친구들과 함께 그릴 거야."

그림 쥐는 방금 그린 그림 석 장을 겹쳐서 보여 주었어요. 그런데 유령의 움직임이 약간 어색해 보였어요.

"유령이 자연스럽게 움직이는 것처럼 보이게 하려면, 원화 사이사이에 중간 동작 그림을 더 그려놓아야 해. 그것을 동화라고 하지. 움직이게 하는 그림이란 뜻이야."

그림 쥐는 원화와 원화 사이에 들어가는 그림들을 그리기 시작했어요.

"그림 쥐, 이런 그림을 몇 장이나 더 그려야 하는 거야?"

"만화 영화는 1초에 적어도 12장의 그림이 필요해."

찍찍이는 완성된 동화 12장을 한 번에 휙 보았어요. 그러자 정말 그림 속 유령이 앞으로 달려오는 것처럼 보였어요.

주제찾기 **1.** 글의 내용과 관계가 깊은 것은 무엇입니까?

① 과제를 받아 그것을 풀이하는 과정
② 현실 문제를 해결하는 방법을 역설하는 장면
③ 하나의 문제를 두고 관점을 달리하여 발표하는 의견들
④ 동물들 사이의 갈등을 통해 돌려서 전한 사람들의 타락한 삶
⑤ 문제 상황을 해결하기 위해 친구들과 지혜를 모으면서 노력하는 모습

글감찾기 **2.** 빈칸에 알맞은 말을 넣으세요.

> 글을 통해 보여 주고자 한 것은, ☐☐ ☐☐를 만드는 과정입니다.

사실이해 **3.** 글의 내용과 거리가 <u>먼</u> 것은 어느 것입니까?

① 만화 영화를 만드는 데 시나리오가 필요하다.
② 시나리오에는 인물이 어떤 행동을 하는지 그린다.
③ 만화 영화의 그림은 한 사람이 인물의 행동을 그린다.
④ 만화 영화의 배경 그림은 인물의 움직임을 예상하고 그린다.
⑤ 만화 영화에서는 움직이는 동작일지라도 한 동작씩 따로따로 그린다.

미루어알기 **4.** 글에서 알 수 <u>없는</u> 것은 무엇입니까?

① 만화 영화는 여러 사람의 협동 작업으로 만들어진다.
② 만화 영화를 만들 때 이야기 계획표는 설계도와 같다.
③ 만화 영화의 시나리오를 쓴 다음에는 주인공을 만든다.
④ 만화 영화에서 원화 여러 장으로 움직임을 보여 줄 수 있다.
⑤ 만화 영화에서 인물이 어디 있는지 알려주는 그림이 필요하다.

세부내용 **5.** 만화 영화를 만들 때 꼭 필요한 그림의 종류 두 가지를 쓰세요.

적용하기 **6.** 글에서 떠올릴 수 있는 말하기의 방식은 무엇입니까?

① 토의   ② 토론   ③ 독화
④ 연설   ⑤ 대담

요약하기 **7.** 만화 영화를 만드는 과정을 아래와 같이 정리했습니다. 빈칸을 채워 완성하세요.

> ①☐☐☐☐가 필요해. → ②☐☐☐을 만들어 → ③☐☐과 ☐☐을 그리자.
> → ④☐☐☐ ☐☐☐을 만들어. → ⑤☐☐을 그려. → ⑥☐☐를 그려야 움직
> 이는 것 같지.

	점 수
1~7번 문제의 점수를 더하여 총점을 쓰고 166쪽의 표에 막대그래프로 표시하세요	

평가요소

1. ☐	2. ☐	3. ☐	4. ☐	5. ☐	6. ☐	7. ☐
15점	15점	10점	15점	15점	15점	15점

170쪽 표의 해당하는 번호에 체크하세요.

요즘은 인공위성으로 찍은 둥근 지구 모양의 사진이 많아서 지구가 둥글다는 것은 누구나 알고 있는 상식이 되었다. 하지만 옛날 사람들은 지구에 대한 생각이 달랐다. 고대 그리스 사람들은 지구가 물 위에 떠 있는 편평한 원반 같을 거로 생각했고, 하늘은 아틀라스라는 신이 떠받치고 있는 둥근 천장이라고 여겼다. 또 고대 이집트 사람들은 땅은 신이 누워 있는 것이고, 하늘은 몸에 별을 단 거대한 여신이 몸을 구부려 땅을 에워싸고 있는 것으로 생각했다. 이 여신이 밤에 태양을 삼키고 아침에 태양을 내보내어, 밤과 낮이 생긴다고 생각했다. 그리고 고대 인도인들은 거대한 뱀 위에 거북이 올라앉아 있고, 이 거북 위에 네 마리의 코끼리가 지구의 땅을 떠받들고 있다고 생각했다.

사람들은 오랫동안 지구가 이렇게 편평하다고 생각했는데, 뱃사람들은 멀리 수평선 너머로 항해하면 괴물의 입속으로 떨어진다고도 믿었다. 하지만 지금은 지구가 둥글다는 것과 지구의 중력 때문에 반대편에 있는 사람도 아래로 떨어지지 않는다는 걸 알게 되었다.

옛날부터 지구의 모양에 관심을 가진 사람이 많았다. 약 2500년 전, 그리스의 철학자이자 수학자였던 피타고라스가 지구의 모양에 관심을 두고 처음으로 지구가 둥글다고 주장했다. 그 당시 사람들은 하늘에 보이는 태양이나 달의 모습이 둥글고, 풀잎에 맺힌 이슬방울도 둥글기 때문에 지구도 둥글다고 생각하였다. 그러나 이것은 과학적인 설명이 아니었다. 그러다가 고대 그리스의 철학자인 아리스토텔레스가 지구가 둥글다는 과학적인 증거를 내놓았다.

과학 기술과 장비가 부족했던 그 시대에 어떻게 지구가 둥글다는 것을 밝혔을까? 그 첫 번째 증거는 월식이다. 월식은 태양이 지구를 비추어 만들어진 그림자에 달이 가려지게 되는 것이다. 그림자의 모양은 실제 물체의 모양과 똑같다. 낮에 사람의 그림자를 살펴보면 태양의 위치에 따라 그림자의 길이는 변하지만, 모양은 사람 형태를 똑같이 닮아 있는 것과 같은 원리이다. 만약 지구의 모양이 직사각형이라면 월식 때 태양이 비추는 각도에 따라서 사각형의 모습이 나타나야 하지만, 실제로 월식 때 나타난 지구의 그림자는 곡선 모양으로만 나타난다. 이것으로 지구가 편평하지 않고 둥글다는 것을 확인할 수 있다.

두 번째 증거는 먼 바다에서 항구로 들어오는 배가 돛대 끝부터 보인다는 점이다. 만약 지구가 편평하다면 멀리서 항구로 들어오는 배의 전체 모습이 처음부터 보일 것이다. 그러나 실제로 배가 항구로 들어오는 모습을 살펴보면 처음에는 돛의 꼭대기 부분만 보이다가 점점 배의 전체 모습이 보이게 된다.

세 번째 증거는 북쪽 지방으로 갈수록 북극성이 떠 있는 높이가 높아진다는 점이다. 북극성은 사계절 내내 북쪽 하늘에서 반짝이고 있다. 만약 지구가 편평하다면 세계 어느 지역에서나 북극성을 머리 위쪽에서 볼 수 있어야 한다. 그러나 실제로 북극에서는 북극성이 머리 위에서 보이지만 적도 지방으로 갈수록 북극성이 떠 있는 높이가 낮아진다. 이렇게 지역에 따라 북극성이 떠 있는 높이가 달라지는 것은 지구가 둥글기 때문이다.

이렇게 여러 가지 증거가 있음에도 불구하고 옛날 사람들은 지구가 둥글다는 것을 믿지 못하였다. 훗날, ㉠지구가 둥글다는 여러 가지 근거가 추가로 밝혀지면서 사람들은 점차 지구가 둥글다고 생각하게 되었다. 과학 기술이 발달하기 전에 지구의 둥근 모습을 알 수 있었다는 점은 놀라운 일이다.

주제찾기 **1.** 글의 주요 내용을 가장 잘 표현한 문장을 고르세요.

① 고대인은 비교를 통해 물건을 특징을 알아냈다.
② 신화에서는 지구, 달, 태양이 모두 같은 모양이었다.
③ 지구가 둥글다는 사실이 여러 가지 증거를 통해 밝혀졌다.
④ 지구가 둥글다는 주장은 그리스 과학의 전통을 이어받은 것이다.
⑤ 과학 기술이 발달하기 전에 이미 지구의 둥근 모습을 알 수 있었다.

글감찾기 **2** 글감이 무엇인지 빈칸을 채워 답하세요.

□□□ □□

사실이해 **3.** 글의 내용을 잘못 파악한 것은 어느 것입니까?

① 인공위성이 찍은 사진으로 지구의 모양을 알 수 있다.

② 고대 이집트 사람들은 여신이 낮과 밤을 만들어낸다고 보았다.

③ 인도인들은 여러 층의 짐승들이 지구를 떠받치고 있다고 믿었다.

④ 피타고라스는 과학적인 근거를 가지고 지구가 둥글다고 주장하였다.

⑤ 사람들은 지구가 편평하다고 생각하여 수평선 너머로 항해하기를 꺼렸다.

미루어알기 **4.** 지구가 둥글다는 사실에 대한 과학적인 증거는 어느 것입니까?

① 풀잎에 맺힌 이슬방울

② 하늘에 보이는 달의 모습

③ 낮에 하늘에 보이는 태양의 모습

④ 지구 모양에 대한 많은 사람의 관심

⑤ 높이 올라갈수록 멀리 있는 사물을 볼 수 있음

세부내용 **5.** 글의 짜임에 대해 적절하게 설명한 것은 어느 것입니까?

① 두 대상의 공통점과 차이점을 제시한다.

② 하나의 주제에 대해 몇 가지 항목을 늘어놓는다.

③ 해결할 문제와 그에 대한 해결의 방법을 제시한다.

④ 시간이나 공간의 순서에 따라 장면이나 사건을 전개한다.

⑤ 주제를 사례를 들어 뒷받침하고 사례가 갖는 의미를 해석한다.

적용하기 **6.** ㉠의 사례를 아래에 제시했습니다. 빈칸을 채우면서 확인하세요.

> 1519년 포르투갈 출신의 탐험가 마젤란이 세계일주 길에 올라, 배를 타고 □ □□으로만 계속 가서 지구를 한 바퀴 돌아 제자리로 돌아올 수 있었어요.

요약하기 **7.** 글의 짜임에 따라 주요 내용을 정리했습니다. 빈칸에 알맞은 낱말을 넣으세요.

지구가 둥근 증거	월식 때 지구의 그림자가 ①□□□□.
	먼 바다에서 항구로 들어오는 배가 ②□□부터 보인다.
	북쪽으로 갈수록 북극성이 떠 있는 높이가 ③□□□□.

	점 수
1~7번 문제의 점수를 더하여 총점을 쓰고 166쪽의 표에 막대그래프로 표시하세요	

| 평가 요소 | 1. ☐ 15점 | 2. ☐ 15점 | 3. ☐ 15점 | 4. ☐ 15점 | 5. ☐ 10점 | 6. ☐ 15점 | 7. ☐ 15점 |

170쪽 표의 해당하는 번호에 체크하세요.

　지구에서 가장 늦게 발견된 땅인 남극은 수천 미터 두께의 얼음으로 덮여 있는 미지의 대륙으로, 아직도 사람의 접근을 쉽게 허락하지 않는 신비의 땅이다. 시간이 정지한 듯 얼어붙은 땅, 높게 덮인 눈과 혹독한 추위, 얼음 바다 속에 살고 있는 생물……. 이러한 어려움이 예상되는 속에서도 우리나라는 수만 년 동안 침묵하여 온 남극 대륙에 일찍부터 관심을 가졌다. 남극 대륙은 풍부한 지하자원이 매장되어 있고, 지구 기후 변화를 연구하는 데 꼭 필요한 곳이기 때문이다.

　우리나라의 남극 탐험은 1978년에 크릴을 시험 삼아 잡으면서 시작되었지만, 본격적인 탐험은 1985년에 시작되었다. 남극 탐험은 전문 등산인으로 구성된 남극 최고봉 등정대와 연구원, 방송사 기자로 구성된 킹조지 섬 탐험대 두 팀으로 나뉘어 진행되었다. 남극 최고봉 등정대는 1985년 11월 29일에 남극에서 가장 높은 빈슨 산괴에 오르는 데 성공하였다. 남극 최고봉 등정대가 세계에서 여섯 번째로 빈슨 산괴를 정복함으로써 우리나라가 남극 탐험의 대열에 합류하였음을 전 세계에 알렸다. 그리고 킹조지 섬 탐험대는 킹조지 섬 해안에 캠프를 설치한 뒤에 기지 건설을 위하여 다른 나라 기지들의 건물과 시설물에 대한 자료를 모았다.

　그 이듬해인 1986년에 우리나라는 세계에서 서른세 번째로 남극 조약에 가입하였다. 남극 조약은 남극에서 군사 시설이나 무기 실험, 폐기물 처리 등을 금지하고 자유롭게 과학 연구만을 할 수 있도록 규정한 나라와 나라 사이의 약속이다. 우리나라는 남극 조약에 가입함으로써 정식으로 남극 연구에 참여하게 되었다.

　남극에서 기지를 세울 수 있는 시간은 여름뿐이었다. 연구자들은 짧은 시간에 기지를 세우기 위하여 우리나라에서 재료를 모두 준비하여 남극에서는 조립만 할 수 있도록 하였다. 콘크리트로 기둥을 만들어 두고 벽과 지붕도 설계한 크기로 잘라 놓았다. 그리고 그것들이 잘 맞는지 확인하기 위하여 우리나라에서 건물을 미리 지어보기도 하였다. 그런 다음에 기지를 세우는 데 필요한 모든 건설 자재와 장비를 커다란 배에 차곡차곡 실었다.

Note 　■1 준공식: 공사를 마친 것을 축하하는 의식. 　■2 지각: 지구의 바깥쪽을 차지하는 부분. 대륙 지역에서는 평균 35km, 대양 지역에서는 5~10km의 두께이다.

1988년 2월 17일, 드디어 남극에서 세종과학기지 준공식[1]이 열렸다. 연구자들이 남극의 혹독한 추위를 이겨 내며 노력한 결과였다. 킹조지 섬 남서쪽에 있는 바턴 반도의 바닷가에 우리나라의 남극 진출을 위한 발판이 마련된 것이다. 세종과학 기지의 건설로 우리나라는 남극에 상주 기지를 세운 열여덟 번째 나라가 되었다. 세종과학기지가 세워진 뒤에 우리나라는 남극을 새로운 눈으로 연구하기 시작하였다. 남극 지역의 온도 변화를 측정하여 지구 온난화로 인한 영향과 미래의 온도 변화를 예측할 수 있게 되었다. 그리고 남극에 살고 있는 다양한 생물의 유전자를 조사하여 새로운 물질을 개발할 수 있는 아이디어를 얻고 있다.

하지만 세종과학기지 하나만으로 남극의 자연을 연구하는 데는 부족한 점이 많았다. 세종과학기지가 있는 킹조지 섬은 남극 대륙과 떨어져 있어 남극 대륙에서 이루어지는 여러 가지 자연 현상을 연구하기가 어려웠다. 그래서 우리나라는 남극 대륙에 다른 기지를 세우기로 결정하였고, 2014년 2월 12일에 장보고과학기지가 완공되었다. 두 개의 과학기지를 통하여 우리는 기후 변화, 빙하의 움직임, 지각[2] 운동, 생태계 등에 대하여 본격적인 연구를 할 수 있게 되었다.

주제찾기 **1.** 빈칸을 채워 글의 주제를 완성하세요.

우리나라의 □□ □□ □□

글감찾기 **2.** 우리나라가 남극 연구를 위해 세운 두 번째 기지의 이름을 쓰세요.

사실이해 **3.** '남극 조약'과 거리가 먼 설명은 어느 것입니까?

① 우리나라는 세계에서 서른세 번째로 가입했다.
② 남극을 평화적으로만 이용하도록 규정하고 있다.
③ 남극에서 과학적 조사의 자유가 보장되도록 하였다.
④ 우리나라가 정식으로 남극 연구에 참여하는 계기가 되었다.
⑤ 남극에서 주변국과 더불어 영토권 주장을 할 수 있도록 하였다.

미루어알기

4. 우리나라에서 남극 연구를 위해 가장 먼저 한 일은 무엇입니까?

① 전문가들이 남극을 탐험하였다.

② 필요한 건설 자재를 배에 실었다.

③ 도로를 만들고 숙소와 사무실을 지었다.

④ 각종 시설을 설계하고 건물을 배치하였다.

⑤ 조립할 재료를 준비하여 건물을 미리 지어보았다.

세부내용

5. 세종과학기지의 건설 과정만을 살펴보기 위한 적절한 읽기 방법은 무엇입니까?

① 처음부터 흐름을 따라가며 모두 읽는다.

② 내용을 꼼꼼하게 따져가며 천천히 읽는다.

③ 필요한 내용만 골라서 듬성듬성 훑어 읽는다.

④ 어려운 내용을 다 이해할 때까지 반복해서 읽는다.

⑤ 건설 이후 생길 문제를 생각해 가면서 비판적으로 읽는다.

적용하기

6. 세종과학기지를 지을 때 매서운 추위에 대응하기 위해 어떤 조치를 취했는지 빈칸을 채우면서 정리하세요.

> 남극에서는 12월이 한여름이기 때문에 이때를 최대한 이용하여 건물을 지었다. 그리고 건물을 땅에서 위로 1.5미터 정도 떨어지게 지어서, ①□이 그 아래로 날아가고 ②□의 찬 기운을 직접 받지 않을 수 있도록 했다.

요약하기

7. 글의 주요 내용을, 전개한 순서에 따라 정리했습니다. 빈칸을 채워 완성하세요.

〈세종과학기지를 지은 과정〉

기지를 세울 장소를 조사하여 좋은 곳을 발견함

↓

각종 시설을 ①□□하고 재료를 준비하여 ②□□□□에서 미리 지어 봄

↓

1988년 2월, 세종과학기지 ③□□□이 열림

	점 수
1~7번 문제의 점수를 더하여 총점을 쓰고 166쪽의 표에 막대그래프로 표시하세요	

평가
요소   1. ☐   2. ☐   3. ☐   4. ☐   5. ☐   6. ☐   7. ☐
      15점   15점   15점   15점   10점   15점   15점

171쪽 표의 해당하는 번호에 체크하세요.

'국토 개발'이란 국토를 지형·기후 등의 자연 조건에 적합하도록 하면서, 아울러 경제·사회·문화 등에 관한 정책을 고려하여 종합적으로 이용·개발·보전함으로써 국민의 생산 활동 및 생활 활동의 향상을 위해 대책과 방법을 마련하는 일을 뜻합니다. 우리나라의 국토 종합 개발 사업은 1972년에 시작되었습니다. 제1차(1972~1981년) 국토 종합 개발 사업 때에는 교통·통신 시설, 댐, 산업 단지 등을 많이 건설했고, 제2차(1982~1991년) 국토 종합 개발 사업 때에는 국민의 생활 환경을 좋게 하는 사업을 많이 했습니다. 제3차(1992~2001년) 국토 종합 개발 사업 때에는 1, 2차 국토 종합 개발 사업 때 생긴 문제점을 해결하려고 노력했습니다. 2002년부터 제4차 국토 종합 개발 사업이 진행되고 있는데, 국토를 균형 있게 발전시키는 데 힘을 쏟고 있습니다.

우리나라는 인구에 비하여 국토의 면적이 좁고 산이 많아서 국토를 효율적으로 이용하기 위한 개발이 필요합니다. 한정된 자원을 합리적으로 활용하고 균형 있게 개발하여 사람들이 풍요롭고 편리한 생활을 할 수 있도록 하기 위해서입니다. 하지만 이러한 개발의 과정에서 환경이 파괴되거나, 지역 사람들 사이에 갈등이 생기는 등 여러 가지 문제가 생기기도 합니다. 경상남도 창녕군 우포늪을 개발하는 과정에서 생긴 여러 가지 문제를 보면 이를 잘 확인할 수 있습니다.

경상남도의 조용한 시골 마을에 다양한 동식물이 어우러져 사는 습지가 있었습니다. 이 습지는 우리나라를 거쳐 가는 철새들이 쉬어 가는 곳이었습니다. 그런데 일제 강점기에 이곳에 논과 산업 단지 등을 만들려고 제방을 쌓고 흙으로 매립하여 ㉠마구잡이 개발을 시작하였습니다. 이런 개발은 해방 이후 1970년대까지 이어지다가 비용과 기술력이 부족하여 갑자기 중단되었습니다. 1990년대에는 주변에 쓰레기 매립장이 조성되다가 주민들의 반대로 중단되었습니다. 이런 와중에 이 지역의 환경은 급속도로 훼손되었고, 동식물이 살던 습지의 규모도 점점 줄어들었습니다. 시민단체와 정부의 노력으로 1997년 우포늪은 자연 생태계 보전 지역으로 지정되었고, 1998년에는 물새 서식처로서, 중요한 습지 보호에 관한 협약인 람사르 협약에 등록되었습니다. 하지만 이번에는 지역 주민들이 환경 보전지역으로 지정하는 것을 반대하고 나섰습니다. 지역 개발이 중단될 것을 걱정했기 때문입니다.

우포늪의 사례는 우리나라의 국토 개발이 어떤 방향에서 이루어져야 바람직한지 깨닫게 하고 있습니다. 첫째, 국토 개발은 자연환경과 그 속에서 살아가는 생물들을 고려하여 친환경적으로 이루어져야 할 것입니다. 효율적인 국토의 이용이라는 목적이 버림받지 않으면서 환경을 고려하는 지혜가 필요하다는 뜻입니다. 둘째, 지역 주민들과의 갈등을 해결하기 위한 정부와 자치단체의 사전 사후 노력이 빈틈없이 이루어져야 할 것입니다. 우포늪의 경우에도 정부가 여러 차례 토론회를 열어 주민과 합의를 하면서 환경 보전 지역으로 지정될 수 있었다는 사실을 기억해야 할 것입니다. 그리고 환경 보전 지역으로 지정된 후, 관광객이 늘어나는 등 지역 주민의 소득 향상에도 기여하고 있다는 점을 홍보해야 하겠습니다.

주제찾기 **1.** 글의 주제문을 쓰는 데 반드시 들어가지 <u>않아도</u> 되는 말은 어느 것입니까?

① 균형   ② 매립지
③ 친환경적   ④ 국토 개발
⑤ 갈등 해소

제목찾기 **2.** '주장하는 글'임을 새기면서 글의 제목을 붙이세요.

□□ □□의 □□

사실이해 **3.** 글의 내용과 <u>어긋나는</u> 것은 어느 것입니까?

① 우리나라는 인구에 비해 국토의 면적이 좁다.
② 우리나라의 국토 개발 사업은 1970년대에 시작되었다.
③ 국토 개발로 한정된 자원을 합리적으로 이용할 수 있다.
④ 시민단체와 정부가 끼어들면 지역 주민의 갈등이 커진다.
⑤ 국토 개발의 궁극적인 목적은 국토의 효율적인 이용에 있다.

미루어알기 4. 글을 읽고 떠올릴 수 있는 생각으로 가장 알맞은 것을 고르세요.

① 국토 개발로 생산 활동에 지장이 생길 수 있다.

② 국토 개발 사업을 거듭하면 문제점이 저절로 해결된다.

③ 한정된 자원도 잘 활용하면 풍요로운 생활을 할 수 있게 된다.

④ 생태계는 한번 파괴되면 원래의 모습으로 되돌리기가 어렵다.

⑤ 환경을 훼손하지 않고 국토를 효율적으로 이용하기는 불가능하다.

세부내용 5. ㉠을 '난개발(난개발; 어지러울 란)'이라는 한자어로 바꾸었을 때 어떤 문제가 생깁니까?

① 발음하기 어렵다.　　　　　② 뜻을 알기 어렵게 된다.

③ 생각을 표현할 수 없게 된다.　　　　④ 말을 할 수 없는 병이 생길 수 있다.

⑤ 한자어가 순우리말보다 낫다고 생각할 수 있다.

적용하기 6. 제4차 국토 개발이 목표로 삼은 항목을 소개한 다음 글의 내용에 알맞은 말을 ( )에서 골라 빈칸을 채우세요.
(통합, 균형, 조화, 친환경, 경쟁력, 생산력, 품격, 열린)

> ①□□ 있는 통합 국토, 지속가능한 ②□□□ 국토, ③□□ 있는 매력 국토, 세계로 향한 ④□□ 국토를 목표로 하여 실시

요약하기 7. 우포늪의 개발 과정과 문제점을 간추렸습니다. 필요한 낱말을 넣으세요.

개발 과정	• 일제 강점기에 ①□과 산업 단지를 만들기 위해 ②□□을 쌓고 매립 • ③□□과 기술의 부족으로 개발 중단 • 자연 생태계 보전 지역으로 지정. ④□□□ 협약 가입
문제점	• 습지가 줄어드는 등 ⑤□□ 훼손 • 지역 주민들과 개발을 둘러싸고 ⑥□□ 유발

	점 수
1~7번 문제의 점수를 더하여 총점을 쓰고 167쪽의 표에 막대그래프로 표시하세요	

평가
요소 1. ☐ 2. ☐ 3. ☐ 4. ☐ 5. ☐ 6. ☐ 7. ☐
15점   15점   10점   15점   15점   15점   15점

171쪽 표의 해당하는 번호에 체크하세요.

사회자: 지금부터 '학습 만화는 유익하다'라는 주제로 토론을 시작하겠습니다. 본격적인 토론에 앞서 토론 규칙을 말씀드리겠습니다. 양쪽 토론자께서는 발언권을 얻고 말씀하여 주시고, 발언 시간을 지켜 주십시오. 그리고 토론 주제에서 벗어난 발언을 삼가 주세요. 먼저, 찬성편에서 주장을 펼쳐주십시오.

찬성편 남학생: 학습 만화는 유익하다고 생각합니다. 왜냐하면 어려운 개념을 만화로 쉽고 재미있게 설명해 주어 공부에 도움이 되기 때문입니다. 우리가 조사한 자료에 따르면 학습 만화 덕분에 알게 된 개념이나 지식이 더 많아……. (반대편 토론자가 끼어든다.)

반대편 남학생: 말도 안 됩니다.

사회자: 반대편 토론자는 발언권을 얻고 말씀하여 주시기 바랍니다. 찬성편 토론자는 계속해서 말씀하여 주십시오.

찬성편 남학생: 네, 우리가 조사한 자료에 따르면, 학생들이 학습 만화에서 새로운 개념이나 지식을 많이 배우는 것을 알 수 있습니다. 이러한 까닭에 '학습 만화는 유익하다'고 생각합니다.

사회자: 다음으로 반대편에서 주장을 펼쳐 주십시오.

반대편 여학생: 저는 학습 만화는 유익하지 않다고 생각합니다. 왜냐하면 만화는 흥미 위주로 이야기가 전개되고 짧은 대사가 많아 깊이 생각하는 습관을 기르기 어렵기 때문입니다.

사회자: 양쪽의 주장을 잘 들어 보았습니다. 이번에는 상대의 주장을 반론하는 시간을 가지도록 하겠습니다. 반대편에서 찬성편의 주장을 반론하여 주시기 바랍니다.

반대편 남학생: 찬성편에서는 근거를 뒷받침하기 위하여 통계 자료를 제시하였는데, 언제 누구를 대상으로 한 것인지 알 수 없어서 신뢰가 가지 않습니다. 자료의 출처를 밝혀주시기 바랍니다.

사회자: 다음으로 찬성편에서 반대편의 주장을 반론하여 주시기 바랍니다.

찬성편 여학생: 반대편 토론자께서는 어제 점심시간에 학습 만화를 읽으셨습니다. 따라서 이 주제에 대하여 반대할 자격이 없다고 생각합니다. 그리고 반대편의 주장은 모두 거짓입니다.

사회자: 찬성편 토론자가 상대편 토론자의 행동과 토론 내용을 연관 지어 말한 것은 인

신공격에 해당합니다. 인신공격은 삼가 주시기 바랍니다. 양쪽의 반론을 잘 들어 보았습니다. 이번에는 마무리 발언을 해 주시기 바랍니다. 반대편부터 말씀하여 주십시오.

반대편 여학생: 저는 독서를 많이 해야 한다고 생각합니다. 그래야 훌륭한 사람이 될 수 있기 때문입니다.

사회자: 반대편 토론자가 말한 독서를 많이 하자는 의견은 토론 주제에서 벗어난 이야기입니다. 토론 주제에서 벗어난 이야기는 삼가 주시길 바랍니다. 찬성편의 마무리 발언을 들도록 하겠습니다.

찬성편 여학생: 학습 만화는 유익하다고 생각합니다. 재미있는 이야기로 원리를 잘 설명해 주어 공부에 도움이 되고 상상력도 풍부하게 해주기 때문입니다.

사회자: 주장을 다지는 양쪽의 마무리 발언을 들어 보았습니다. 그럼 판정단의 판정 결과를 듣도록 하겠습니다.

판정단: 토론자들이 진지하게 토론에 참여하였지만 발언권을 얻지 않고 말하였고, 인신공격을 하거나, 토론 주제에서 벗어난 발언을 하는 등 토론 규칙이 잘 지켜지지 않아 아쉬웠습니다. 저희 판정단이 논의한 결과, 이번 토론에서는 주장에 대한 타당한 근거를 제시해 준 찬성편이 승리한 것으로 판정하였습니다.

사회자: 다음 토론에서는 토론 규칙을 잘 지키는 성숙한 자세를 보여 주시길 바랍니다. 이것으로 토론을 마치겠습니다.

주제찾기 **1.** 토론에서 찬성편 발표자의 주장과 근거를 가장 잘 정리한 것을 고르세요.

① 어려운 개념을 풀어주어 학습 만화는 유익하다.
② 공부에 도움이 되기 때문에 학습 만화는 유익하다.
③ 재미있고 쉬운 설명이어서 학습 만화는 유익하다.
④ 흥미 위주의 이야기여서 학습 만화는 유익하지 않다.
⑤ 깊이 생각하는 습관을 기르기 어려워서 유익하지 않다.

제목찾기 **2.** 토론의 문제로 삼은 것이 무엇인지 찾아 쓰세요.

사실이해 **3.** 토론 참가자에 속하지 <u>않는</u> 사람을 고르세요.

① 질문자　　　　　② 사회자　　　　　③ 찬성편 토론자
④ 반대편 토론자　　⑤ 판정단

미루어알기

4. 토론의 승패를 판정하는 데 가장 중요한 기준이 된 것은 무엇입니까?

① 판정단의 관점과 입장
② 청중의 질문에 대한 답변
③ 발표자에 대한 사회자의 인상
④ 주장과 근거의 타당성과 신뢰성
⑤ 토론 진행 동안 발표자가 보인 자세

세부내용

5. 토론 규칙을 제대로 지킨 경우는 어느 것입니까?

① 발언 시간을 넘었다.   ② 발언권이 없이 발언했다.
③ 상대방을 인신공격하였다.   ④ 주제에서 벗어난 발언을 일삼았다.
⑤ 상대방 주장과 근거의 잘못을 철저히 따졌다.

적용하기

6. 토의와 토론을 견주어 정리한 표의 빈칸을 채우세요.

	토의	토론
공통점	여러 사람이 함께 최선의 ①□□을 얻기 위해 의견을 주고받음.	
차이점	• 최선의 ②□□ □□을 찾기 위해 의논하는 형식임.	• ③□□를 제시하여 상대방의 주장을 반박함.
	• ④□□으로 나누어지지 않음.	• ⑤□□으로 입장이 나누어짐.

요약하기

7. 위의 토론에서 주제에 대한 찬성편과 반대편 주장과 근거를 정리해 보았습니다. 빈칸에 알맞은 낱말을 쓰세요.

찬성편	주장	학습 만화는 ①□□하다.
	근거	어려운 ②□□을 만화로 쉽고 재미있게 설명해 주어 공부에 도움이 되기 때문입니다.
반대편	주장	학습 만화는 ③□□□□□ 않다.
	근거	만화는 ④□□ □□로 이야기가 전개되고 ⑤□□ □□가 많아 깊이 생각하는 습관을 기르기 어렵기 때문입니다.

	점 수
1~7번 문제의 점수를 더하여 총점을 쓰고 167쪽의 표에 막대그래프로 표시하세요	

평가요소 **1.** ☐ 15점 | **2.** ☐ 15점 | **3.** ☐ 15점 | **4.** ☐ 15점 | **5.** ☐ 10점 | **6.** ☐ 15점 | **7.** ☐ 15점

171쪽 표의 해당하는 번호에 체크하세요.

지속 가능한 발전은 환경 친화적인 의미와 경제적인 의미를 모두 지니는 말이라고 할 수 있습니다. 기존의 경제 활동이 주로 자원 소모적이며 자연의 수용 능력을 넘어서는 개발에 중점을 둔 것이었다면, 지속 가능한 발전에서의 경제 활동은 자연 생태계의 범위 내에서 자연의 수용 한계를 넘지 않고 자연과 조화를 이루는 범위에서 이루어지는 것을 의미합니다.

여기에서 더 나아가 2012년 브라질 리우데자네이루에서 열린 '유엔지속가능발전회의(UNCSD)'에서는 2015년 이후 국제사회가 추구해야 할 지속 가능한 발전 목표를 경제, 환경뿐만 아니라 사회가 균형 있게 성장하는 포괄적이고 총체적인 성장으로 설정하였습니다. 2000년 이전에는 지속 가능한 발전이 환경 보호와 경제 발전에 초점을 두었다면 최근에는 사회 전체의 지속 가능성 유지를 위한 인류의 보편적인 가치인 자유, 정의, 민주주의, 사회적 형평성 등 지구 전체가 궁극적으로 지향해야 할 이념까지도 지속 가능한 발전의 의미에 포함하게 되었습니다.

지속 가능한 발전에 대한 개념은 언제 등장했을까요? 18세기 영국에서 시작되어 세계적으로 확산된 산업혁명으로 인해 인류는 물질적 풍요를 누리게 되었지만, 무분별한 개발과 선진국들의 자원 대량 소모를 통한 대량 생산·대량 소비 과정에서 심각한 환경 문제가 발생하였습니다. 지구 곳곳에서는 각종 질병으로 인해 사람들이 죽어가고, 생태계 파괴로 인해 광범위한 환경 위기가 닥치게 되었지요. 그러던 1972년 로마클럽에서 「성장의 한계」라는 보고서를 통해 환경과 개발에 관한 문제를 제기하였는데, 바로 이때 '지속 가능한 발전'에 대한 개념이 등장하게 되었습니다. 이 보고서는 사람들에게 생태학적인 관점에서 환경 의식을 일깨워 주는 매우 중요한 계기가 되었답니다.

「성장의 한계」라는 보고서에서는 현재의 인구 증가나 환경 악화 등의 경향이 이대로 계속되면 100년 이내에 지구상의 성장은 한계에 달할 것이라고 경종을 울리고 있습니다. 또한 지구의 파국을 막기 위해서는 적극적인 성장 억제 정책과 인구 안정화 정책을 취할 필요가 있으며 조기에 ㉠인구와 자본의 안정화 정책을 실시하여 세계를 균형 상태로 유도해야 한다는 내용을 담고 있습니다.

1992년 6월 브라질 리우데자네이루에서 개최된 유엔환경개발회의(UNCED)에서

는 지속 가능한 발전의 목표 달성을 위해 기본 원칙을 담은 선언서를 발표하였습니다. 이를 '리우 선언(Rio Declaration)'이라고 하는데요, 리우 선언은 법적으로 제재를 가할 수 있는 구속력은 없지만, 지구 환경 보존을 위한 이념적인 방향을 제시하는 역할을 하고 있습니다. 또한 이 회의에서는 리우 선언의 이행을 위한 실천 계획으로 의제21(Agenda21)도 함께 채택이 되었습니다. 의제21은 '21세기 지구환경보전 종합 계획'으로 각국 정부의 행동 지침을 구체적 방안으로 제시하고 있으며 크게 사회경제 부문, 자원의 보전 및 관리 부문, 주요 그룹의 역할 강화 부문, 이행 수단 부문 등에 대한 내용을 담고 있습니다.

주제찾기 **1.** 글에서 다룬 주요 개념이 <u>아닌</u> 것을 고르세요.

① 환경 훼손
② 인구 증가
③ 자연과 조화
④ 국가 간의 분쟁
⑤ 균형이 잡힌 성장

글감찾기 **2.** 글감을 글에서 찾아 쓰세요.

□□ □□□□ □□

사실이해 **3.** 지구가 성장의 한계에 이른 가장 중요한 원인으로 본 것은 무엇입니까?

① 인구 증가와 환경 악화
② 자원 소모적인 경제 활동
③ 산업혁명에 따른 풍족한 삶
④ 대량 생산과 대량 소비의 악순환
⑤ 유엔환경개발회의의 이름뿐인 활동

미루어알기 **4.** 지속 가능한 발전을 위한 바람직한 태도는 어느 것입니까?

① 남을 먼저 생각하고 배려한다.

② 내 가족의 편한 삶을 우선시한다.

③ 당장의 경제적 이익을 위해 노력한다.

④ 경제 성장의 힘이 되도록 아이를 많이 낳는다.

⑤ 남아 있는 자원을 캐내기 위해 새로운 기술을 개발한다.

세부내용 **5.** ㉠을 이해하기 쉽도록 알맞게 바꾼 것을 고르세요.

① 인구수에 비례한 돈벌이

② 인구의 조절과 자본의 이동

③ 인구 증가와 경제 성장의 억제

④ 인구수에 비례하여 자본을 분배하기

⑤ 인구가 적은 지역에 자본을 가져가기

적용하기 **6.** 다음은 독일 프라이부르크 시의 지속 가능한 발전을 위한 노력의 사례입니다. 노력의 두 가지 방향을 각각 간단히 쓰세요.

- 도심에서는 전차, 자전거, 도보로 다니도록 이끄는 정책을 펼쳤습니다.
- 시민들에게 대중교통을 이용할 수 있는 정기권을 지급하였습니다.
- 건물의 옥상마다 정원을 설치하도록 하였습니다.

요약하기 **7.** 글의 요지를 간추렸습니다. 빈칸에 알맞은 낱말을 넣으세요.

지속 가능한 발전은 □□과 □□, 사회적 평등을 모두 고려하여 현재와 미래 세대를 생각하는 발전입니다. 이를 위해서는 □□ 억제 정책과 □□ 안정화 정책을 펼칠 필요가 있습니다.

점 수

1~7번 문제의 점수를 더하여 총점을 쓰고 167쪽의 표에 막대그래프로 표시하세요

사회자: 지금부터 '선의의 거짓말은 해도 된다.'라는 안건으로 토론을 시작하겠습니다. 저는 토론의 사회를 맡은 정유주입니다. 이 안건에 찬성하는 토론자는 육현수, 허승범, 반대하는 토론자는 박민재, 성유선입니다. 먼저 찬성편이 주장을 펼치겠습니다.

찬성편: 선의의 거짓말은 다른 사람에게 피해를 주지 않는 좋은 의도의 거짓말입니다. 저희 찬성편은 두 가지 이유에서 선의의 거짓말은 해도 된다는 안건에 찬성합니다. 첫째, 선의의 거짓말은 사람에게 용기를 주거나 사람의 생명을 구할 수 있습니다. 「레 미제라블」이라는 이야기에서 장 발장은 미리엘 신부가 한 선의의 거짓말 때문에 착한 사람으로 거듭났고, 「마지막 잎새」에서 죽어 가던 존시는 베어만이라는 화가가 그린 나뭇잎 덕분에 삶에 대한 강한 의지를 가지게 되어 살아날 수 있었습니다. 둘째, 선의의 거짓말은 친구와의 관계를 좋게 유지하는 데 도움을 줍니다. 우리 학교 학생을 대상으로 설문 조사를 한 결과, 65퍼센트의 학생이 선의의 거짓말을 한 경험이 있다고 응답하였으며, 그 이유로 상대와의 좋은 관계를 위해서라는 답변이 85퍼센트로 가장 높았습니다.

사회자: 이어서 반대편이 주장을 펼치겠습니다.

반대편: 찬성편 주장은 문제가 있다고 생각합니다. 선의의 거짓말도 어디까지나 거짓말입니다. 저희는 다음과 같은 이유로 선의의 거짓말은 해도 된다는 안건에 반대합니다. 첫째, 선의의 거짓말은 선한 의도와는 달리 오히려 나쁜 결과를 가져올 수 있습니다. 5학년 학생들을 대상으로 설문 조사를 한 결과, 선의의 거짓말이라도 상대가 나를 속였다는 사실을 알았을 때 불쾌하였다고 응답한 사람이 75퍼센트나 되었습니다. 둘째, 거짓말하는 것이 습관이 될 수 있습니다. 「이솝 우화」의 양치기 소년도 심심풀이로 시작한 거짓말에 재미를 붙여서 멈출 수 없게 된 것입니다.

사회자: 이제 1분간 협의 시간을 가지겠습니다. 토론자들은 상대편의 주장과 근거에 대한 반론을 준비하여 주십시오.

사회자: 상대편이 펼친 주장을 듣고 잘못된 점이나 궁금한 점을 말하고 이에 답하는 시간입니다. 먼저 반대편이 반론과 질문을 하고 이에 대하여 찬성편이 답변하도록 하겠습니다.

반대편: 찬성편은 선의의 거짓말이 다른 사람에게 용기를 주고, 생명을 구할 수 있으며, 관계를 좋게 해 주기 때문에 해도 된다고 하셨습니다. 저희는 찬성편의 주장을

받아들일 수 없습니다. 찬성편에서 첫 번째 자료로 사용한 「레 미제라블」과 「마지막 잎새」는 꾸며 낸 이야기이므로 적절한 예가 아니라고 생각합니다. 우리의 실제 삶과 이야기 속의 삶은 같을 수 없습니다. 선의의 거짓말이 사람들에게 희망과 용기를 준 실제 예를 말씀하여 주시기 바랍니다.

찬성편: 네, 저희가 제시한 자료가 실제 생활의 예가 아니라는 점은 인정합니다. 그러나 문학은 우리의 삶을 반영하기 때문에 실제와 크게 다르지 않다고 생각하여 말씀 드린 것입니다. 그러면 여기 어린이 과학 잡지에 실린 기사를 보여 드리겠습니다. 감기에 걸린 환자에게 설탕을 진짜 약처럼 보이게 만들어 "이 약을 먹으면 좋아질 거예요."라고 하며 먹게 하였더니 효과가 있었다고 합니다. 이러한 속임약 효과는 선의의 거짓말이 사람에게 희망을 준다는 예로 충분하다고 생각합니다.

사회자: 이번에는 찬성편이 반론을 펴고 반대편에서 찬성편의 반론을 반박하여 주시기 바랍니다.

찬성편: 반대편은 선의의 거짓말이 나쁜 결과를 가져올 수도 있으며, 거짓말하는 것이 습관이 될 수 있기 때문에 하면 안 된다고 주장하셨습니다. 저희는 반대편의 주장을 받아들일 수 없습니다. 선의의 거짓말이 나쁜 결과를 가져올 수도 있다고 하셨는데, 선의의 거짓말은 상대를 배려하여 좋은 의도로 하는 것이라 거짓말이 탄로 나더라도 상대를 배려하기 위한 노력이었다는 것을 알게 되면 관계가 나빠질 일은 없을 것입니다. 엄마가 정성껏 해주신 요리를 맛이 없다고 솔직하게 말한다면 엄마의 기분은 어떠실까요? 모든 일에 지나치게 솔직하면 다른 사람들과의 관계가 좋아질 수 없습니다.

반대편: 물론 엄마의 기분이 상하실 수도 있을 것입니다. 그렇다고 엄마의 기분만을 생각하여 맛없는 요리를 맛있다고 하면 엄마의 요리 솜씨는 좋아질 수 없습니다. 솔직하게 말씀드려야 엄마의 요리 솜씨도 좋아지고 맛있는 요리를 먹을 수 있다고 생각합니다. 곤란한 순간을 피하기 위하여 거짓말을 한다면 상황이 근본적으로 개선된 것이 아니기 때문에 또다시 곤란해질 수도 있습니다. 차라리 상대의 기분이 상하지 않는 방법으로 솔직하게 말하는 것이 더 좋다고 생각합니다.

사회자: 양쪽의 질문과 답변 잘 들었습니다. 1분간 협의 시간을 가지도록 하겠습니다. 양쪽은 토론 내용을 바탕으로 하여 주장과 근거를 다시 정리하여 주시기 바랍니다.

사회자: 이제 토론의 마지막 단계인 주장 다지기입니다. 반대편이 먼저 발언하여 주시기 바랍니다.

반대편: 찬성편은 다른 사람에게 희망과 용기를 줄 수 있고, 사람과의 관계를 좋아지게 하기 때문에 선의의 거짓말은 해도 된다고 주장하였습니다. 그러나 거짓말이 사람들의 관계를 좋게 하는 근본적인 해결책이 될 수는 없습니다. 저희 반대편은 선의의 거짓말도 해서는 안 된다고 생각합니다. '바늘 도둑이 소도둑 된다.'는 속담처럼 선의로 시작한 작은 거짓말이 습관이 되어 버리면 나쁜 거짓말도 거리낌 없이 하게 될 것입니다. 물론 상대의 기분을 생각해서 자신의 감정을 솔직하게 드러내지 않아야 할 상황도 있습니다. 그럴 때에는 거짓말을 하지 않고 침묵을 지키는 것도 좋은 방법입니다. 사람이 죽고 사는 위급한 상황이 아니라면 거짓말은 필요하지 않습니다.

찬성편: 선의의 거짓말은 해도 된다고 주장합니다. 왜냐하면 선의의 거짓말은 사람을 긍정적으로 변화시키는 힘을 가졌기 때문입니다. 예를 들어 속임약 효과처럼 상대를 안심시켜 병을 낫게 하기도 하고, 장발장처럼 죄를 저지른 사람을 착한 사람으로 변화시킬 수도 있습니다. 물론 반대편에서 제기한 사람들 사이의 신뢰가 떨어지는 문제가 생길 수도 있습니다. 하지만 선의의 거짓말이 가지는 긍정적인 효과에 비하면 아주 사소한 문제라고 생각합니다. 습관적으로 거짓말하는 것이 아니라면 다른 사람을 배려하는 차원에서 하는 선의의 거짓말은 해도 된다고 주장합니다.

사회자: 모두 수고하셨습니다. 이제 판정단의 소감과 판정 결과를 들도록 하겠습니다.

판정단: 먼저 찬성편과 반대편이 모두 적절한 근거를 들어 주장을 잘 펼쳤습니다. 특히, 반론하기 부분에서 반대편이 찬성편의 자료가 실제 생활의 예가 아니라고 지적한 점과 이에 대하여 찬성편이 과학 잡지에 실린 기사 내용을 근거 자료로 제시한 점이 좋았습니다. 그러면 판정한 결과는 말씀드리겠습니다. 이번 토론에서는 반론하기 부분에서 좋은 예를 제시해 준 찬성편이 승리한 것으로 판정합니다.

주제찾기 **1.** 토론의 주제를 글에서 찾아 쓰세요.

글감찾기 **2.** 이 글의 글감을 찾아 쓰세요.

3. 토론에서 주장 다지기를 하면서 찬성편이 예외 상황으로 인정한 것은 무엇입니까?

① 원하는 것을 얻으려 할 때

② 다른 사람을 속이려고 할 때

③ 사람이 죽고 사는 위급한 일일 때

④ 다른 사람을 배려하기 위한 일일 때

⑤ 친구들과 갈등을 해소하려고 노력할 때

미루어알기 **4.** 토론 참가자들에 대한 평가가 바르지 <u>않은</u> 것을 고르세요.

① 사회자는 규칙과 절차를 자세히 안내하였다.

② 찬성자는 타당한 근거를 들어 주장을 펼쳤다.

③ 반대자는 찬성자에 대해 인신공격을 일삼았다.

④ 찬성자는 근거를 들어 반론을 다시 공격하였다.

⑤ 판정단은 기준을 가지고 공정하게 판정을 내렸다.

세부내용 **5.** 찬성편이 주장의 근거 자료로 삼은 것은 무엇입니까?

① 신문 기사 ② 설문 조사 자료

③ 전문가 면담 자료 ④ 뉴스에서 들은 내용

⑤ 통계청의 발표 자료

적용하기 **6.** 스스로 판정단이 되어 토론에서 잘한 편에 ○표를 하세요.

판정 영역	판정 기준	판정	
		찬성편	반대편
주장 펼치기	주장이 설득력 있고, 이를 뒷받침하는 근거가 타당하고 믿을 만하다.		
반론 하기	상대편의 주장과 근거의 문제점을 찾아 반박하는 주장을 펼친다.		
	생대편이 제시한 반론에 대하여 적절히 재반박한다.		
주장 다지기	주장과 근거를 다시 정리하여 주장을 분명하고 굳건하게 한다.		
태도	토론의 규칙을 잘 지킨다.		
	상대편의 말을 경청하며 예의 바른 태도로 토론에 참여한다.		

7. '주장 다지기'를 아래의 표로 정리했습니다. 빈칸을 각각 한 문장으로 채우세요.

(가) 반대편의 발언을 정리합니다.

주장	선의의 거짓말은 하면 안 된다.
근거	거짓말이 습관이 될 수 있기 때문이다.
근거 자료	①
제시된 반론	상대의 기분을 생각해서 자신의 감정을 솔직하게 드러내지 않아야 할 상황이 많다.
반론 꺾기	②
예외 상황	사람이 죽고사는 위급한 상황을 예외로 둘 수 있다.

(나) 찬성편의 발언을 정리합니다.

주장	선의의 거짓말은 해도 된다.
근거	선의의 거짓말은 사람을 긍정적으로 변화시키는 힘을 가졌기 때문이다.
근거 자료	③
	선의의 거짓말은 장 발장처럼 죄를 지은 사람을 착한 사람으로 변화시킬 수 있다.
제시된 반론	사람들 간의 신뢰가 떨어지는 문제가 생길 수 있다.
반론 꺾기	④
예외 상황	다른 사람을 배려하는 차원에서 하는 선의의 거짓말은 해도 된다.

점 수
1~7번 문제의 점수를 더하여 총점을 쓰고 167쪽의 표에 막대그래프로 표시하세요

평가요소 1. ☐ 15점 | 2. ☐ 15점 | 3. ☐ 10점 | 4. ☐ 15점 | 5. ☐ 15점 | 6. ☐ 15점 | 7. ☐ 15점

171쪽 표의 해당하는 번호에 체크하세요.

　자동차가 많아지면서 교통 사고는 심각한 사회 문제가 되고 있다. 신문 기사나 방송에서는 자주 교통 사고에 대한 소식을 전하고 있다. 그중에서도 어린이 교통 사고는 가벼운 사고로도 심각한 결과를 가져올 수 있기 때문에 주의가 필요하다. 어린이가 교통 사고로 사망하는 유형을 보면 보행 중에 교통 사고로 사망하는 경우의 비율이 매우 높다. 어린이의 생명을 지키려면 보행 중인 어린이의 교통 사고를 줄일 수 있는 방법을 찾아야 한다.

유형	보행 중	차량 동승	자전거	이륜차 동승	기타	합계
사망자 수(명)	65	26	4	2	2	99
사망자 비율(%)	65.7	26.3	4.0	2.0	2.0	100

☐자료: 도로교통공단 교통사고 종합분석시스템(TAAS), 2013

▲14세 이하 어린이 교통사고 유형별 사망자 수

　어린이 보행 중 교통 사고를 줄이는 방법은 무엇일까? 운전자에게 어린이 보행 안전에 대한 교육을 철저히 해야 한다. 전체 교통 사고 가운데에서 보행 중에 발생한 사고의 나이대별 분포를 살펴보면, 초등학생이 다른 나이 대에 비하여 상대적으로 높게 나타나는 것을 알 수 있다. 이는 초등학생들이 바깥 활동이 잦은 데다 위험 상황을 판단하고 그에 대처하는 능력이 부족하기 때문이다. 그러므로 운전자에게 어린이 보행자를 보호할 수 있는 안전 교육을 실시하여 어린이 보행 중 교통사고가 일어나지 않도록 해야 한다.

　어린이를 위한 보행 안전 시설도 더 필요하다. 학교 앞길에는 과속 차량을 단속하는 장치를 마련해야 한다. 그리고 학교 근처에 어린이 보호 구역을 현재의 반지름 300미터보다 더 넓게 설정하여 어린이들이 안전하게 다닐 수 있게 해야 한다. 그뿐만 아니라 어린이가 많이 다니는 길에는 과속 방지 턱을 만들어 차량의 속도를 낮추도록 해야 한다. 이와 같은 안전 시설은 어린이 교통 사고를 줄이는 데 크게 도움이 될 것이다.

　어린이 스스로도 보행 중 교통 사고를 당하지 않도록 노력해야 한다. 도로에서 발생하는 수많은 비극은 교통 법규를 무시하고 조금 빨리 가려다가 발생한다. 운전자와 보행자 모두 도로에서 시간적 여유를 가지는 마음이 필요하다. 보행 신호가 초록색으로 바뀌지도 않았는데 무리하게 길을 건너면 사고를 당할 수도 있다. 그리고 신호가 바뀌

자마자 좌우를 살피지 않고 출발하다가 사고를 당하기도 한다. 또, 신호가 바뀐 뒤에도 신호 위반을 하는 차가 있을 수 있기 때문에 늘 조심해야 한다. 따라서 조급하게 서두르지 말고 교통 법규와 안전 수칙을 지키며 생활해야 한다.

이제부터라도 어린이 보행 중 교통 사고를 줄이는 일에 모두 힘써야 한다. 어린이 보행 안전은 남에게 미룰 수도 없고, 남이 대신 하여 줄 수도 없는 일이다. 우리 모두 노력하여 어린이 보행 중 교통 사고가 일어나지 않도록 하자. 어린이는 미래의 희망이요, 우리 모두의 꿈이다.

주제찾기 **1.** 글에서 주요 내용으로 삼은 것은 무엇입니까?

① 의견의 대립과 화해
② 사건의 영향과 대책 마련
③ 이미 있던 생각과 새로운 생각
④ 문제 상황의 확인과 해결 방안 찾기
⑤ 문제의 심각성 깨닫기와 원인 분석하기

제목찾기 **2.** 글에 알맞은 제목을 붙이세요.

□□□ □□ □□

사실이해 **3.** 보행 중 교통사고를 줄이기 위해 어린이가 스스로 할 수 있는 것은 무엇입니까?

① 어린이가 많이 다니는 길에 과속 방지 턱을 만든다.
② 학교 앞길에 과속 차량을 단속하는 장치를 마련한다.
③ 운전자에게 어린이 보행 안전에 대한 교육을 철저히 한다.
④ 학교 근처의 어린이 보호 구역을 현재보다 더 넓게 설정한다.
⑤ 조급하게 서두르지 말고 교통 법규와 안전 수칙을 지키며 생활한다.

미루어알기 **4.** 글의 짜임으로 적절한 것은 어느 것입니까?

① 나열하기 ② 사건의 순서

③ 원인과 결과 ④ 문제와 해결

⑤ 비교와 대조

세부내용 **5.** 이 글의 특성을 알 수 있게하는 말로 볼 수 <u>없는</u> 것을 고르세요.

① 필요하다. ② 것을 알 수 있다.

③ 문제가 되고 있다. ④ 방법을 찾아야 한다.

⑤ 줄이는 방법은 무엇일까?

적용하기 **6.** 이 글에서 다룬 문제를 해결하기 위한 근본적인 방안으로 볼 수 <u>없는</u> 것은?

① 초등학생들의 바깥활동 제한

② 스쿨존에 속도제한 표시판 설치

③ 횡단보도 앞 신호 단속 카메라 설치

④ 주기적인 교통생활 안전수칙 교육 강화

⑤ 등·하교 시간에 교통 안전 지도원 배치

요약하기 **7.** 글의 내용을 아래와 같이 요약했습니다. 빈칸에 알맞은 낱말을 넣으세요.

> 보행 중에 ①□□□□로 사망하는 어린이가 많다. ②□□□에게 안전 교육을 철저히 하고, 어린이를 위한 보행 ③□□ □□을 더 설치하며, 어린이 스스로도 교통 법규와 ④□□ □□을 지켜 보행 중 교통 사고가 일어나지 않도록 노력해야 한다.

	점 수
1~7번 문제의 점수를 더하여 총점을 쓰고 167쪽의 표에 막대그래프로 표시하세요	

나라 사이에 서로 필요한 것을 사고파는 활동을 '무역'이라 합니다. 무역에 있어서, 우리나라의 물건이나 서비스를 외국에 파는 것을 '수출'이라 하고, 외국에서 물건이나 서비스를 사오는 것을 '수입'이라 합니다. 무역이 이루어지는 까닭은, 각 나라가 가지고 있는 자연환경, 자본, 기술, 생산되는 것이 제각기 다르기 때문에 필요한 것을 구하거나 이익을 얻기 위해서입니다. 따라서 무역을 하면 부족한 재화[1]나 서비스를 해결할 수 있고, 나라의 산업을 발전시키고 국민 소득을 높일 수 있습니다. 또 나라에 부족한 기술, 자원 등을 들여와서 국가 경제 성장에 도움을 줄 수 있습니다.

우리나라는 국민 경제에서 무역이 차지하는 비율이 높아 무역 의존도가 높습니다. 그런데 주요 수출품에 필요한 부품을 주로 외국에서 수입해 오기 때문에 무역을 통해 이익을 크게 얻지 못한다는 데 문제가 있습니다. 원유, 철광석, 목재 등 원자재를 대부분 수입하므로 원자재 가격이 상승하면 우리나라 제품의 경쟁력이 크게 떨어집니다. 또 전체 무역에서 중국, 미국 등 몇 나라가 차지하는 비율이 높다는 점도 문제입니다. 이들 주요한 무역 상대국의 경제에 문제가 생기면 우리나라 경제는 저절로 큰 타격을 입습니다. 선박, 석유 화학 제품, 반도체, 자동차 등 일부 제품이 전체 수출에서 차지하는 비율이 높습니다. 수입하는 국가에서 이들 제품에 보호의 울타리를 치면 당장 수출길이 막혀버립니다.

이런 어려움이 있는데, 오늘날 세계 무역 환경이 크게 변화하고 있어 어려움을 더하고 있습니다. 최근 전 세계적으로 환경 오염 및 지구 온난화에 대한 관심이 높아지고 있습니다. 그래서 많은 나라에서 환경오염 물질을 발생시키는 제품의 수입을 다양한 방법으로 제한하고 있습니다. 또한, 각 나라는 친환경 제품을 개발하기 위하여 노력하고 있습니다. 그런가 하면, 최근 외국 농산물의 수입이 급격하게 증가하고 있습니다. 나라 사이의 무역이 자유롭게 이루어지면서 값이 싼 외국 농산물을 많이 수입하고 있기 때문입니다.

Note   [1] 돈이나 값나가는 물건으로, 대가를 주고 얻을 수 있는 물질로 쌀, 옷, 책처럼 만질 수 있는 것이제 우리는 변화하는 세계 무역 환경에 대처하는 방안을 마련하지 않을 수 없습니다. 환경오염 물질을 배출하지 않는 친환경 제품을 만들고, 친환경적이고 건강에 좋은 값싼 농산물을 생산하는 것이 구체적인 방안이 될 수 있습니다. 이보다 더 근본적으로는 국제 경쟁력을 확보하는 방안을 마련해야 할 것입니다. '국제 경쟁력'이란, 국제 거래에서 나라의 산업이나 기업의 제품들이 서로 경쟁하여 시장을 차지하려는 힘을 뜻합니다. 우리나라 제품의 국제 경쟁력을 높이려면, 기술 개발에 힘써 제품의 품질을 높이고, 주요 부품을 국산화하며, 해외 시장의 특성을 파악하여 이를 제품에 반영할 수 있도록 해야 합니다. 그리고 이러한 제품을 세계인들이 알고 수입할 수 있도록 각종 박람회나 전시를 통해 홍보하는 일도 중요합니다.

주제찾기 **1.** 글 전체의 중심 내용을 가리킬 수 있는 어구를 글에서 찾아 쓰세요.

제목찾기 **2.** 글의 제목으로 가장 알맞은 것을 고르세요.

① 무역을 하는 까닭
② 세계 속의 우리 경제
③ 우리나라의 무역 의존도
④ 우리나라 제품의 국제 경쟁력
⑤ 무역에서 국제 경쟁력이 갖는 개념

사실이해 **3.** 글에 나타나지 <u>않는</u> 내용은 어느 것입니까?

① 최근에는 외국 농산물을 많이 수입하여 값이 싸졌다.
② '무역'이란 나라 사이에 필요한 것을 사고파는 활동이다.
③ 우리나라는 국민 경제에서 무역이 차지하는 비율이 높다.
④ 전체 무역에서 중국, 미국 등 몇 나라가 차지하는 비율이 높다.
⑤ 무역으로 나라의 산업을 발전시키고 국민 소득을 높일 수 있다.

미루어알기 **4.** 글을 읽고 떠올린 새로운 생각은 어느 것입니까?

① 필요한 것을 구하거나 이익을 얻기 위해서 무역을 한다.

② 원유 가격이 오르면 석유 화학 제품의 수출 가격이 오른다.

③ 중국, 미국 등의 경제 사정이 나빠지면 우리경제는 좋아진다.

④ 반도체, 자동차의 수출이 줄어들면 철광석 수출이 줄어든다.

⑤ 자유 무역이 촉진되면서 농산물의 가격이 많이 올랐다.

세부내용 **5.** 글에 대한 비판으로 알맞은 것을 고르세요.

① 어려운 개념을 알기 쉽게 풀어 설명하지 않았다.

② 얼마나 어려운 현실인지 실감나게 표현하지 못했다.

③ 소주제들을 뒷받침하는 내용이 빈약하고 이해가 어렵다.

④ 주제의 까닭을 말한 부분이 주제와 내용상 어울리지 않는다.

⑤ 중심 내용을 말한 부분이 지나치게 길어서 지루한 느낌을 준다.

적용하기 **6.** 윗글을 읽고, 아래 글의 빈칸에 적절한 낱말을 쓰세요.

> 우리나라 무역의 특징 때문에 다음과 같은 문제가 발생할 수 있다. 무역 상대국에 어려움이 발생하면 자원이나 ①□□ 등을 수입하기 어려워져 수출이 힘들어집니다. 자원이나 ②□□의 가격이 높아지면 우리나라 제품의 ③□□□□이 높아지기 때문입니다.

요약하기 **7.** 글에서 가장 중요한 내용을 간추리기 위해 아래의 빈 곳을 각각 한 문장씩으로 채우세요.

변화하는 세계 무역 환경에 대처하는 방안
♣ ①
♣건강에 좋고 값싼 농산물을 생산한다.
♣기술 개발로 제품의 품질을 높인다.
♣기술 개발로 주요 부품을 국산화한다.
♣해외 시장의 특성을 파악하여 제품에 반영한다.
♣ ②

	점 수
1~7번 문제의 점수를 더하여 총점을 쓰고 167쪽의 표에 막대그래프로 표시하세요	

　　㉠우리말은 우리 문화의 뿌리이며 더 나은 문화를 만들어 나가기 위한 밑거름입니다. 한국의 언어문화를 풍요롭고 아름답게 하기 위해서는 이러한 우리말을 바르고 품위 있게 사용하여야 합니다.

　　그러나 오늘날 우리말은 큰 어려움을 겪고 있습니다. 국립국어원의 조사에 따르면 새로이 생겨나는 말 중에서 외국어가 절반 이상을 차지하고 있다고 합니다. 그뿐만 아니라 방송이나 길거리의 광고판 등 주위를 살펴보면 우리말을 존중하기보다는 외국어를 더 중요하게 생각하는 사람이 많아지는 것만 같아 안타깝습니다.

　　이제부터라도 뜻도 모르고 아무렇게나 사용하는 외국어나 지나치게 어려운 말들을 바르게 다듬어야 합니다. 그러지 않으면 우리말은 결국 본래의 자리를 **빼앗기고**, ㉡우리에게는 외국어를 옮겨 적는 글자만이 남게 될 것입니다. 우리말이 우리의 정신과 문화를 온전히 담아낼 수 있도록 노력하여야 할 필요가 있습니다.

　　우리말 다듬기는 '순수 우리말 쓰기'와 '쉬운 우리말 쓰기'를 가리킵니다. '순수 우리말 쓰기'는 일본이나 서양의 영향을 받은 낱말을 순수한 우리말로 다듬는 것입니다. 예를 들어, 서양의 말을 일본식으로 발음한 '벤토'나 '다대기'는 '도시락', '다진 양념'으로 다듬어야 합니다. '쉬운 우리말 쓰기'는 뜻을 파악하기 어려운 외국어와 한자어를 쉬운 우리말로 다듬는 것입니다. 예를 들어, '숙면을 취하다'는 '깊은 잠을 자다'로, '상이하다'는 '서로 다르다'로 다듬어야 합니다.

　　이에 국립국어원은 2004년부터 '모두가 함께하는 우리말 다듬기' 누리집을 만들어 우리말 다듬기 활동에 국민이 직접 참여하도록 하였습니다. 국립국어원이 다듬어 써야 할 외래어와 외국어를 매주 하나씩 선정하여 발표하면 누리꾼들이 그 말을 대신하여 쓸 '다듬은 말'을 제안하는 것입니다. 이렇게 추천받은 말의 후보들을 국어학자나 언론인 등으로 구성된 말 다듬기 위원회에서 검토하여 최종적으로 '다듬은 말'로 결정하게 됩니다.

　　지금까지 우리말 다듬기에 대하여 알아보았습니다. 우리말을 하나하나 다듬어 나가는 일도 중요하지만, 가장 중요한 것은 말을 사용하는 우리의 의식을 바꾸는 것입니다. 우리말보다 외국어를 중요하게 여기는 생각이나 어려운 말을 쓰는 것이 말을 잘하는 것이라는 생각은 이제 달라져야 합니다. 이러한 목표를 이루기 위해서라도 모든 국민이 우리말 다듬기에 참여하여 꾸준히 활동하여야 합니다.

주제찾기 **1.** 글의 주제문으로 가장 알맞은 것은 어느 것입니까?

① 언어문화를 발전시키기 위해서 우리말을 바르고 품위 있게 사용하여야 한다.
② 어려운 외국어나 한자어를 쉬운 우리말로 다듬는 방법이 있다.
③ 외국어나 지나치게 어려운 말을 다듬어야 한다.
④ 오늘날 우리말을 큰 어려움을 겪고 있다.
⑤ 우리말은 우리문화의 뿌리이다.

제목찾기 **2.** 글의 제목을 글에서 찾아 쓰세요.

사실이해 **3.** ㉠의 두 문장은 내용으로 볼 때, 어떤 관계입니까?

① 이유 – 단정
② 정의 – 부연
③ 근거 – 주장
④ 지시 – 사례
⑤ 원인 – 결과

미루어알기 **4.** ㉡의 속뜻을 알맞게 풀이한 것을 고르세요.

① 외국어 교육에만 매달릴 것입니다.
② 외국어를 사용하는 생활에 익숙해집니다.
③ 한글보다 외국어를 쓰는 사람이 많아질 것입니다.
④ 한글은 외국어를 표기하는 발음기호 구실만 할 것입니다.
⑤ 외국어를 필요하지도 않은데 굳이 한글로 표기하게 될 것입니다.

세부내용

5. 글을 쓴 동기라고 할 수 있는 것은 무엇입니까?

① 우리 문화가 대중화하고 있어서

② 우리말이 오염되는 현실이 안타까워서

③ 외국어로 우리의 정신과 문화를 표현해서

④ 뜻을 알기 어려운 외국어를 남용하고 있어서

⑤ 외국어, 한자어를 대신할 수 있는 우리말이 많아서

적용하기

6. 다음 표의 '다듬은 말'을 채우세요.

다듬어야 할 말	지니고 있는 뜻	다듬은 말
리플	인터넷에 오른 원문에 대하여 짤막하게 답하여 올리는 글	①
스크린 도어	승객의 안전을 위해 설치한 문	②
마인드맵	떠올린 생각을 그물처럼 연결하여 나타내는 것	③
쓰레빠	실내에서 주로 신는 신발	④

요약하기

7. 글에 나타난 우리말 다듬기의 방법 세 가지를 각각 '–기'로 끝나는 구절로 쓰세요.

	점수
1~7번 문제의 점수를 더하여 총점을 쓰고 167쪽의 표에 막대그래프로 표시하세요	

| 평가
요소 | 1. □
15점 | 2. □
15점 | 3. □
10점 | 4. □
15점 | 5. □
15점 | 6. □
15점 | 7. □
15점 |

171쪽 표의 해당하는 번호에 체크하세요.

성공하기 위해서는 어떤 성공 요소들이 필요할까요? '꿈과 목표', '계획과 실천', '노력과 인내', '도전과 열정', '배움과 겸손' 등이 필요합니다. 그리고 여기에 한 가지 성공 재료가 더 있어야 해요. 바로 긍정적이고 고운 '말버릇'입니다.

성공한 이들은 지금 쓰는 말버릇이 미래를 좌우한다는 것을 잘 알고 있습니다. 그래서 일이 잘 풀리지 않거나 어떤 어려움에 처해도 절대 거친 말이나 부정적인 말을 쓰지 않습니다. 힘들수록 더욱더 자신에게 힘이 되고 사람들에게 사랑받는 고운 말을 씁니다.

미국의 성공학자 나폴레온 힐. 그는 열두 살이 되기 전에 어머니를 여의고 친척들의 도움을 받아 자랐을 만큼 힘겨운 시절을 보냈습니다. 어른이 되어 기자 생활을 했지만 형편은 좀처럼 나아지지 않았습니다. 그러던 어느 날 그는 철강 왕 앤드루 카네기를 인터뷰하게 되었습니다. 그때 카네기는 힐에게 자신의 성공 철학에 대해 자세하게 들려주며 한 가지 제안을 했습니다. 그것은 보통 사람들도 반드시 성공할 수 있는 성공 법칙을 찾아서 책으로 집필해 달라는 것이었습니다.

그동안 많은 사람에게 이 제안을 했지만 성공하지 못했던 카네기는 힐에게 이렇게 물었습니다.

"인생의 패배자로서 생애를 마칠지도 모르는 수많은 사람을 위해 성공 철학을 20년 이상 계속 연구할 각오가 있는가?"

"반드시 해내겠습니다."

힐은 자신 있게 대답했습니다. 그리하여 힐은 토마스 에디슨 등 미국에서 성공한 사회 저명인사 500명을 인터뷰하면서 그들의 성공 철학이 무엇인지를 연구했습니다.

성공한 사람들의 성공 철학을 연구하는 데 예상치 못한 어려움도 많았습니다. 가장 큰 어려움이 경제적 어려움이었습니다. 아내와 가족은 그가 아무런 보수도 없이 쓸데없는 일을 한다며 당장 그만두라고 강요하기도 했습니다. 하지만 그는 포기하고 싶어질 때마다 다음과 같은 긍정적인 문구를 읽으며 용기를 얻었습니다.

"(㉠   )"

힐은 이 문구를 중얼거릴 때마다 자신도 모르게 날마다 성공하고 있다는 확신이 생겼습니다. 그리고 앤드루 카네기와의 약속을 지키기 위해 최선을 다했습니다.

그가 성공 법칙을 연구한 지 20년이 흐른 어느 날, 마침내 성공 법칙을 책으로 집필하는 데 성공했습니다. 이렇게 해서 탄생한 책이 바로 「놓치고 싶지 않은 나의 꿈, 나의 인생」입니다. 이 책은 출간되자마자 베스트셀러가 되었습니다. 나폴레온 힐은 이 책으로 부와 명예를 얻을 수 있었습니다. 훗날 나폴레온 힐은 자신의 성공 비결은 긍정적인 말버릇에 있다고 고백했습니다. 그는 사람들이 성공 비결을 물을 때마다 "나는 매일 조금씩 성공하고 있다." 라는 문구를 눈에 잘 띄는 곳에 붙여 두고 자주 습관처럼 중얼거렸다고 대답했습니다.

긍정적인 생각과 말로 성공한 또 한 사람이 있습니다. 바로 창조와 혁신의 대명사 스티브 잡스입니다. 잡스는 스무 살에 세계 최초의 개인용 컴퓨터를 개발해 스물다섯 살에 백만장자가 되었습니다. 그러나 자기중심적이고 독단적인 성격으로 인해 30대의 나이에 자신이 설립한 회사에서 쫓겨났습니다. 처음에 잡스는 절망에 빠졌지만 언제까지나 좌절하지 않았습니다. 잡스는 자신의 상황을 긍정적으로 보기 시작했습니다. 그러자 자신이 일을 얼마나 사랑하는지 깨달을 수 있었습니다.

"비록 회사에서 해고되었지만 아직도 나는 내 일을 사랑하고 있어. 그래, 다시 시작하는 거야."

스티브 잡스는 좌절할 때마다 긍정의 말로 용기를 얻었습니다. 그리고 영화사를 만들어 마침내 「토이 스토리」, 「몬스터 주식회사」, 「니모를 찾아서」와 같은 만화 영화를 흥행에 성공시켰습니다. 그뿐만 아니라 나중에는 쫓겨난 회사에 다시 들어가 스마트폰을 개발해 내면서 세계인으로부터 존경받는 기업인이 되었습니다.

성공하는 인생을 살고자 한다면 가장 먼저 예쁘고 사랑이 담긴 성공의 언어를 써야 합니다. 이런 긍정적인 언어들이 성공의 기회를 끌어당기기 때문이지요. 자신이 쓰는 말버릇이 자신을 소중한 사람으로 만들기도, 천박한 사람으로 만들기도 합니다.

저마다 여러분의 가슴속에는 꿈이 담겨 있습니다. 지금 어떤 말버릇을 가지느냐에 따라 꿈을 이룬 주인공이 될 수도, 조연이 될 수도 있다는 것을 명심하세요.

주제찾기 1. 글쓴이가 전하고 싶었던 내용의 요지를 가장 잘 표현한 문장을 고르세요.

① 말은 그 사람의 전부와 같다.

② 지금 쓰는 말이 미래를 좌우한다.

③ 삶에서 말은 생각과 기억의 창고이다.

④ 운명보다 말에 기대어 성공을 할 수 있다.

⑤ 인생을 사랑하는 만큼 말이 아름답게 다가온다.

제목찾기 2. 글에 나온 낱말들을 활용하여 적절한 제목을 붙이세요.

□□□□ □□ 요소들

사실이해 **3.** 글쓴이가 성공의 필수적인 조건으로 본 것은 무엇입니까?

① 긍정적인 생각과 말   ② 근면하고 성실한 성격

③ 원만한 대인 관계와 포부   ④ 자신감과 끈질긴 성품

⑤ 천박한 말의 배척

미루어알기 **4.** ㉠에 들어갈 말로 알맞은 것은 무엇입니까?

① 나는 패배자가 아니다.   ② 나는 남들 이상으로 영리하다.

③ 나는 매일 조금씩 성공하고 있다.   ④ 나는 내년에는 백만장자가 될 것이다.

⑤ 나는 세상을 원망하거나 비난하지 않겠다.

세부내용 **5.** 글을 읽고 떠올린 속담으로 적절한 것은 어느 것입니까?

① 말은 앵무새.   ② 말이 씨가 된다.

③ 말로 온 동네를 겪는다.   ④ 말 많은 집은 장맛도 쓰다.

⑤ 말 한 마디에 천 냥 빚 갚는다.

적용하기 **6.** 글의 내용을 바탕으로 하여 다음 빈칸에 공통적으로 들어갈 말을 쓰세요.

> 2016년 리우 올림픽 펜싱 남자부 결승에서 있었던 일입니다.
>
> 결승에 오른 우리나라 선수가 4점 차이로 막다른 길에 몰렸고, 잠시 숨을 돌리기 위해 작전타임을 요청했습니다.
>
> 모두들 절망에 빠져 있었는데, 마침 우리 선수의 얼굴이 화면에 비쳤습니다. ("   ") ("   ") "그래, 나는 (")
>
> 경기가 다시 이어졌을 때, 기적 같은 일이 벌어졌습니다. 도저히 극복할 수 없을 것 같았던 점수 차를 이겨내고 그가 금메달을 차지한 것입니다.

요약하기 **7.** 글에 등장한 인물의 성공 장면을 표로 간추렸습니다. 알맞은 말을 써 넣으세요.

	성공의 요소	자기 확신의 말
나폴레온 힐	㉮	나는 매일 조금씩 성공하고 있다.
스티브 잡스		㉯

	점수
1~7번 문제의 점수를 더하여 총점을 쓰고 167쪽의 표에 막대그래프로 표시하세요	

평가
요소　　1. ☐　　2. ☐　　3. ☐　　4. ☐　　5. ☐　　6. ☐　　7. ☐
　　　　 15점　　 15점　　 10점　　 15점　　 15점　　 15점　　 15점

171쪽 표의 해당하는 번호에 체크하세요.

(가) 경제 성장으로 사람들은 생활이 편리해지고 더 잘살게 되었지만 빈부 격차, 자원 고갈, 노사 갈등 등의 문제점이 나타났습니다. 이런 문제점을 개선하거나 해결하지 않고 그대로 놓아둔다면 우리 사회는 물론이고 인류 전체가 위태로운 지경에 빠질 수 있기 때문에, 문제의 실상을 구체적으로 확인하고, 원인을 분석한 다음 적절한 해결의 방안을 마련해야 하겠습니다.

(나) '빈부 격차'는 경제적으로 부유한 사람과 가난한 사람의 소득이나 자산의 차이를 뜻하는데, 이것이 점점 더 심해지면 큰 문제가 됩니다. 경제가 어려운 상황인데도 비용이 많이 드는 여행을 하는 사람들의 모습과, 무료 급식소에서 급식을 먹는 사람들의 모습은 빈부 격차의 실상을 보여 줍니다. 이런 현상이 나타나는 까닭은, 경제 활동의 결과로 얻은 소득이 모든 사람에게 똑같이 나누어지지 않기 때문입니다. 또 부유한 사람은 더 많은 소득을 얻고, 가난한 사람은 더 적은 소득을 얻기 때문이기도 합니다. 빈부 격차가 커지면 경제적으로 어려운 사람들은 점점 더 살기 어려워질 테고, 그에 따라 부유한 사람과 가난한 사람 사이에 갈등이 커져 갈 것입니다.

(다) '자원 고갈'이란, 자원을 지나치게 소비하여 점점 없어져가는 것을 뜻합니다. 필요 이상으로 전기를 사용한다든가 다른 에너지 자원을 지금처럼 무제한으로 사용한다면 지구가 가지고 있는 자원은 언젠가 없어져버릴 것입니다. 자원 고갈은 경제가 발전할수록 자원의 소비가 가속화되기 때문에 일어납니다. 물론 경제 발전을 위해 무분별하게 자원을 사용하였기 때문이기도 합니다. 자원 고갈의 문제가 심각해지면, 쓸 자원이 부족하기 때문에 사람들의 생활이 점점 불편해질 것입니다. 물건을 제대로 만들지 못하거나 물건 값이 오를 수 있을 것이고, 자원 확보를 위해 국가 사이에 분쟁과 갈등도 늘어날 것입니다.

(라) '노사 갈등'은 근로자와 기업가 사이에 의견이 달라 서로 대립하는 것을 말합니다. 근로자들이 하던 일을 중지하는 '파업'이나, 회사의 문을 닫거나 근로자들이 일을 못하게 막아버리는 '직장 폐쇄'는 이런 현상을 잘 보여 줍니다. 이런 현상이 발생하는 까닭은 근로자와 기업가가 저마다 자신의 이익을 위하여 다른 주장을 내세우기 때문입니다. 노사 갈등이 심해지면, 회사는 물건을 생산하지 못하거나 판매에 차질이 생

겨 손해를 입을 수 있을 것입니다. 근로자는 일을 하지 못해 월급을 못 받게 됩니다. 소비자는 공장에서 물건을 제대로 만들지 못해 물건 가격이 올라 더 많은 돈을 들여 물건을 사게 될 수 있습니다.

(마) 빈부 격차 문제는 경제적으로 어려움을 겪는 사람들이 살아갈 수 있는 최소한의 여건을 마련해 주기 위해서, 그리고 빈부 격차로 인한 사회 구성원들 사이의 갈등을 줄이기 위해서 개선되고 해결되어야 합니다. 자원 고갈 문제는 경제가 지속적으로 발전하려면 자원이 필요하기 때문에 해결의 노력이 필요합니다. 또한 자원이 고갈되면 사람들의 생활이 불편해지고 살기 힘들어지기 때문이기도 하지요. 노사 갈등 문제는 그로 인해 물건을 생산하지 못하면 개인, 기업, 국가 모두 피해를 볼 수 있기 때문에 해결의 필요가 있습니다. 또한 회사의 발전과 근로자의 근로 환경 개선이 균형 있게 이루어지도록 하기 위해서도 해결이 필요합니다.

주제찾기 **1.** 글을 쓴 가장 중요한 목적은 무엇입니까?

① 경제의 상식을 알리기 위해
② 국민 경제의 개념을 세우기 위해
③ 경제 활동의 즐거움을 강조하기 위해
④ 경제적인 어려움을 겪는 사람을 격려하기 위해
⑤ 경제 성장 과정에서 생긴 문제점을 확인하도록 하기 위해

제목찾기 **2.** 글의 첫 문단에 나오는 낱말을 사용하고, 어두운 면을 뜻하는 비유적인 표현을 써서 글 전체의 제목을 붙이세요.

□□ □□□□ □□□□

사실이해 **3.** 같은 성질을 띠면서, 이 글에서 다루지 <u>않은</u> 문제는 무엇입니까?

① 환경 파괴　　　　　　② 노사 갈등
③ 자원 고갈　　　　　　④ 빈부 격차
⑤ 생산 차질

미루어알기 4. 빈부 격차가 줄어든 미래 사회의 모습으로 알맞은 것을 고르세요.

① 필요한 물품을 사용할 수 있을 것이다.
② 가난에 시달리는 사람들이 줄어들 것이다.
③ 경제 활동이 더욱 활발하게 이루어질 것이다.
④ 깨끗한 환경에서 편안한 삶을 누리게 될 것이다.
⑤ 소유권을 둘러싸고 서로 다투는 일이 줄어들 것이다.

세부내용 5. (가)~(마)의 내용을 잘못 제시한 것은 어느 것입니까?

① (가): 문제점의 제시   ② (나): 빈부 격차 문제
③ (다): 자원 고갈 문제   ④ (라): 노사 갈등 문제
⑤ (마): 문제의 해결 방안

적용하기 6. 경제 성장 과정에서 나타난 문제가 해결된 미래의 모습을 떠올려 본 표입니다. 빈 곳에 넣을 문장을 떠올려 쓰세요.

빈부 격차가 줄어들면	♣경제적인 어려움을 겪는 사람들이 줄어들 것이다. ♣① _____
자원 고갈이 해결되면	♣사람들이 불편 없이 생활할 수 있을 것이다. ♣② _____
노사 갈등이 해결되면	♣물건 공급과 가격이 안정된다. ♣③ _____

요약하기 7. 글에서 다룬 '빈부 격차' 문제를 아래와 같이 간추렸습니다. 빈칸에 알맞은 낱말을 넣으세요.

문제 발생의 원인	해결의 필요성	해결의 노력
①□□이 모든 사람에게 똑같이 나누어지지 않기 때문.	빈부 격차로 인한 사회 구성원들 사이의 ②□□을 줄이기	• 소득에 따른 ③□□ 과세 • ④□□□, 생계비 지원

	점 수
1~7번 문제의 점수를 더하여 총점을 쓰고 167쪽의 표에 막대그래프로 표시하세요	

| 평가요소 | 1. ☐ 20점 | 2. ☐ 10점 | 3. ☐ 10점 | 4. ☐ 15점 | 5. ☐ 15점 | 6. ☐ 15점 | 7. ☐ 15점 |

171쪽 표의 해당하는 번호에 체크하세요.

　　스웨덴에 있는 약 2만 1,500개의 호수가 산성비의 영향을 받아 그 중 약 1만 5,000 개는 이미 산성화하였고, 그 가운데 약 4,500개의 호수에서는 물고기가 죽어가고 있습니다. 노르웨이에서도 약 2,650개의 호수에서 물고기가 죽어가고 있으며, 캐나다에서는 약 4,000개의 호수가 죽어가고 있습니다. 미국에서도 북동부를 중심으로 호수의 산성화가 진행되고 있어요. 이러한 현상은 대기오염의 증가로 인한 산성비가 주요 원인이기도 합니다.

　　산성비가 내리는 과정은 석유, 석탄 등 화석 연료가 연소되면 황산화물, 질소산화물, 이산화탄소 등이 배출되는 데서 시작합니다. 배출된 황산화물, 질소산화물은 대기 중에서 이동·확산해 가는 동안 태양빛이나 탄화수소, 산소, 수분 등에 의해 황산이온, 질산이온의 산성 입자나 가스로 됩니다. 이러한 산성 입자나 가스가 빗방울 속에 스며든 채 빗물로 낙하하거나 직접 마른 상태의 입자로 떨어지는 것 가운데 pH 5.6 이하인 것을 산성비라고 합니다. 이 산성비로 인해 호수가 강한 산성을 띠게 되는 것이죠.

　　그 밖에 호수가 산성화하는 원인으로 첫째, 공장 폐수, 생활하수 등에 포함된 산성 물질이 직접 호수로 흘러들어가는 것을 듭니다. 둘째, 자동차와 공장, 발전소 등에서 내뿜는 매연에 의한 공기 오염을 듭니다. 셋째 가축의 배설물, 농약으로 인한 토양 오염을 원인으로 들기도 합니다.

　　호수가 산성화하면 물속에 살고 있는 작은 갑각류[1]나 플랑크톤[2]이 살지 못하게 됩니다. 이들은 녹조류를 먹고 살며, 작은 물고기에게 잡아먹혀 생태계의 먹이 사슬을 유지시키는 데 중요한 역할을 하고 있습니다. 이 생물이 죽으면 물속에 사는 생물의 먹이 사슬이 파괴되어 생태계 전체에 큰 혼란이 오게 됩니다. 그리고 호수의 산성화로 물속 생태계가 파괴되면 결국 우리 사람의 삶에도 나쁜 영향을 주게 됩니다.

　　호수의 산성화가 심한 나라에서는 호수를 살리기 위하여 석회를 뿌리기도 합니다. 석회는 물에 녹아 호수의 산성을 중화시키기 때문입니다. 그러나 이 방법은 효과가 두

Note　[1] 갑각류: 몸은 머리, 가슴, 배의 세 부분이 뚜렷하나, 머리와 가슴이 붙어 두흉부를 형성한다. 두 쌍의 더듬이가 있고 가슴과 배의 부속지는 둘로 나누어져 있다. 게, 새우, 가재 따위가 있다.　[2] 플랑크톤: 물속에서 물결에 따라 떠다니는 작은 생물을 통틀어 이르는 말.

드러지지 않으며, 또 다른 과정을 거쳐 생태계를 파괴한다는 비판을 받기도 합니다. 무엇보다 중요한 것은 산성비의 발생을 원천적으로 방지하는 것입니다. 예를 들면, 석유에서 황을 제거한 후 사용하거나 공장의 굴뚝과 자동차의 배기통에 황산화물이나 질소산화물을 걸러 내는 장치를 부착할 수도 있습니다. 나아가 화석 연료 대신 신재생 에너지를 개발하고 그 사용을 확대하는 노력과 실천이 필요할 것입니다.

이처럼 한 번 산성화한 호수를 원래 상태로 되돌리기는 매우 어렵습니다. 그러므로 더 이상 호수가 산성화하지 않도록 우리 모두 함께 노력하는 자세가 매우 중요합니다.

주제찾기 **1.** 글을 쓴 동기가 잘 드러난 주제문을 고르세요.

① 산성비는 대기 오염의 결과이다.
② 지구의 북반구에 산성비가 많이 내린다.
③ 호수 생태계의 파괴는 사람의 삶을 심각하게 위협한다.
④ 더 이상 호수가 산성화하지 않도록 우리 모두 함께 노력해야 한다.
⑤ 호수의 산성화가 심한 나라에서는 호수를 살리기 위하여 석회를 뿌린다.

제목찾기 **2.** 글감을 글에서 찾아 쓰세요.

사실이해 **3.** 글의 내용과 거리가 먼 것은 어느 것입니까?

① 호수의 산성화로 물고기가 죽어가고 있다.
② 대기 오염은 토양 오염, 수질 오염에서 비롯된다.
③ 화석 연료를 태우면 여러 가지 황산화물이 생긴다.
④ 생활하수에 포함된 산성 물질이 산성화의 원인이 된다.
⑤ 산성화가 심한 지역에서는 호수에 석회를 뿌리기도 한다.

미루어알기

4. 글의 내용에서 미루어 알 수 있는 것은 무엇입니까?

① 산성비는 대기가 산화하는 과정에서 생긴다.
② 가축의 배설물, 농약에 의해 토양 오염이 일어난다.
③ 깨끗하다고 알려진 나라에서 호수의 산성화가 일어날 수 있다.
④ 작은 물고기는 먹이 사슬의 가장 아래 단계에 있다.
⑤ 석유에서 황을 제거하고 나면 독이 없어진다.

세부내용

5. 글의 내용 흐름을 알맞게 정리한 것은 어느 것입니까?

① 문제 상황 → 원인 분석 → 해결의 방안
② 문제 상황 → 해결의 필요성 → 해결의 방안
③ 원인 분석 → 해결의 필요성 → 해결의 방안
④ 원인 분석 → 해결의 방안 → 해결의 필요성
⑤ 영향의 소개 → 문제 상황 → 해결의 방안

적용하기

6. 아래의 그래프를 보고, '아시아'에 초점을 맞추어 예상되는 미래의 문제를 한 문장으로 쓰세요. (글에 있는 낱말을 적절히 활용하세요.)

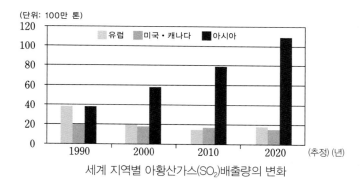

세계 지역별 아황산가스(SO_2)배출량의 변화

요약하기

7. 글에서 다룬 주요 내용을 표로 정리했습니다. 빈칸에 적절한 낱말을 쓰세요.

호수의 산성화	
원인	①□□□, 오염된 물에 포함된 ②□□ □□, 공기 오염, ③□□ 오염 등
문제점	④□□□ 전체의 혼란, 사람의 삶에 나쁜 영향
해결 방안	⑤□□□□의 발생을 원천적으로 방지 호수가 산성화하지 않도록 함께 노력하는 ⑥□□

	점 수
1~7번 문제의 점수를 더하여 총점을 쓰고 167쪽의 표에 막대그래프로 표시하세요	

스마트폰의 과도한 사용으로 인해 생기는 다양한 부작용들의 예는 우리 주변에서 쉽게 찾아볼 수 있다. 거리에서 스마트폰으로 영상을 보느라 신호등도 살피지 않고 길을 건너는 위험한 모습이 자주 목격되며, 운전 중 스마트폰을 하다가 사고가 나기도 한다. 어린 유치원생들부터 입시 스트레스에 시달리는 고등학생까지 스마트폰 애플리케이션의 게임에 빠진 모습을 종종 찾아볼 수 있으며, 스마트폰을 사용하느라 수업 시간에 집중을 못하는 학생들도 많다(그런 이유로 아예 학교에서 스마트폰을 금지하는 경우도 있다.). 이처럼 스마트폰에 빠지게 만드는 것 중의 하나는 모바일 메신저로 연결되는 게임이다. 얼마 전 미국의 월스트리트 저널에서는 "애니팡이라는 게임이 한국인을 사로잡는다(Anipang grabs time, heart of South Koreans)."고 소개하면서 모바일 메신저로 연결되는 게임이 국내에서 널리 확산되고 있는 현상에 대해 보도한 바 있다.

또한 건강에 대한 부정적인 영향으로 거북목 증후군, 수면장애 등이 새로운 질병으로 보고되고 있으며 정신건강에 대한 우려 또한 심각한 현실이다. 아동이나 청소년을 대상으로 시행된 스마트폰의 중독 및 사회적 관계 형성에 대한 부작용 연구들에 따르면 강박증, 우울증, 정신증, 불안, 대인 예민증, 편집증, 신체화, 적대감, 공포불안 등이 나타난다고 되어 있으며, 특히 강박증과 우울증이 스마트폰 중독에 미치는 영향에 대해서도 지속적으로 보고되고 있다.

스마트폰은 현대인에게 편리를 주는 매우 중요한 기기의 하나이므로 그 사용을 단순히 억제할 수만은 없다. 따라서 스마트폰을 사용하는 시간과 공간을 계획적으로 제한하도록 하고, 반복적이거나 강제적인 사용으로 인해 신체에 위험과 장해가 발생하지 않는지 항상 확인하도록 하는 것이 좋다. 특히 부모들은 자녀들과 스마트폰 과다 사용의 유해성에 대해 진지하게 이야기하는 시간을 가져야 할 것이다. 간혹 젊은 주부들의 경우, 어린 자녀들이 보챌 때 이를 달래기 위한 수단으로 스마트폰을 쥐어 주는 경우가 있는데, 이것은 젖 뗀 아이에게 길거리에서 파는 불량식품을 던져 주는 것과 같다. 무엇보다도 감정도 없고 온기도 없는 차가운 기계가 연결되지 않는 사람과 사람의 직접적인 교류, 일상적인 관계를 통해 나누는 대화의 소중함을 알 수 있도록 하는 것이 스마트폰 중독에 있어서 가장 필요한 예방법이다.

　㉠사실 꼭 필요한 게 아니라면 최대한 미루는 것이 더 낫다. 만일 스마트폰을 갖고 있다면 집안의 모든 통신기기의 받침대와 충전기를 마루나 주방의 한 곳으로 정해놓고 가족 모두가 필요할 때만 사용하되, 자기 방으로는 갖고 들어가지 않게 한다. 그래야 밤에 잠을 자지 않고 게임이나 SNS를 하는 문제로 실랑이를 벌이지 않을 수 있다. 물론 이를 위해서는 부모 역시 불편을 감수해야 한다. 부모는 스마트폰을 쓰면서 아이들에게만 쓰지 말라고 하면 아이들 입장에서는 공평하지 않다고 느껴 부모가 만든 규칙을 따르지 않게 된다.

주제찾기　**1.** 글쓴이가 전달하고자 하는 중심 생각은 무엇입니까?

① 스마트폰은 신체적 정신적 장애를 일으킨다.

② 스마트폰으로 즐기는 모바일 게임을 없애야 한다.

③ 스마트폰 중독 예방을 위해 대화의 소중함을 알려야 한다.

④ 스마트폰은 현대인에게 편리를 주는 매우 중요한 기기의 하나이다.

⑤ 스마트폰을 사용하는 시간과 공간을 제한하고, 부작용이 발생하지 않도록 확인한다.

글감찾기　**2.** 무엇을 글감으로 삼았는지, 글에서 찾아 쓰세요.

☐☐☐☐ ☐☐

사실이해　**3.** 글에서 다루지 않은 내용은 어느 것입니까?

① 스마트폰에 빠져 대중교통을 이용한 사례

② 스마트폰 때문에 집중을 못하는 학생들

③ 스마트폰으로 인해 생긴 신체적 장애

④ 스마트폰으로 인해 생긴 정신적 질환

⑤ 스마트폰을 어린 아이에게 주는 위험

미루어알기 **4.** 글을 읽고 떠올린 생각으로 적절한 것을 고르세요.

① 누구든 스마트폰을 과도하게 사용할 수 있다.

② 횡단보도를 스마트폰 화면을 보며 건너갈 수 있다.

③ 한국인은 모바일 게임을 하는 뛰어난 능력을 가지고 있다.

④ 직접적인 대화는 스마트폰 중독을 예방하는 데 큰 효과가 있다.

⑤ 가족이 공동으로 사용하는 공간은 스마트폰 충전기를 두기에 적합하다.

세부내용 **5.** ㉠에 의해 글쓴이가 하고 싶었던 말은 무엇입니까?

① 스마트폰은 생활에 전혀 도움이 되지 않는다.

② 되도록 스마트폰의 사용을 억제하는 편이 좋겠다.

③ 생활에 꼭 필요한 것이 아니라면 구입을 미루는 게 좋다.

④ 어른에게 필요한 것이 아니라면 아이들에게도 그러하다고 본다.

⑤ 스마트폰이 필요한 사람이 누구인지 시간을 두고 따져 보아야 한다.

적용하기 **6.** 아래 글에 나타난 문제의 해결을 위한 의견을 한 문장으로 쓰세요.

> 2012년 한국정보화진흥원 스마트폰 중독 실태 보고에서는 국내 스마트폰 중독률이 8.4%로 조사돼 인터넷 중독률 7.7%보다 높은 것으로 나왔다. 특히 10대와 20대의 스마트폰 중독률이 30~40대보다 높았다는 점에서 앞으로 문제가 더욱 악화될 것이란 사실을 조심스레 전망하고 있다.

요약하기 **7.** 글의 주요 내용을 아래 표에서 간추렸습니다. 빈칸에 알맞은 낱말을 넣으세요.

스마트폰 중독	
실태	몰입으로 인해 ①□□에 이름. 모바일 ②□□ 중독. 신체 및 ③□□ 건강에 심각한 부정적 영향.
대응 방안	스마트폰을 사용하는 시간과 공간을 ④□□□으로 ⑤□□하도록 한다. ⑥□□□이거나 짓눌린 사용으로 인해 신체와 정신에 ⑦□□과 □□가 발생하지 않는지 항상 확인한다.

점수

1~7번 문제의 점수를 더하여 총점을 쓰고 167쪽의 표에 막대그래프로 표시하세요

평가요소 1. ☐ 2. ☐ 3. ☐ 4. ☐ 5. ☐ 6. ☐ 7. ☐
15점 15점 10점 15점 15점 15점 15점

172쪽 표의 해당하는 번호에 체크하세요.

경주는 신라 천 년의 수도이다. 경주는 도시 전체가 하나의 역사박물관이라고 해도 될 만큼 곳곳에 신라의 유적과 전설이 흩어져 있다. 나는 그동안 책에서만 보았던 신라의 문화재를 직접 눈으로 보고 싶어서 국립 경주박물관을 가 보기로 하였다. 오늘날까지 살아 숨쉬는 신라의 문화를 느낄 수 있다는 설렘을 안고 경주로 떠났다. 서울에서 아침 일찍 출발하니 점심나절에 경주에 도착하였다. 나는 곧바로 국립경주박물관을 찾아갔다.

국립경주박물관은 경주 지역에서 출토된 국보와 보물을 비롯한 많은 유물을 보존하고 전시하는 곳이다. 신라 역사관, 신라 미술관, 월지관, 옥외 전시장 등으로 나뉘어 있어 주제별로 신라 천 년의 역사와 문화를 만나 볼 수 있다.

국립경주박물관에서 가장 먼저 가본 곳은 신라 역사관이다. 신라 역사관은 까마득한 선사 시대의 돌도끼부터 고대 왕국 신라의 금관까지 만날 수 있는 전시관이다. 신라 역사관에 들어가니 신라 이전 선사 시대 사람들이 쓰던 빗살무늬 토기, 돌도끼, 돌칼 등이 눈에 띄었다. 간단한 생활 도구에서 전쟁에 사용된 무기까지 다양한 유물이 있었다. 유물들을 보니 신라 이전의 까마득한 옛날에 사람들이 어떻게 살았을지 조금은 짐작할 수 있었다.

신라 역사관에서 본 것 가운데에서 가장 기억에 남는 것은 금관과 금으로 만든 장신구들이었다. 국보 제87호인 금관총 금관과 국보 제188호인 천마총 금관은 눈부시게 아름다웠다. 섬세하게 조각된 장식과 하늘로 솟은 왕관의 모습을 보니 그 옛날 임금님의 권위와 힘이 느껴졌다. 지금 아무리 뛰어난 기술자라도 저렇게 섬세하고 아름다운 금관은 다시 만들지 못할 것 같았다.

신라 역사관을 관람하고 나서 신라 미술관으로 가보았다. 신라 미술관은 신라의 찬란한 미술 문화를 볼 수 있는 곳이다. 신라 미술관에서는 여러 가지 불상과 경주 감은사지 동서 삼층 석탑에서 발견된 사리갖춤도 만날 수 있었다. 그런데 신라 미술관에서 내 눈에 들어온 유물은 국보나 보물로 지정된 화려한 불상이 아니라, 천 년의 세월을 거슬러 여전히 온화한 미소를 짓고 있는 깨진 기왓장이었다. 비록 지금은 얼굴의 한쪽이 깨어져 온전한 얼굴을 볼 수 없지만, 그 속에 숨은 편안하고 따뜻한 미소는 내 마음속에 행복을 느끼게 해 주었다. 그동안 '웃는 기와'로 알고 있던 얼굴 무늬 수막새를 보니 옛 신라 사람들이 친근하게 느껴졌다.

그다음으로 간 곳은 월지관이다. 월지관은 월지 유적에서 발견된 문화재를 전시하여 둔 곳이다. 월지는 문무왕 14년(674년)에 삼국 통일을 기념하기 위하여 궁궐 안에 만든 연못이다. 월지의 출토품들은 실제 신라 왕실에서 사용하던 생활용품으로, 그것을 통하여 신라 사람들은 어떤 그릇으로 밥을 먹었는지, 어떤 장식품을 좋아하였는지, 어떤 기와를 사용하여 집을 지었는지 알 수 있었다.

월지관에서 본 연꽃무늬 수막새, 치미, 귀면와 등을 통하여 신라 왕궁의 화려하고 웅장한 모습을 짐작하여 볼 수 있었다. 특히 기와 하나하나에 화려하게 장식한 연꽃, 새, 동물 등 아름다운 무늬를 통하여 신라 사람들의 문화 수준이 굉장히 높았음을 알 수 있었다. 작은 생활용품 하나에도 정성을 다한 신라 사람들의 장인 정신을 느낄 수 있었다.

마지막으로 옥외 전시장을 구경하여 보았다. 옥외 전시장에는 실내에 전시하기 어려운 범종, 석탑, 석불, 석등 등 규모가 큰 유물들이 보였다. 특히 성덕 대왕 신종은 넋을 잃고 바라본다는 말이 실감 날 정도로 내 마음을 사로잡았다. 생각보다 어마어마하게 큰 종 앞에 서니 저절로 경건한 마음이 생겨날 정도였다. 성덕 대왕 신종은 원래 봉덕사라는 절에 걸려 있어서 봉덕사종이라고도 하고, '에밀레'라고 운다고 하여 에밀레종이라고도 한다. 마음을 울리는 종소리를 듣고 싶었지만, 지금은 문화재 보호를 위하여 종을 치지 않는다고 한다. 직접 소리를 듣지는 못하였지만, 마음으로나마 영원히 사라지지 않을 종소리를 느낄 수 있었다.

국립경주박물관을 둘러보고 나니 사라진 신라가 아니라 살아 숨 쉬고 있는 신라를 느낄 수 있었다. 책에서 본 유물은 지식으로 머릿속에 남지만, 직접 보고 느낀 유물은 마음속에 감동으로 남는 것 같다. 이번 여행을 다녀와서 신라의 역사와 인물, 유물과 관련된 이야기를 더 찾아보고 싶은 마음이 생겼다.

주제찾기 **1.** 글쓴이가 여행을 하게 된 목적은 무엇입니까?

① 책에서만 보았던 신라의 문화재를 직접 눈으로 보고 싶어서
② 선사 시대의 돌도끼부터 고대 신라의 금관까지 만날 수 있어서
③ 속에 숨은 편안하고 따뜻한 미소가 마음속에 행복을 느끼게 해서
④ 생활용품 하나에도 정성을 다한 신라 사람들의 정신을 느낄 수 있어서
⑤ 직접 보고 느낀 유물은 시간이 흘러가도 감동으로 남아 있는 것 같아서

제목찾기 **2.** 글의 갈래에 어울리도록 빈칸을 채워 제목을 완성하세요.

천 년의 □□가 살아 숨쉬는 □□□□□□□

사실이해 **3.** 이런 갈래의 글에서 첫머리에 놓이는 내용은 무엇입니까?

① 관람한 차례   ② 견문과 감상

③ 전체적인 감상   ④ 여행한 곳과 여행의 목적

⑤ 더 알고 싶은 점이나 앞으로의 계획

미루어알기 **4.** 견문과 감상이 잘 드러나는 글을 쓰기 위해 준비해야 할 일은 무엇인가요?

① 여행지에 대한 안내서를 많이 읽어 둔다.

② 앞서 여행한 사람을 찾아서 이야기를 듣는다.

③ 여행을 하며 얻는 자료와 정보를 미리 정리해 둔다.

④ 여행을 함께 하게 된 사람들과 시간 날 때마다 이야기를 나눈다.

⑤ 여행을 갔던 곳 가운데 가장 기억에 남는 곳에 관해 자세히 기록해 둔다.

세부내용 **5.** 박물관을 둘러보고 더 알고 싶어 했던 것은 무엇입니까?

① 신라인의 예술 정신   ② 중국이 신라에 미친 영향

③ 왕실에서 사용하던 생활용품   ④ 통일 신라 시대 사람들의 생활

⑤ 신라의 역사와 유물에 관한 이야기

적용하기 **6.** 글의 짜임새를 파악하여 아래의 빈칸을 채우세요.

> 여행의 목적과 여행지에 대한 ①□□□ → 보고 들은 것 →
> 여행후의 ②□□과 생각

요약하기 **7.** 글쓴이가 관람한 곳을 중심으로 견문과 감상을 간추렸습니다. 빈칸을 채우세요.

관람한 곳	관심 유물	감상
신라 역사관	금관	①□□□□ 아름답게 느껴짐
신라 미술관	얼굴 무늬 수막새	편안하고 따뜻한 ②□□가 행복을 느끼게 함
월지관	생활용품	정성을 다한 신라 사람들의 ③□□ □□을 느낌
옥외 전시장	성덕 대왕 신종	저절로 ④□□□ 마음이 생겨날 정도였음

	점 수
1~7번 문제의 점수를 더하여 총점을 쓰고 168쪽의 표에 막대그래프로 표시하세요	

[앞의 줄거리] 옹진 고을에 옹고집이 살았는데 성미가 고약하며 심술이 대단하였다. 몸져누운 어머니께도 약은 커녕 하루에 두 끼만 드릴 정도였다. 어느 날 집에 동냥을 하러 온 스님이 있었는데 종들에게 잡아오게 하여 크게 욕을 보였다. 스님은 옹고집의 나쁜 성격을 고치기 위하여 도술을 부려 가짜 옹고집을 만들어 진짜 옹고집의 집을 찾아가게 했다. 똑같이 생긴 옹고집이 두 명이나 되자 집안사람들은 누가 진짜 옹고집인지 가려내지 못하였다. 그래서 둘은 원님을 찾아갔다.

　원님이 한 걸음 나앉으며 두 옹고집을 번갈아 유심히 살폈다. 그러나 곧 고개를 절레절레 내저으며 신음 소리를 냈다. / 진짜 옹고집이 먼저 말했다.

　"사또, 저는 조상 대대로 옹당촌에 사옵는데 천만뜻밖에도 저와 똑같이 생긴 놈이 태연히 들어와서 저희 집을 자기 집이라, 저희 가족을 자기 가족이라 하니, 세상에 이런 변이 또 어디 있겠습니까? 슬기로우신 사또께서 엄히 다스려 밝혀 주옵소서."
　듣고 있던 가짜 옹고집이 (　　㉠　　) 듯이 나섰다.

　"사또, 제가 드릴 말씀을 저놈이 미리 다 말해버렸으니 기가 찰 노릇입니다. 현명하신 사또께서 살피시어 진짜와 가짜를 가려만 주신다면 이 몸은 죽어도 한이 없겠습니다." / 원님은 여러 번 헛기침을 하며 난처한 표정을 짓더니 느닷없이 명령을 했다.
　"저 두 옹가의 옷을 벗겨라!"

　그러나 헛일이었다. 발가벗겨진 두 옹고집의 몸은 어느 한구석도 다른 데가 없었다. 이리저리 샅샅이 뒤지듯 눈여겨 살펴보던 형방이 아뢰었다.

　"아무리 봐도 이 옹이 저 옹이고, 저 옹이 이 옹입니다."

　"기이한 일이도다. 무슨 다른 도리가 없느냐?"

　"두 옹가에게 집안 사정을 물어봄이 어떨지요."

　"허허, 그 말이 옳도다. 여봐라, 너희 둘이 각기 집안 사정을 말해 보아라."

　"저의 아버지 이름은 옹송이옵고, 할아버지는 만송이옵고……."

　듣고 있던 원님이 이맛살을 찡그리며 옹고집의 말을 가로막았다.

　"허허 저놈의 호적은 옹송망송하여 전혀 알아들을 수가 없구나. 다음 옹고집 아뢰어라."

　가짜 옹고집이 흐르는 물처럼 줄줄 엮어 내려갔다.

　"저는 작년에 가난한 백성을 보살펴 주었다 하여 좌수 벼슬을 얻은 옹고집이온데, 아내는 진주 최씨요, 아들놈은 이름이 옹골인데 올해 열아홉 났습니다. 재산으로 말하면 논밭 곡식 합하여 이천 일백 속이요, 마구간의 소와 말이 여섯, 돼지가 스물두 마리, 닭이 육십 마리입니다. ……."

"그만, 그만해도 알겠다. 가짜 옹가 놈은 듣거라. 네놈은 못된 마음을 품고 남의 재산을 빼앗으려 했으니 그 죄가 크다. 네놈의 죄를 매질로 다스리겠다."

그리고 (㉡) 목소리로 형방에게 명령했다.

"저놈에게 곤장 삼십 대를 매우 쳐라." / 곧 형틀이 갖춰져 매질이 시작되었다.

"너 이놈, 이 뒷날에도 옹 좌수라 하겠느냐?"

진짜 옹고집은 매를 맞으며 울음 섞인 소리로 대답했다.

"한 번만 용서해 주십시오. 다시는 옹가라 하지 않겠습니다."

매질이 그치자 옹고집은 반죽음이 되어 있었다.

"저놈을 끌어내어 이 고을 밖으로 멀리 쫓아내 버려라."

[중간 요약] 진짜 옹고집은 거지 생활을 하다가 예전의 자기 잘못을 뉘우치며 목 놓아 울었다. 그렇게 살다가 갑자기 나타나 자신을 꾸짖는 노인에게 살려 달라고 애원을 하였다.

노인은 옹고집을 굽어보더니 한결 누그러진 목소리로 말했다.

"눈을 씻고 나를 똑똑히 보아라."

옹고집은 눈을 비비고 노인을 올려다보는 순간 "앗!" 하고 비명을 질렀다.

그 노인은 얼마 전에 동냥을 와서 자기한테 구박을 당하고 간 스님, 바로 그 스님이었다. 스님은 놀라는 옹고집을 보고는 얼굴에 부처님의 미소를 띠고 말했다.

"죄를 뉘우쳐 착하게 살렸다!"

"죽을 목숨이 다시 사는데 어찌 다르게 살지 않겠습니까?"

"자, 이 부적을 갖고 집으로 돌아가거라."

스님은 종이 한 장을 옹고집에게 남겨주고 감쪽같이 눈앞에서 사라졌다.

주제찾기 **1.** 이야기의 주제를 가장 잘 표현한 한자 숙어는 무엇입니까?

① 권선징악(勸善懲惡): 착한 일을 권장하고 악한 일을 징계함.
② 노심초사(勞心焦思): 마음을 수고롭게 하고 생각을 너무 깊게 함.
③ 마이동풍(馬耳東風): 남의 말을 조금도 듣지 않고 지나쳐 흘려버림.
④ 방약무인(傍若無人): 언행이 방자하고 거리낌이 없음.
⑤ 사필귀정(事必歸正): 모든 일은 반드시 바른 데로 돌아감.

제목찾기 **2.** 전래 이야기에는 주인공의 이름을 제목으로 삼는 작품이 많습니다. 이 이야기도 그렇습니다. 4자로 제목을 붙이세요.

사실이해 3. 진짜 옹고집을 궁지에 빠뜨린 결정적 사건은 무엇입니까?

① 어머니께 불효함. ② 찾아온 스님을 욕보임.

③ 아내와 몹시 다툼. ④ 서투른 집안 사정 이야기

⑤ 가난한 백성을 보살펴 줌.

미루어알기 4. 인색하고 고집스런 성격을 떠올릴 수 있는 대화를 고르세요.

① "자식 된 도리로 그냥 있을 수는 없잖아요?"

② "어머님이 편찮으신데 약이라도 지어 드려야죠."

③ "겨우 두 끼에 그나마도 한 끼는 죽으로 때우라니!"

④ "덕을 쌓는 집에 경사가 있고 악을 쌓는 집에 악이 미친다."

⑤ "약 지을 돈이 어디 있소? 해마다 이맘때면 치르는 몸살이니 저절로 낫겠지."

세부내용 5. ㉠과 ㉡에 들어갈 말을 순서대로 늘어놓은 것을 고르세요.

① 짐짓 화가 난, 힝 비웃는 ② 억울해 죽겠다는, 서슬 푸른

③ 속으로 기어드는, 소귀에 경 읽는 ④ 성난 망아지 날뛰는, 뒤통수를 만지는

⑤ 이리저리 헤매는, 호랑이가 산을 향해 우는

적용하기 6. 다음 글의 빈칸에 알맞은 낱말을 넣으세요.

> 이야기를 구성하는 3요소는 인물, 사건, 배경입니다. '옹고집전'에서는 이 중에서 특히 ①□□을 강조했습니다. 이를 강조할 때는 ②□□, 심리, 사람 됨 등이 잘 드러나는데, 그가 한 ③□과 ④□□으로 읽는 사람들이 떠올려 보도록 하였습니다. 물론 서술자의 목소리로 알려준 부분도 있지요.

요약하기 7. 구성의 단계에 따라 줄거리를 요약 정리했습니다. 빈칸을 채워 완성하세요.

발단	옹고집은 병든 ①□□□를 봉양하지 않고, 동냥 온 ②□□을 구박한다.
전개	스님이 도술을 부려 ③□□ 옹고집을 만들었다.
위기	④□□ 옹고집이 ⑤□□ 옹고집으로 몰려 고을에서 쫓겨난다.
절정	옹고집이 ⑥□□로 살다가 노인을 만나 자신의 잘못을 뉘우친다.
결말	옹고집이 노인이 준 부적을 가지고 집으로 달려간다.

	점 수
1~7번 문제의 점수를 더하여 총점을 쓰고 168쪽의 표에 막대그래프로 표시하세요	

우리 가족은 아주아주 높은 곳에서 산다. 너무 높은 곳이라서 하늘을 나는 매와 나무 사이에 숨어 있는 동물들 말고는 살아 있는 걸 거의 볼 수가 없다.

내 이름은 칼이다. 난 맏이도 막내도 아니지만 남자아이 중에서는 첫째다. 난 아빠를 도와 쟁기질을 하고 길 잃은 양을 데려올 줄도 안다. 저녁이 되면 소를 집으로 몰고 온다. 별로 어렵지 않은 일이다. 집에 오면 누나 라크가 책 속에 코를 처박고 있다. 엄마가 괜찮다고 하면 아침부터 저녁까지 그러고 있을 것이다. 아빠는 라크를 '세상에서 가장 책을 좋아하는 아이'라고 부른다.

난 아니다. 난 꿈적도 않고 앉아 책 나부랭이나 보는 것엔 관심 없다. 라크가 하는 학교놀이도 재미없다. 학교라고는 계곡 아래로 수만 킬로미터 떨어진 곳에 하나뿐이다. '라크'가 종달새라는 뜻을 가졌다 해도 라크는 날아갈 수 없다. 그래서 라크는 직접 학교를 만들고 싶어 한다. 하지만 난 공부와는 거리가 멀다.

울타리를 손보는데 또각거리는 말발굽 소리가 들린다. 진흙처럼 붉은 밤색 암말이다. 말을 탄 사람은 남자가 아니라 여자다. 여자는 온 세상 사람들 다 보라는 듯이 바지를 입고 있다. 우리는 그 낯선 아주머니를 친절하게 맞이한다. 아주머니도 아주 다정하다. 아주머니는 따뜻한 차를 한 모금 마신다. 그리고 안장에 달려 있던 가방을 탁자에 내려놓고 무언가를 꺼낸다. 라크의 두 눈은 황금이라도 본 것처럼 반짝거린다. 그리고 어쩔 줄 몰라 하며 그쪽으로 두 손을 뻗는다. 물론 아주머니가 가져온 건 보물이 아니다. 한낱 책일 뿐이다.

믿어지는가? 산기슭을 따라 애써 짊어지고 온 것이 책이라니! 만약 아주머니가 떠돌이 땜장이처럼 잡동사니를 팔러 온 거라면 쓸데없는 짓이다. 우리는 돈이 없으니까. 누구나 아는 사실이지만 우리에겐 동전 한 푼도 없다. 그러니 책 따위를 살 수 없는 건 당연하다.

아빠는 라크를 보더니 헛기침을 한다.

"물물 교환을 하면 되겠지. 책 한 권에 열매 한 주머니."

난 말은 못하고 등 뒤로 두 손을 꼭 쥔다. 그 열매는 책 따위가 아니라 파이를 만들려고 내가 딴 건데!

그런데 놀랍게도 아주머니는 아주 단호하게 나무 열매를 받지 않겠다고 한다. 채소 한 소쿠리도 받지 않는다. 이 책들은 공기처럼 모두 공짜란다! 게다가 앞으로도 두 주에 한 번씩 이 책들을 다른 책과 바꿔 주기 위해 온다고 한다.

난 책 아주머니가 뭘 가져오건 관심 없다. 그리고 책 아주머니가 우리 집에 오는 걸 잊는다 해도 전혀 서운하지 않을 거다. 책 아주머니는 비가 오거나 안개가 끼거나 눈보라가 치는 날에도 어김없이 온다. 난 책 아주머니의 말이 엄청 용감하다고 생각한다.

온 세상이 할아버지의 수염처럼 하얀 날이다. 한밤중에 도둑고양이가 울어대듯 바람이 힘차게 울어댄다. 우리 가족은 난롯불 가까이에 앉아 있다. 이런 날에는 아무도 찾아오지 못할 것이다. 아마 산이나 들에 있는 동물들도 숨어 지낼 거다.

그런데 맙소사! "똑, 똑, 똑." 누군가 유리창을 두드린다. 바로 책 아주머니다. 머리끝부터 발끝까지 꽁꽁 감싸고 왔지 뭔가! 책 아주머니는 우리 가족이 감기에 걸리지 않도록 창문 틈으로 책을 건넨다. 아빠가 하룻밤 묵어가라고 하니 책 아주머니는 고개를 흔든다.

"말이 잘 데려다 줄 텐데요, 뭘."

난 잠시 가만히 서서 책 아주머니가 저 멀리 사라지는 모습을 지켜보고 있다. 머릿속에서 생각이 창밖의 눈보라처럼 막 소용돌이친다. 말만 용감한 게 아닌 것 같다. 말에 탄 사람도 용감하다.

책 아주머니가 이런 어려움도 무릅쓰고 오는 이유가 무엇일까. 갑자기 알고 싶다. 나는 글과 그림이 있는 책을 집어 들고 라크에게 내민다.

"뭐라고 쓰여 있는지 가르쳐 줘."

라크는 깔깔 웃거나 놀리지 않고 자리를 잡고 앉아 차분하게 읽기 시작한다. 아빠는 책을 보면 겨울이 얼마나 길거나 짧을지 알 수 있다고 한다. 책에는 올해 눈이 많이 오고 엄청 추울 거라고 쓰여 있다. 그래서 우리는 거의 매일 신발 속에 꽉 낀 발가락처럼 집 안에만 갇혀 지낸다. 괜찮다. 좀 답답하긴 하지만 어쩔 수 없는 일이다.

봄이 되자 나는 책을 읽게 되었고, 오랜 만에 찾아온 책 아주머니에게 오늘 받은 새 책을 읽어 드렸다.

주제찾기 **1.** 글을 읽고 떠올리게 된 감동을 가장 잘 표현한 것을 고르세요.

① 제자가 가르친 스승보다 낫다.
② 하늘은 스스로 돕는 자를 돕는다.
③ 사람의 일을 다 하고 하늘의 뜻에 따른다.
④ 지극한 정성이면 크나큰 산까지 움직이게 한다.
⑤ 아는 것이 없으면 가난해지고, 가난해지면 알기 어렵다.

제목찾기 **2.** '나'에 대해 큰 영향을 끼친 인물과 그 인물이 한 일을 중심으로 '꿈'이라는 말을 사용하여 글에 알맞은 제목을 붙이세요.

□□ 나르는 □ □□□□□

사실이해 **3.** 글의 내용을 잘못 파악한 것은 어느 것입니까?

① 우리 가족 주변에는 다른 사람들이 살지 않는다.

② '나'의 누나는 책 읽기를 좋아하지만, '나'는 아니다.

③ 책 아주머니는 자신만만하고 정다운 성격의 여인이다.

④ '나'는 책 아주머니가 가끔 우리 집에 오는 것을 기다린다.

⑤ 겨울 동안 우리 가족은 눈이 많이 와서 집 안에만 갇혀 지냈다.

미루어알기 **4.** 책에 대한 나의 생각이 크게 바뀌기 시작했음을 알려주는 말을 고르세요.

① 라크가 하는 학교 놀이도 재미없다. ② "물물 교환을 하면 되겠지."

③ "말이 잘 데려다 줄 텐데요, 뭘."   ④ "뭐라고 쓰여 있는지 가르쳐 줘."

⑤ 아주머니가 가져온 건 보물이 아니다.

세부내용 **5.** 글에 나온 낱말들의 뜻을 떠올려 보았습니다. 뜻을 잘못 새긴 것을 고르세요.

① 나부랭이: 사람이나 물건을 높여 이르는 말.

② 잡동사니: 잡다한 것이 한데 뒤섞인 것, 그런 물건.

③ 헛기침: 인기척을 내거나 목청을 가다듬기 위해 하는 기침.

④ 단호하게: 결심이나 태도, 입장 등이 과단성 있고, 엄격하게.

⑤ 보잘것없어요: 볼만한 가치가 없을 정도로 하찮아요.

적용하기 **6.** 다음은 어떤 모습을 보여 주는 장면입니까? 한 문장으로 답하세요.

> 난 오늘 받은 새 책을 폈다. 내가 예전에 책 나부랭이라고 했던 것을 이제는 읽을 수 있다. 난 조금씩 읽어 나간다.

요약하기 **7.** '나'의 생각 변화를 표로 간추렸습니다. 빈칸에 알맞은 낱말을 쓰세요.

책 나부랭이나 보는 것엔 관심이 없다. 한낱 책일 뿐이다.	책을 ①□□□ 여김
책 아주머니가 이런 어려움도 무릅쓰고 오는 이유가 무엇일까. "뭐라고 쓰여 있는지 가르쳐 줘."	책에 대한 ②□□□이 생김
내가 예전에 책 ③□□□□라고 했던 것을 이제는 읽을 수 있다.	책을 즐겨 읽게 됨

	점 수
1~7번 문제의 점수를 더하여 총점을 쓰고 168쪽의 표에 막대그래프로 표시하세요	

[앞의 줄거리] 알에서 깨어난 호랑 애벌레는 나뭇잎을 먹고 무럭무럭 자랐습니다. 그런 삶이 따분해진 호랑 애벌레는 더 나은 삶을 찾기 위해 정든 나무에서 기어 내려왔습니다. 세상은 온통 새로웠지만 어느 것에도 만족하지 못했습니다. 다른 애벌레들과 마주쳤지만 그들은 먹는 일에만 팔려 있었습니다. 하루는 애벌레 기둥을 보게 되었는데, 거기에 더 나은 삶이 있을지 모른다고 생각하였습니다. 호랑 애벌레는 다른 애벌레들을 따라 기둥 속을 밀고 들어가서 다른 애벌레들을 밟고 올라섰습니다.

하지만 어떤 날은 제자리를 지키는 것만도 힘겨웠습니다. 그럴 때면 특히 불안의 어두운 그림자가 호랑 애벌레의 마음을 괴롭혔습니다. 그림자는 이렇게 속삭이곤 했습니다.

"꼭대기에는 뭐가 있지? 우리는 어디로 가고 있는 거지?"

하루는 하도 화가 나서, 그림자의 속삭임을 더 이상 참지 못하고 버럭 고함을 질렀습니다. / "나도 몰라. 그런 건 생각할 시간도 없단 말이야."

그때 호랑 애벌레 밑에 눌려 있던 노랑 애벌레가 숨을 헐떡이며 물었습니다.

"너 방금 뭐라고 했니?" / 호랑 애벌레는 얼버무렸습니다.

"혼잣말을 한 것뿐이야. 별로 중요한 건 아니야. 우리가 어디로 가고 있는지 궁금했을 뿐이야." / 노랑 애벌레가 말했습니다.

"실은 나도 그게 궁금했어. 하지만 알아낼 방법이 없어서 그건 별로 중요하지 않다고 생각하기로 했어."

스스로 생각해도 이 말이 어리석게 느껴졌는지, 노랑 애벌레는 얼굴을 붉히며 재빨리 덧붙였습니다. / "우리가 어디로 가고 있는지, 다른 애들은 아무도 걱정하지 않는 것 같아. 그러니까 우리가 가는 곳은 틀림없이 멋진 곳일 거야."

하지만 노랑 애벌레는 또다시 얼굴을 붉히며 물었습니다.

"꼭대기까지는 얼마나 남았을까?" / 호랑 애벌레는 근엄하게 대답했습니다.

"우리가 있는 곳은 밑바닥도 아니고 꼭대기도 아니니까, 중간쯤에 있는 게 분명해."

노랑 애벌레가 말했습니다. / "그렇구나."

그들은 다시 기어오르기 시작했습니다.

그러나 호랑 애벌레는 지금까지와는 다른, 왠지 불쾌한 느낌이 들었습니다.

호랑 애벌레는 무슨 수를 써서라도 위로 올라가야 한다는 집념을 잃었습니다.

"방금 이야기를 나눈 그 애벌레를 짓밟고 올라갈 수 있을까?"

호랑 애벌레는 노랑 애벌레를 피하려고 애를 썼지만, 어느 날 다시 마주치고 말았습니다. 노랑 애벌레는 위로 올라갈 수 있는 유일한 길목을 가로막고 있었습니다.

"그래, 네가 올라가느냐, 아니면 내가 올라가느냐, 둘 중 하나야."

호랑 애벌레는 이렇게 말하고는, 노랑 애벌레의 머리를 밟고 올라섰습니다. 노랑 애벌레가 슬프게 바라보는 눈빛에 호랑 애벌레는 그만 자신이 미워졌습니다. 그리고 문득 이런 생각이 들었습니다.

"저 위에 무엇이 있는지는 모르지만, 이런 짓을 하면서까지 올라갈 가치는 없어."

호랑 애벌레는 노랑 애벌레의 머리에서 내려와 속삭였습니다.

"미안해."

그러자 노랑 애벌레가 울면서 말했습니다.

"그날 혼잣말을 하는 너를 만나기 전에는 그래도 미래의 희망을 품고 이 삶을 견딜 수 있었어. 그런데 그날 이후로 이런 생활을 계속할 마음이 사라졌어. 하지만 이제 어떡하면 좋을지 모르겠어. 그때까지만 해도 내가 이런 생활을 얼마나 싫어하는지 몰랐어. 하지만 지금 나를 바라보는 너의 다정한 눈길을 보고, 내가 이 생활을 좋아하지 않는다는 걸 확실히 깨닫게 됐어. 나는 너와 함께 기어 다니며 풀이나 뜯어 먹는 생활을 하고 싶어."

호랑 애벌레는 가슴이 두근거렸습니다. 모든 것이 달라 보였습니다. 기둥은 이제 아무런 의미도 없었습니다. 호랑 애벌레가 속삭였습니다. / "나도 그러고 싶어."

그것은 위로 올라가는 일을 포기한다는 의미였습니다. 매우 어려운 결단이었습니다.

"노랑 애벌레야, 우리는 어쩌면 꼭대기에 거의 다 왔는지도 몰라. 우리가 서로 도우면 금방 꼭대기에 도착할 수 있을 거야."

노랑 애벌레가 말했습니다. / "그럴지도 모르지."

그러자 그들은 깨달았습니다. 꼭대기에 오르는 것이 그들의 가장 간절한 소망이 아니라는 것을. 노랑 애벌레가 말했습니다.

"내려가자." / "그래, 좋아." / 그래서 그들은 올라가는 것을 포기했습니다.

수많은 애벌레가 그들을 밟고 올라갔기 때문에 그들은 서로를 꼭 끌어안았습니다. 숨이 막혀서 답답했지만, 그들은 함께 있어서 행복했고, 눈과 배가 밟히지 않도록 서로 끌어안고 커다란 공처럼 몸을 둥글게 말았습니다.

그들은 꽤 오랫동안 꼼짝도 하지 않고 그렇게 끌어안고 있었습니다. 이윽고 그들은 자신들을 밟고 가는 것이 아무것도 없다는 사실을 깨달았습니다. 그들은 둥글게 말았던 몸을 펴고 눈을 떴습니다. 어느덧 그들은 애벌레 기둥 옆으로 빠져나와 있었습니다.

주제찾기 **1.** 이 이야기는 어떤 물음에 답한 글로 볼 수 있습니까?

    ① 생명의 시작은 무엇일까?

    ② 남을 짓밟는 일은 왜 일어날까?

    ③ 어떻게 사는 것이 행복한 삶일까?

    ④ 애벌레의 삶에도 사회 조직이 있을까?

    ⑤ 살아 있는 것들은 모두 고귀한 뜻을 지닐까?

글감찾기 **2.** 애벌레들이 애벌레 기둥 꼭대기로 올라가려는 모습에서 떠올린 삶의 문제를 한 낱말로 쓰세요.

사실이해 **3.** 호랑 애벌레가 나무에서 내려온 이유는 무엇입니까?

    ① 나무가 너무 높아서   ② 더 나은 삶을 찾기 위해서

    ③ 노랑 애벌레가 내려오라고 해서   ④ 남을 딛고 올라야 한다고 생각해서

    ⑤ 애벌레 기둥의 꼭대기에 뭐가 있는지 궁금해서

미루어알기 **4.** 호랑 애벌레가 다시 욕심을 부리게 되었다면, 이 이야기의 뒤에 이어질 줄거리로 가장 알맞은 것은 어느 것입니까?

    ① 호랑 애벌레가 다른 삶을 찾아 풀밭을 떠났다.

    ② 노랑 애벌레는 다른 애벌레들과 행복하게 살았다.

    ③ 노랑 애벌레는 나비가 되지만 호랑 애벌레는 병들었다.

    ④ 호랑 애벌레는 재미있게 살면서 애벌레 기둥을 잊어버렸다.

    ⑤ 호랑 애벌레가 다시 애벌레 기둥의 꼭대기가 궁금해서 올라갔다.

세부내용

5. 글에 나온 낱말들로 짧은 글을 지었습니다. 낱말의 사용이 <u>잘못된</u> 것을 고르세요.

① 방이라고 큰길로 창이 나 있어서 한껏 <u>아늑한</u> 느낌이 들었다.
② 일이 정말 바빠서 미처 인사를 나눌 <u>겨를도</u> 없이 헤어졌다.
③ 매일 같은 생활이 반복되니까 <u>따분해</u> 하는 모습이 뚜렷했다.
④ 개울에 <u>디딤돌</u>이 놓여 있어서 신발을 신고 건널 수 있었다.
⑤ 어정쩡한 모습으로 서 있더니 해야 할 대답도 <u>얼버무렸다.</u>

적용하기

6. 하고 싶은 마음이 나누어져 머릿속에서 서로 다투면 갈등이 일어나고 있다고 합니다. 이 이야기에서 갈등을 일으킨 두 마음을 찾아 각각 10자 내외로 쓰세요.

요약하기

7. 이야기를 줄거리 표로 간추렸습니다. 빈칸을 채워 완성하세요.

호랑 애벌레가 □ □□ □을 찾기 위해 나무에서 내려온다.

↓

애벌레 기둥을 보고 □□□에 올라가려고 다른 애벌레들과 다툰다.

↓

□□ □□□를 만나 다툼이 아무 의미 없는 일임을 깨닫는다.

↓

호랑 애벌레는 노랑 애벌레를 안고 □□□ □□ 옆으로 빠져나왔다.

	점 수
1~7번 문제의 점수를 더하여 총점을 쓰고 168쪽의 표에 막대그래프로 표시하세요	

강원도 정선 고을에 한 양반이 살았다.

어진 성품에 글 읽기를 좋아해 그의 집에서는 글 읽는 소리가 끊이지 않았다.

새벽을 깨우는 닭 울음소리가 들려오면 양반은 잠자리에서 일어나 자세를 바르게 하고 앉아 책을 폈다. 온종일 글 읽는 것밖에 모르는 양반은 몹시 가난했다.

'오늘은 또 어디 가서 양식을 구해 오나?'

텅 빈 쌀독을 들여다보며 양반의 아내는 한숨을 내쉬었다.

'이리 봐도 산, 저리 봐도 산뿐인 고을이라 그렇잖아도 먹고살기 힘든데 서방님은 벼슬살이도 하지 않고 조상에게 물려받은 밭 한 떼기 없으니…….'

태백산맥 중심부에 위치한 정선은 높고 험한 산으로 둘러싸여 곡식을 심을 논밭이 얼마 되지 않았다. 백성의 대부분이 농사꾼인데 농사지을 땅이 부족하다 보니 정선 고을 백성의 형편은 너나없이 넉넉하지 못했다. 그러니 물려받은 재산도 없고 온종일 글만 읽는 양반의 살림이야 두말할 필요 없었다.

양반은 가난했지만 학식이 높아 군수가 새로 부임[1]을 하면 으레 양반 집에 찾아가 인사를 했다. 이번에 새로 부임한 군수도 정선 고을에 들어서자마자 양반이 사는 집부터 찾았다.

"여봐라, 이 고을에 학식이 높고 인품도 뛰어난 양반이 산다고 들었는데, 그 양반부터 찾아보는 게 좋을 듯하구나. 그리로 가자."

"예, 사또 나리." / 잠시 뒤 아전이 다 쓰러져 가는 초가 한 채를 가리켰다.

"사또, 바로 저 집입니다."

"온 고을 백성의 존경을 한 몸에 받는 양반이 다 쓰러져 가는 초가에 살다니…… 쯧쯧!" / 군수는 혀를 끌끌 찼다.

양반은 문 앞까지 나와 반가이 맞았다.

"누추한 곳까지 찾아와 주시니 감사합니다."

점잖고 예의 바른 태도에 기품이 넘쳐흘렀지만 여기저기 기운 옷차림은 남루[2]하기가 이루 말할 수 없었다.

방으로 들어간 군수는 양반과 마주 앉았다. 군수는 양반의 기워 입은 옷과 찌그러진

탕건, 땟국이 줄줄 흐르는 이불을 물끄러미 바라보았다. 양반이 가난하다는 것은 들어 알고 있었지만 이 정도일 줄은 상상도 하지 못했다.

"대접할 것이 없어 송구스럽습니다."

㉠'오로지 글만 읽고 사는 선비로구나.'

군수는 양반의 손때가 묻어 반질반질해진 책들을 보며 속으로 중얼거렸다.

"요즈음 한양은 어떻습니까? 한양에 사시는 양반님네들은 다 훌륭하시지요?"

양반이 묻자 군수가 손을 내저었다.

"그런 말씀 마십시오. 한양에 사는 양반 중에도 가난을 견디다 못해 양반 신분을 파는 사람이 있다고 합니다. 그런 일은 촌에서만 벌어지는 줄 알았는데 말입니다. 이제는 누가 진짜 양반이고 누가 가짜 양반인지 가리기도 힘들 지경이라고 합니다."

군수의 말에 양반이 눈을 동그랗게 떴다.

"이런, 그깟 돈에 양반의 자존심을 팔다니요! 정말 부끄러운 일이군요."

양반과 군수는 세상 돌아가는 이야기를 나누었다.

양반의 아내가 부엌에서 아궁이에 불을 지피며 혼잣말로 중얼거렸다.

"새로 부임해 오는 사또마다 우리 집을 가장 먼저 찾아와 주는 건 영광스러운 일이지. 아무렴. 영광이고말고." / 그러다 갑자기 아궁이에 넣으려던 장작을 내팽개쳤다.

"하지만 그게 다 무슨 소용이야 사또가 찾아와 준다고 우리가 부자가 되느냐 말이야. 집구석에 쌀 한 톨 없는 날이 허다해 굶기를 밥 먹듯이 하는걸."

군수가 돌아간 뒤 양반의 아내가 울상을 지으며 말했다.

"서방님, 쌀독에 쌀이 똑 떨어졌어요. 오늘 저녁 끼니는 무엇으로 때워야 할지……."

양반은 태평하게 대꾸했다.

"관아에서 환곡③을 꾸어 오면 되지 않소? 이번에 새로 부임한 군수께서도 이전 군수들처럼 그러셨다오. 혹시 양식이 떨어지면 우선 환곡을 빌려다 먹고 차차 형편이 나아지면 갚으라고 말이오."

Note
1 부임: 임명이나 발령을 받아 근무할 곳으로 감.
2 남루: 낡아 해진 옷.
3 환곡: 조선시대에 곡식을 사창에 저장하였다가 백성들에게 봄에 꾸어 주고 가을에 이자를 붙여 거두던 일. 또는 그 곡식

주제찾기 **1.** 어떤 내용에 초점을 맞추어 읽어야 할 글입니까?

① 인물의 괴상한 행동과 성격

② 시시각각 변화하는 인물의 마음

③ 꼬리를 물고 일어나는 흥미로운 사건

④ 양반과 부자의 처지가 서로 바뀌어가는 시대상

⑤ 높고 험한 산으로 둘러싸인 마을에서 피어난 따뜻한 인정

제목찾기 **2.** 주인공이 하는 일과 형편, 신분이 드러나도록 글의 제목을 붙이세요.

사실이해 **3.** 글의 내용과 일치하지 <u>않는</u> 것은 어느 것입니까?

① 양반은 이른 새벽에 일어나 글을 읽었다.

② 양반의 아내는 양식을 구할 능력이 없었다.

③ 양반은 조상으로부터 벼슬과 땅을 물려받았다.

④ 양반은 가난했지만 고을 군수에게 존경을 받았다.

⑤ 양반은 새로 부임한 군수로부터 서울 소식을 들었다.

미루어알기 **4.** 양반의 말과 행동으로 미루어 볼 때, 앞으로의 삶은 어떠할까요?

① 고을에서 벼슬을 할 것이다.   ② 글 읽기를 그만 두게 될 것이다.

③ 가난을 면하고 부자가 될 것이다.   ④ 가난한 형편이 나아지지 않을 것이다.

⑤ 양반 신분을 팔고 마을을 떠날 것이다.

세부내용 **5.** 환곡에 의존하려는 이야기의 장면을 볼 때, 양반의 어떤 점을 풍자하고자 한 것인지 한 낱말로 답하세요.

적용하기 **6.** 이 글을 희곡으로 바꿀 때 ㉠과 같은 말은 다음 중 어디에 해당하나요?

① 대화   ② 방백   ③ 독백

④ 해설   ⑤ 지문

요약하기 **7.** 양반이 하는 일과 하지 않는 일을 파악하여 한 문장으로 요약하세요.

	점 수
1~7번 문제의 점수를 더하여 총점을 쓰고 168쪽의 표에 막대그래프로 표시하세요	

우리 집 식구는 모두 중국 음식을 좋아합니다. 어머니와 아버지께서는 물만두와 탕수육을 좋아하시고, 나와 동생은 자장면을 좋아하지요. 우리 동네의 중국 음식점 '짜짜루'에 우리는 일주일에 한 번씩 전화를 겁니다.

"물만두 하나, 자장면 셋."

주문하는 음식은 거의 바뀌지 않습니다. 어머니와 아버지께서 탕수육을 좋아하시기는 하지만, 탕수육은 값이 비싸 한 달에 한 번쯤이나 주문을 하지요. 주문 끝에 아버지께서는, / "늦달 군에게 배달을 시키세요."

라는 말씀을 잊지 않으십니다. '짜짜루'에는 두 명의 배달원이 있습니다. 한 명이 '번개'이고, 다른 한 명이 아버지께서 말씀하신 '늦달이'이지요.

'번개'가 배달을 하는 모습을 보면 정말 번개와 같습니다. 색안경을 쓰고 목에 휴대 전화를 건 번개는 오토바이 경주에 나선 선수처럼 오토바이를 몰며 음식을 배달합니다. 그러고도 철가방 속의 음식은 조금도 넘치지 않으니, 사람들이 그를 번개라고 부르는 것도 무리는 아닙니다.

'늦달 군'은 아버지께서 부르시는 이름이고, 사람들은 보통 '늦달이'라고 부릅니다. 늦달이 아저씨는 다른 나라 사람이지요. 얼굴이 까무잡잡하고 키는 작고 깡말랐습니다. 체격만 보면 동작이 빠를 것 같은데, 실제 행동은 굼뜨기 짝이 없습니다. 자전거 발걸이를 천천히 밟으면서 입으로는 흥얼흥얼 노래까지 부르며 배달을 합니다.

"왜 이렇게 배달이 늦었어요?"

하고 누군가 말하면, 하얀 이를 드러내어 놓고 씩 웃습니다. 원래 이름이 '만달리'였는데, 배달을 늦게 한다고 해서 우리 동네에서는 '늦달이'로 불리게 되었지요. 대부분의 동네 사람은 번개에게 음식 배달을 시킵니다. 중국 음식은 면이 중요한데, 늦달이 아저씨에게 배달을 시켰다가는 자칫 면발이 불어 터질 수가 있으니까요. 배달 횟수로 월급을 받는다고 하니, 늦달이 아저씨는 아마 번개의 반도 훨씬 못 되는 월급을 받을 것입니다. 그래도 우리 집에서는 꼭 늦달이 아저씨에게 음식 배달을 시키지요.

처음 늦달이 아저씨가 음식 배달을 왔을 때입니다. 우리 식구는 좀 놀랐습니다. 얼굴이 까무잡잡한, 분명 외국인 같은 사람이 철가방을 들고 문 앞에 서 있었으니까요.

게다가 그는 귀와 머리 사이에 철쭉 한 송이를 꽂고 있었습니다. 나는 그에게 말도 시켜 볼 겸 물었지요. / "이게 무슨 꽃이에요?"

아저씨의 대답이 걸작이었습니다. / "나도 몰라요."

우리 식구는 아저씨의 조금 서투른 외국식 발음에 모두 까르르 웃었지요. 다음 번 배달 때에는 작은 목련 한 송이를 야구 모자에 꽂고 왔고, 그 다음에는 꽃잔디 몇 송이를 귀에 꽂고 왔습니다. 라일락을 야구 모자에 꽂고 오기도 하였습니다. 그럴 때마다 우리 식구는 꽃 이름을 묻지요. ㉠아저씨는 흰 이를 드러내고 씩 웃으며 매번 똑같이 모른다고 대답합니다.

얼마 전의 일입니다. 그날도 우리 식구는 '짜짜루'에 음식을 주문하였지요. 얼마 뒤에 늦달이 아저씨가 철가방을 들고 나타났습니다. 아저씨는 이번에는 주머니에 보라색 꽃 한 송이를 꽂고 있었습니다. 무슨 꽃이냐고 내가 묻자, 그는 씩 웃으며

"들국화" / 하고 대답하였습니다.

"다른 사람에게 꽃 이름을 물어보았어요. 꼭 물어볼 것 같아서."

아저씨는 주머니에 꽂은 들국화를 꺼내어 내게 건네주며 말하였습니다.

"고향에 아들이 하나 있어요. 너와 똑같은……."

그 늦달이 아저씨는 보름 전부터 우리 동네에서 볼 수 없게 되었습니다. ㉡돈 많이 벌어 고향으로 돌아가겠다던 늦달이 아저씨, '짜짜루'에 오기 전에 염색 공장에서 힘들게 일하였다는 늦달이 아저씨, ㉢ 늘 꽃을 꽂고 배달을 오던 늦달이 아저씨.

아저씨가 떠난 뒤, 우리 가족은 '짜짜루'에 전화를 거는 일이 신나지 않았습니다.

주제찾기 **1.** 우리 집 식구는 어떤 삶을 추구한다고 할 수 있습니까?

① 가난하지만 인정이 어린 삶   ② 쫓기는 듯이 바쁘게 사는 삶

③ 가족의 화목을 중요시하는 삶   ④ 부와 명예를 소중이 여기는 삶

⑤ 사람들에게 널리 사랑을 베푸는 삶

제목찾기 **2.** 주인공의 별명을 활용하여 글의 제목을 붙이세요.

사실이해 3. '늦달이 아저씨'를 옳게 설명한 것을 고르세요.

① '번개'와 같은 나라 출신이다. ② 배달이 빠르면서 실수가 없다.

③ 늘 웃는 얼굴에 동작이 굼뜨다. ④ 외국인이지만 우리말을 잘 한다.

⑤ 여러 가지 모자를 수집하며 산다.

미루어알기 4. 아버지가 '번개' 대신 '늦달이 아저씨'에게 배달을 시킨 까닭은 무엇일까요?

① 봉사료를 받지 않아서 ② 여유와 인정이 있어 보여서

③ 음식을 제 때 먹을 수 있어서 ④ 상하지 않은 음식을 먹을 수 있어서

⑤ 고향에 나이가 같은 아들이 있다고 해서

세부내용 5. ㉠에 숨어 있는 속뜻으로 적절한 것은 어느 것입니까?

① 외국 생활에 온통 낯이 설다.

② 아이들까지 나를 외국인으로 대한다.

③ 한국인은 외국인을 노골적으로 배척한다.

④ 꽃 이름을 외는 것보다 덤덤하게 대하는 것이 낫다.

⑤ 꽃 이름보다는 남을 기쁘게 하는 아름다운 마음이 소중하다.

적용하기 6. ㉡과 ㉢을 바탕으로 '늦달이 아저씨'에게 전할 글을 쓴다고 할 때, 알맞은 글의 갈래 이름을 쓰세요.

요약하기 7. '번개'와 '늦달이 아저씨'의 특징적인 행동을 찾아보고 그것을 통하여 두 인물이 추구하는 삶을 표로 정리했습니다. 빈칸에 알맞은 낱말을 넣으세요.

	번개	늦달이 아저씨
특징적인 행동	오토바이 경주에 나선 선수처럼 ①□□같이 음식을 배달한다.	자전거 발걸이를 천천히 밟으면서 입으로는 흥얼흥얼 ②□□까지 부르며 배달한다.
추구하는 삶	• 맡은 일에 ③□□을 다하는 삶 • ④□□를 중요시하는 삶	⑤□□가 있고 자신의 삶을 ⑥□□□ 삶

점수

1～7번 문제의 점수를 더하여 총점을 쓰고 168쪽의 표에 막대그래프로 표시하세요

평가
요소 1. ☐ 20점 2. ☐ 10점 3. ☐ 10점 4. ☐ 15점 5. ☐ 15점 6. ☐ 15점 7. ☐ 15점

172쪽 표의 해당하는 번호에 체크하세요.

[앞의 줄거리] 베니스에 사는 상인 안토니오는, 절친한 친구 바사니오가, 사랑하는 여인 포셔에게 결혼을 청하기 위하여 돈을 빌려 달라고 하자 고리대금업자인 샤일록을 찾아간다. 평소 자신을 고리대금업자라고 무시하는 안토니오에게 좋지 않은 감정을 가지고 있던 샤일록은 돈을 기한 내에 갚지 못하면 심장에서 가장 가까운 곳의 살 일 파운드를 베어 내겠다고 제안한다. 안토니오는 샤일록의 제안을 받아들이고 돈을 빌려 바사니오에게 준다. 바사니오는 안토니오가 준 돈으로 포셔와 결혼하지만, 그 사이에 안토니오는 파산하여 샤일록의 돈을 갚지 못하게 되고 결국 법정에 서게 된다. 샤일록은 약속대로 안토니오의 심장에서 가장 가까운 곳의 살 일 파운드를 베어 내겠다고 요구한다. 포셔는 법학 박사인 재판관으로 변장하고 이들의 재판을 하기 위하여 법정에 온다. 재판관은 샤일록에게 자비를 베풀기를 요청하였지만 샤일록은 거절하였고, 이에 재판관은 안토니오의 살 일 파운드를 베어 내라고 하였다.

샤일록은 칼날이 예리한 칼을 품에서 꺼내 들더니 날이 잘 섰는지 살폈다. 그러고는 손잡이를 단단히 움켜쥐고 안토니오에게 다가왔다. / "자, 각오해라!"

안토니오는 눈을 감은 채 꼿꼿이 서 있었다. 날카로운 칼끝이 안토니오의 가슴에 막 닿으려는 순간 젊은 재판관이 소리쳤다. / "기다려라! 아직 판결이 끝난 것이 아니다."

샤일록은 먹이를 잡다가 방해받은 늑대처럼 그 자리에 우뚝 멈춰 섰다. 젊은 재판관이 낭랑한 목소리로 판결을 계속 이어 갔다. (생략)

젊은 재판관의 말에 샤일록은 꼼짝도 하지 못했다.

"우아, 공정하신 재판관님! 정말 훌륭한 판결이십니다. 샤일록, 들었습니까?"

그레시아노가 신이 나서 환호했다. 젊은 재판관은 샤일록을 향해 말했다.

"샤일록, 당신이 법의 정의를 그토록 좋아하니 당신에게는 특별히 법의 엄격함을 알려 주지."

"그럼, 아까 말씀하신 대로…… 세 배의 돈을 받을 테니 안토니오를 푸, 풀어 주시오."

샤일록은 얼마나 당황했는지 말까지 더듬거렸다. 바사니오가 기다렸다는 듯이 돈을 꺼내 들었으나 젊은 재판관이 얼른 막아섰다.

"잠깐! 계약서에 쓰인 금액 외에는 아무것도 줄 수 없다. 자, 샤일록은 뭘 하고 있나? 어서 계약서에 쓰인 대로 살을 베도록 하라. 물론 피는 단 한 방울도 흘러선 안 된다. 살도 일 파운드보다 많거나 적어선 안 되고. 조금이라도 더 많거나 적게 베어 낸다면 당신을 사형시키고 전 재산을 몰수할 것이다."

"정말 현명하신 재판관님이군! 그렇지 않소, 샤일록?" / 그레시아노가 외쳤다.

"그렇다면 원금만 받겠습니다." / 샤일록이 고개를 숙인 채 중얼거렸다.

"그렇게는 안 된다네. 왜냐하면 그대가 이미 거절했으니까. 자. 계약서대로 해야 하네."

샤일록의 얇은 입술이 파르르 떨렸다. 잠시 뒤 샤일록은 얼굴을 흉하게 일그러뜨리고 욕지거리를 내뱉었다. / "으윽, 정말 분통이 터져서 못 살겠군! 이런 재판은 더 이상 필요 없소, 난 그만 돌아가겠소."

"기다리게, 선량한 베니스 시민 안토니오를 괴롭힌 죄가 한 가지 더 남았으니까. 베니스의 법에 따르면 베니스 시민의 생명을 위협한 죄인에게는 그에 합당한 벌이 있다. 즉, 죄인의 전 재산 가운데 절반은 피해자에게 주고 나머지 절반은 국고에 몰수하도록 되어 있고, 죄인의 생명은 공작의 손에 달려 있다. 이 자리에서 샤일록 당신이 안토니오의 생명을 위협했다는 사실은 모두가 아는 일! 따라서 샤일록의 전 재산을 몰수하여 절반은 안토니오에게 주고, 절반은 국고에 넘길 것이며, 샤일록의 목숨은 베니스 공작의 손에 맡기는 바이다."

젊은 재판관은 두꺼운 책에서 관련 법 조항을 찾아 모두에게 하나하나 세세히 읽어 주었다. 샤일록은 그 자리에 털썩 주저앉았다. 공작이 자리에서 일어나 샤일록에게 말했다. "자비심이 뭔지 가르쳐 주기 위해서 그대의 생명을 빼앗지는 않겠다. 그리고 진심으로 반성한다면 국고로 넘어갈 그대의 재산 절반을 보호해 줄 수도 있다."

"필요 없소. 아예 내 목숨까지 다 가져가시오. 전 재산을 빼앗기는 건 내 생명을 빼앗기는 것이나 다름없으니까."

주제찾기 1. 연극으로 공연한다면 관객들이 가장 크게 환호를 할 내용은 무엇입니까?

① 바사니오가 빚을 대신 갚겠다고 선언함.
② 샤일록이 안토니오의 살 일 파운드를 떼어냄.
③ 그레시아노가 샤일록이 자비를 베풀 것을 소망함.
④ 안토니오가 모든 것을 체념하고 죽음을 받아들이려 함.
⑤ 젊은 재판관이 지혜로운 판결로 안토니오의 목숨을 구함.

글감찾기 2. 중심인물 둘을 넣어서 글감이 무엇인지 밝히세요.

사실이해 3. 이야기를 위태로운 지경으로 몰고 간 직접적인 원인이 된 것은 어느 것입니까?

① 안토니오가 샤일록에게 돈을 빌렸다.
② 바사니오가 사랑하는 포셔에게 청혼하였다.
③ 안토니오가 파산하여 샤일록의 돈을 갚지 못하게 되었다.
④ 샤일록이 고집을 부려 계약을 이행할 것을 강하게 주장하였다.
⑤ 바사니오와 그레시아노가 죽을 운명의 안토니오를 위해 눈물을 흘렸다.

미루어알기

4. 등장인물의 성격을 옳게 설명한 것을 고르세요.

① 샤일록 – 고집이 세고 매정하다.　　② 안토니오 – 나약하고 다정다감하다.

③ 바사니오 – 굳세고 집념이 강하다.　　④ 그레시아노 – 섬세하고 셈이 빠르다.

⑤ 포셔 – 공정하고 정에 매여 일을 처리한다.

세부내용

5. 샤일록의 행동에 어울리는 속담은 어느 것입니까?

① 언 발에 오줌 누기　　　　　② 제 꾀에 제가 넘어간 꼴

③ 엉덩이에 뿔난 못된 송아지　　④ 고양이 낯짝만 하다

⑤ 쥐 소금 나르듯

적용하기

6. 다음은 안토니오와 샤일록의 운명을 바꾸어 놓은 생략된 판결문의 결정적인 부분입니다. 빈칸에 알맞은 낱말을 넣으세요.

> "①□□□에는 살 일 파운드라고만 되어 있을 뿐 ②□에 관한 언급은 단 한마디도 적혀 있지 않다. 자, 안토니오의 몸에서 ③□을 베어 내라. 다만 안토니오의 몸에서 단 한 방울의 ④□라도 흐를 경우 샤일록 당신의 ⑤□ □□은 베니스의 법에 따라 몰수될 것이다."

요약하기

7. 사건을 중심으로 이야기의 주요 내용을 요약했습니다. 빈칸을 채우세요.

> 　안토니오는 친구인 바사니오를 도와주기 위하여 ①□□□□□□인 샤일록에게 돈을 빌리고, 갚지 못하면 살 일 파운드를 베어 내겠다고 계약합니다. 그러나 돈을 갚지 못하고 ②□□을 하게 됩니다. 재판정에서 샤일록은 조금도 ③□□를 베풀지 않고 결국 재판관은 샤일록에게 계약대로 안토니오의 살을 베어 내도 좋다고 판결합니다. 그러나 지혜로운 재판관은 ④□ 이외에 ⑤□는 흘려서는 안 된다고 판결하고, 결국 안토니오의 목숨을 노린 샤일록에게 재산을 몰수하는 벌을 내립니다.

점 수

1~7번 문제의 점수를 더하여 총점을 쓰고 168쪽의 표에 막대그래프로 표시하세요

　　백선행은 평생 온갖 궂은일을 마다하지 않고 열심히 모은 돈을 모두 사회에 다시 돌리고 떠난 여성 사업가입니다. 사람들은 그녀의 선행이 정말 고마워서 이름이 없었던 그녀에게 '선행'이라는 이름을 붙여 주었습니다. 평생 사람들에게 '백선행'이라 불리며 존경을 받았던 그녀는 홀어머니 밑에서 가난한 어린 시절을 보냈습니다. 결혼한 지 8개월 만에 남편을 잃은 백선행은 가난하게 살지 않기 위해서는 돈을 많이 벌어야겠다고 생각하였습니다. 그래서 온갖 궂은일을 마다하지 않고 돈을 벌었습니다. 봉숭아 키우기, 채소 장사, 간장 장사, 돼지 키우기, 베짜기, 청대 치기 등 닥치는 대로 일하였습니다. 이렇게 돈을 모으면서 정작 자신은 좋은 음식, 좋은 옷 한번 누리지 않았습니다. / 백선행에게는 좌우명이 있었습니다.

　　"먹기 싫은 것 먹고, 입기 싫은 옷 입고, 하기 싫은 일 하고."

　　이를 보며 주변 사람들은 구두쇠처럼 독하게 돈을 모은다고 수군대기도 하였습니다. 그러나 백선행은 아랑곳하지 않고 열심히 돈을 모아 마침내 큰 부를 이루게 되었습니다.

　　백선행은 부자가 되었다고 해서 생활 습관을 바꾸지 않았습니다. 여전히 근검절약하는 생활을 하였지요. 집에 손님이 오면 백선행은 냉면을 대접하였습니다. 그런데 다 먹지 않고 남기는 사람이 있으면 꼭 한마디 하였습니다. / "아깝게 왜 남기십니까? 귀한 음식인데……."

　　그러고는 손님이 지켜보는 가운데 그 냉면 그릇을 깨끗이 비웠습니다.

　　백선행은 입버릇처럼 말하였습니다.

　　"음식은 사람이 아니라 하늘이 주신 거야. 감사하며 먹어야지. 농사짓는 사람의 정성을 생각한다면 밥풀 하나라도 그냥 버려선 안 돼."

　　그러던 어느 날 밤 백선행의 집에 도둑이 들었습니다.

　　"꼼짝 마라! 돈을 내놓지 않으면 죽여 버리겠다!"

　　도둑은 칼을 들이대고 이렇게 위협하였습니다. 그러나 백선행은 조금도 떨지 않고 당당하게 맞섰습니다. / "네놈에게 줄 돈은 없다! 썩 꺼져라!"

　　백선행은 큰 소리로 외치며 도둑에게 달려들었습니다. 도둑은 당황하였습니다. 설마 자신에게 덤벼들 줄은 전혀 생각지 못하였기 때문입니다. 도둑은 백선행을 칼로 찌르고는 얼른 달아나 버렸습니다. 부상을 입은 백선행은 의원에게 치료를 받았습니다. 소식을 들은 사람들이 위문을 와서 한결같이 말하였습니다.

　　"도둑이 요구하는 대로 돈을 내주지 그러셨어요. 그랬으면 이렇게 다치시지는 않았을 텐데." / 그러자 백선행이 단호하게 말하였습니다.

　　"가난하고 불쌍한 사람들에게도 다 못 나누어 주는 돈이에요. 그런데 도둑에게 돈을 내줘요? 어림없지요." / "목숨을 건지려면 할 수 없지요."

"내가 목숨을 잃더라도 내 돈만 남아 있으면 좋은 일에 쓰이지 않겠어요? 하지만 내 돈이 도둑에게 넘어가 봐요, 나쁜 일에 쓰일 게 뻔하잖아요."

어느 날, 백선행은 혼자 생각하였습니다.

'돈이 무엇인가? 내가 가졌다가 남이 가지고, 이렇게 돌고 도는 게 돈이 아닌가. 하느님이 나를 이 세상에 보내 주셨으니 멋진 일이나 하고 가야겠다. 우리 고장과 이웃을 위하여 내 돈을 쓰는 거야.'

백선행이 이런 결정을 하고 난 며칠 뒤 추석이 되었습니다. 추석날 아침, 남편의 무덤에 성묘를 하러 가던 백선행은 발길을 돌려야 하였습니다. 남편의 무덤에 가려면 대동군 용산면 객산리에 있는 '솔뫼 다리'를 건너야 하는데, 전날 밤 비가 많이 내려 다리가 떠내려가 다리를 건널 수 없었기 때문입니다. 백선행은 불현듯 이런 생각이 떠올랐습니다.

'그래, 솔뫼 다리를 튼튼한 돌다리로 바꾸어 놓자. 그러면 홍수가 나더라도 떠내려가지 않겠지.'

1919년에 3.1 운동이 일어났습니다. 백선행은 독립 만세를 외치며 감격스러워하였습니다.

"내가 번 돈을 우리 민족을 위하여 써야겠다. 전 재산을 사회에 돌리는 거야."

백선행은 우리 민족이 독립을 이루려면 교육에 힘써야 한다고 생각하였습니다. 그래서 1925년 2월 평양광성소학교에 1만 4천 여 평의 땅을 기부하였으며, 같은 해 10월 평양숭현여학교에 2만 6천여 평의 땅을 기부하였습니다. 그리고 1927년 1월에는 창덕소학교에 재단 법인을 만들고 '기백창덕보통학교'라고 이름을 붙였습니다. 또, 1929년에는 평양 시내에 1천2백여 명을 수용할 수 있는 평양 시민을 위한 공회당을 세웠습니다.

백선행은 자신의 모든 재산을 사회에 돌린 후 1933년 5월 8일, 조용히 눈을 감았습니다.

주제찾기 **1.** 주인공의 행적에서 본받을 점은 무엇입니까?

① 굳은일을 마다 않고 열심히 돈을 모은다.

② 홀어머니 밑에서 가난한 어린 시절을 보낸다.

③ 검소하고 성실한 노력으로 남에게 베풀며 산다.

④ 부자가 되었다고 해서 생활 습관을 바꾸지 않는다.

⑤ 목숨을 잃더라도 도둑에게는 재물을 내주지 않는다.

글감찾기 **2.** 글에 나타난 말을 활용하여 글감을 5자 정도로 쓰세요.

사실이해   **3.** 백선행의 업적과 거리가 <u>먼</u> 것은 어느 것입니까?

     ① 솔뫼 다리를 튼튼한 돌다리로 바꾸었다.

     ② 평양광성소학교에 학교 지을 땅을 기부하였다.

     ③ 재단법인을 만들어 기백창덕보통학교를 세웠다.

     ④ 평양 시내에 시민을 위한 공회당을 지었다.

     ⑤ 민족의 독립을 위하여 모금을 하였다.

미루어알기   **4.** 백선행의 말이나 행동에서 떠올려 본 삶을 알맞게 표현한 것을 고르세요.

     ① 평생 동안 남편을 그리워하며 살았다.

     ② 좋은 옷 입는 것이 왠지 부끄럽기만 하였다.

     ③ 돌고 도는 게 돈인데 거기에 집착할 수는 없었다.

     ④ 희생을 각오하고라도 재산이 좋은 일에 쓰이길 바랐다.

     ⑤ 착한 일을 하기는 했지만 자랑하지 않고 조용히 눈을 감았다.

세부내용   **5.** 이 글을 읽고 정할 수 있는 알맞은 토의의 주제는 어느 것입니까?

     ① 이웃끼리 서로 잘 어울리자.   ② 근검절약을 실천하자.

     ③ 재산이 삶에서 가장 가치가 있다.   ④ 도둑은 돈을 나쁜데 쓴다.

     ⑤ 돈은 어떻게 벌든 잘 쓰면 괜찮다.

적용하기   **6.** '다른 사람을 도움'을 글감으로 하여 토론을 하고자 합니다. 어울리는 주제를 한 문장으로 쓰세요.

요약하기   **7.** 백선행의 말과 행동에 배어있는 마음을 떠올려서 표로 정리했습니다. 빈칸에 알맞은 말을 쓰세요.

손님이 남긴 음식을 그 자리에서 깨끗이 비움	□□□
돈을 내놓으라고 위협하는 도둑에게 돈을 줄 수 없다며 달려들어 부상을 입음	돈이 □□ □에 의미 있게 쓰이길 바람
많은 돈을 내놓아 튼튼한 돌다리를 세움	다른 사람에게 □□을 주기 위해 노력함

                                                                  점 수

1~7번 문제의 점수를 더하여 총점을 쓰고 168쪽의 표에 막대그래프로 표시하세요	

미국의 평범한 가정에서 태어난 그는 왜소한 몸집에 말을 더듬었지만 늘 자신감이 넘치고 승부욕이 강한 아이였다. 이 아이는 자라서 토머스 에디슨이 창립한 회사에 들어간 후, 20년이 지나 이 회사 역사상 최연소 경영자가 되었다. 20년 동안 그는 하루도 변화를 멈추지 않았다. 그는 회사의 주주들에게 거액의 재산을 안겨 주었을 뿐만 아니라 그 회사를 세계 최대의 회사로 만들었다. 또한 우수한 기업 문화를 조성하여 활력이 넘치고 무한한 발전 가능성을 가진 회사가 되게 했다. 20세기가 끝나갈 무렵, 그는 '최고의 경영자'라는 명예를 얻어 모든 경영자의 모범이 되었는데 그가 바로 잭 웰치 회장이다.

다음은 그가 직접 이야기한 내용이다.

그것은 동계 마지막 아이스하키 경기였다. 그 당시 나는 살렘고등학교 졸업반이었는데, 우리는 앞의 세 경기에서 상대 팀을 모두 격파했지만 그 후의 여섯 경기에서 모두 지고 있었다. 그 가운데 다섯 경기가 다 한 골 차이로 진 것이라서 우리는 마지막 경기에서만은 반드시 승리하고 싶었다. 팀의 부주장으로 나는 두 골을 넣었다. 모두 경기가 잘 풀려 간다고 생각하고 있었다. 양 팀이 2 대 2로 동점이 되자 연장전에 들어갔다. 그야말로 흥미진진한 경기였다. 하지만 순식간에 상대 팀에서 한 골을 넣었고 우리는 또 졌다. 연속 일곱 번째 맛보는 패배였다.

나는 너무나 실망하여 스틱을 바닥에 내동댕이쳤다. 그러고는 뒤도 돌아보지 않고 선수 대기실로 들어가 버렸다. 스케이트를 벗거나 유니폼을 갈아입고 있는 선수들이 보였다. 그때 문이 열리고 어머니가 들어오셔서 내 소매를 잡으셨다.

"이런 못난 녀석!" / 어머니가 소리치셨다.

"만일 실패가 무엇인지 모른다면 너는 영원히 성공하는 법도 알 수 없을 것이다. 정말 모르겠다면 경기에 참가하지 말거라!"

나는 친구들 앞에서 창피를 당했지만 어머니가 하신 말씀은 이후로도 잊을 수 없었다. 나는 나에 대한 어머니의 사랑과 열정이 어머니를 이곳까지 들어오시게 했다는 걸 알았다. 그녀는 내 일생에 가장 큰 영향을 준 사람이다. 그녀는 나에게 경쟁의 가치를 가르쳐 주었을 뿐만 아니라, (㉠)는 것을 일깨워 주셨다.

나에게 지도자로서의 재능이 있어 다른 이들과 잘 지낼 수 있었다면 그것은 모두 어머니 덕분이다. 어머니는 인내심이 강하면서도 열정적인 분이셨다. 또한 사람의 성격을 잘 분석해 내는 편이라 만나는 사람들에 대해 평가를 내리곤 하셨는데 멀리 있어도 거짓말쟁이의 냄새를 구분해 낼 수 있다고 말씀하시곤 하셨다. 어머니는 친구들에게 매우 친절하셨다. 친척들이나 이웃이 집에 놀러 와 우리 집 찻잔이 예쁘다고 칭찬하면 어머니는 조금도 주저하지 않고 그 찻잔을 선물하셨다. 그러나 누구든 어머니의 믿음을 저버린 사람에 대하여는 원망을 거두지 않으셨다. 어떤 면에서는 내가 어머니의 성격을 많이 닮았다고 할 수 있다.

내 어머니는 누군가를 관리해 본 적은 없었지만 한 사람의 자존심을 채워 주기 위해서 어떻게 해야 하는지는 잘 알고 계셨다. 나는 어려서부터 말을 더듬는 버릇이 있어 적지 않은 놀림을 받았다. / 어머니는 말을 더듬는 나를 위해 늘 완벽한 변명거리를 찾아 주셨다.

"네가 아주 똑똑하기 때문이란다. 어떤 사람의 혀도 너의 총명한 두뇌를 쫓아올 수는 없거든."

수년 동안 나는 내 자신이 말을 더듬는 것에 대해 어떤 고민도 없었다. 나는 어머니의 말씀대로 내 두뇌가 내 혀에 비해 너무 빨리 회전한다고 믿어왔다.

오랫동안 나는 어머니가 나에게 얼마나 큰 사랑과 믿음을 주셨는지 알지 못했다. 몇 십년 후, 나는 아이스하키 선수 시절에 찍은 사진을 보게 되었다. 그때 나는 모든 팀원들 가운데 가장 왜소한 체구의 나를 발견했다. 초등학교 때 나는 농구 팀의 수비수였다. 그 당시 내 키는 다른 선수들의 4분의 3 정도였지만 나는 그 사실을 깨닫지 못했다. 어머니는 내가 하고자 하는 일은 무엇이든 성공할 것이라고 믿어주셨다. 아직도 어머니의 말씀이 내 귓전을 맴도는 것 같다.

"만일 실패가 무엇인지 모른다면 너는 영원히 성공하는 법도 알 수 없을 것이다."

주제찾기 **1.** 글쓴이가 잭 웰치의 이야기를 통해 전하고 싶었던 말은 무엇입니까?

① 자신감이 스스로의 삶을 성공으로 이끈다.
② 운동 경기에서 이기고 지는 일은 항상 일어난다.
③ 어머니의 솔선수범이 아이의 행동 개발에 결정적 힘이 된다.
④ 말 한마디가 듣는 이의 삶에 큰 영향을 미치고 변화를 줄 수 있다.
⑤ 사람들의 평판이 좋지 않아 상대방의 믿음을 얻지 못하면 버림받기 십상이다.

제목찾기 **2.** 빈칸을 채워서 제목을 완성하세요.

잭 웰치-20세기 □□□ □□□

사실이해

3. 글에서 말한 잭 웰치 어머니의 성격과 차이가 나는 것을 고르세요.

① 인내심이 강하고 열정적이다.

② 주변 사람들에게 매우 친절하다.

③ 사람됨을 잘 분석하여 평가를 내린다.

④ 한 번 믿음을 잃은 사람과는 거리를 둔다.

⑤ 어려운 일을 당해서도 힘을 발휘하여 이겨낸다.

미루어알기

4. ㉠에 들어갈 알맞은 말은 어느 것입니까?

① 무턱대고 경쟁만 해서는 패배를 맛보게 된다.

② 최선을 다한 뒤에 비로소 운명의 결정에 따라야 한다.

③ 승리의 희열을 맛보기 위해서 반드시 실패도 해 보아야 한다.

④ 겸손하게 양보하는 미덕이 인생에서 큰 도움이 된다.

⑤ 경쟁이야말로 자본주의 사회에서 성공의 열쇠다.

세부내용

5. 잭 웰치가 어머니의 인상으로 떠올린 낱말이 <u>아닌</u> 것을 고르세요?

① 사랑   ② 열정   ③ 믿음

④ 원망   ⑤ 친절

적용하기

6. 잭 웰치가 일곱 번 경기에 지고 어머니의 말씀을 듣고 여덟 번째 이겼다고 할 때, 떠올릴 수 있는 한자 숙어를 한글로 쓰세요.

요약하기

7. 다음은 어머니가 잭 웰치에게 큰 영향을 끼친 두 마디의 말입니다. 공통적으로 어떤 의도를 담고 있는지 한 문장으로 쓰세요.

> "만일 실패가 무엇인지 모른다면 너는 영원히 성공하는 법도 알 수 없을 것이다. 정말 모르겠다면 경기에 참가하지 말거라!"
> "네가 아주 똑똑하기 때문이란다. 어떤 사람의 혀도 너의 총명한 두뇌를 쫓아올 수는 없거든."

점수

1~7번 문제의 점수를 더하여 총점을 쓰고 168쪽의 표에 막대그래프로 표시하세요

| 평가요소 | 1. ☐ 15점 | 2. ☐ 15점 | 3. ☐ 10점 | 4. ☐ 15점 | 5. ☐ 15점 | 6. ☐ 15점 | 7. ☐ 15점 |

172쪽 표의 해당하는 번호에 체크하세요.

[앞의 줄거리] 황해도 봉산군에 살았던 주시경의 어릴 때 이름은 '상호'였고, 훈장님인 아버지 밑에서 한문을 공부했어요. 열두 살 때 큰아버지의 양자가 되어 서울로 갔고 큰아버지 댁 근처에서 한문 경전을 배웠는데, 한문의 뜻이 우리말로 풀이하면 참 쉬운 것을 알고 한문 공부를 계속할지 고민하였어요. 배재학당 선생님의 신학문 수업을 듣고 우리나라가 처한 어려움을 알게 된 주시경은 한문 대신 훈민정음을 공부해 우리말을 바로잡기로 마음먹었어요. 배재학당에 입학하여 신학문을 배우던 주시경은 일을 하면서도 밤늦도록 우리말 문법책 만들기에 몰두했고, 서재필과 최초의 우리글 신문인 「독립신문」을 만들었습니다.

날이 갈수록 「독립신문」은 사람들에게 중요한 신문이 되었어요. 「독립신문」을 읽은 사람들은 잘못된 나라를 바로잡자며 여기저기에서 목소리를 높였어요. 주시경은 새삼 우리글의 힘을 느꼈어요. 「독립신문」이 한문으로 쓰였다면, 한문을 모르는 많은 사람은 무슨 내용인지도 모르고 지나쳤을 테니까요.

정부의 대신들은 서재필을 다시 미국으로 보내려고 했어요. 「독립신문」을 통해 자신들의 잘못이 그대로 드러나는 것이 못마땅했기 때문이에요. 주시경도 억울하게 감옥에 갇히고 말았어요. 신문사의 동료들과 함께 잘못을 감추려고만 하는 정부를 바로잡아야 한다고 널리 알렸기 때문이에요. 다행히 많은 사람의 도움으로 주시경은 곧 감옥에서 풀려났어요.

하지만 서재필은 결국 미국으로 떠나야 했어요. 주시경은 서재필의 빈자리를 채우기 위해 더욱 열심히 「독립신문」을 만들었어요. 1896년에 주시경은 결혼을 하고 자그마한 초가집에 가정을 꾸렸어요. 그리고 「독립신문」을 만들며 받는 얼마 안 되는 돈으로 ㉠넉넉지 않은 살림을 꾸렸지요.

1898년 12월 31일, 주시경은 드디어 그토록 바라던 우리말 문법책 「대한국어문법」의 첫 번째 원고를 완성했어요. 이 책에서 주시경은 우리말 자음과 모음의 특징을 밝히고 어떻게 발음해야 하는지를 정리했어요. 또, 훈민정음이 만들어진 과정을 실어 우리글에 얼마나 큰 뜻이 있는지도 알렸어요.

서울에만도 열 곳이 넘는 신식 학교가 문을 열었어요. 하지만 신식 학교들은 영어, 산술, 만국지지, 역사는 가르치면서도 우리말과 우리글은 가르치지 않았어요. 배재학당을 졸업한 뒤 주시경은 「대한국어문법」을 교과서 삼아 학교에서 국어를 가르치기 시작했어요. (생략)

그즈음 아주 반가운 소식이 들려왔어요. 정부에서 우리글 정리의 필요성을 깨닫고 국문연구소를 만든 거예요. 주시경은 국문연구소의 연구원이 되어 우리글의 맞춤법을 연구했어요.

그러는 동안에도 우리나라의 앞날은 점점 어두워지고 있었어요. 청나라, 러시아와의 전쟁에서 이긴 일본이 욕심을 드러내며 우리나라 일에 끼어든 거예요. 1905년 11월에는 우리나라를 일본이 보호해야 한다며 을사조약을 강제로 맺었어요. 이듬해에는 통감부를 세워 일본인 관리의 허락 없이는 중요한 나랏일을 결정하지 못하게 했지요. 전국 곳곳에서 일본에 맞서 나라를 지키려는 움직임이 일어났어요.

하지만 결국 우리나라는 1910년 8월, 일본의 식민지가 되고 말았어요. 나라를 다스리는 권리인 주권을 일본에 빼앗긴 것이지요. 강제로 우리나라를 빼앗은 일본은 학교에서 우리말과 우리 역사를 가르치지 못하게 했어요. 우리말과 우리글을 '국어'라고 부를 수도 없게 했지요.

주시경이 세운 '국어 강습소'를 '조선어 강습원'으로, 제자들과 뜻을 모아 세운 국어 연구 모임인 '국어연구학회'는 '조선언문회'로 이름을 바꾸어야 했어요.

"이런 때일수록 우리는 우리말과 우리글을 잘 지켜야 한다. 나라 사랑은 나라말을 아끼는 데서 비롯된다. 우리가 우리말과 우리글을 잘 지키면 언젠가는 꼭 나라를 되찾을 수 있을 것이다!" ⓒ(생략)

주시경은 다른 나라로 떠나기로 마음먹었어요. 일본의 간섭이 덜한 외국에서 『말모이』를 쓰며 우리말 연구를 계속할 생각이었지요.

주시경은 고향으로 내려가 가족에게 작별 인사를 하고 서울로 돌아왔어요. 준비를 서둘렀지만 주시경은 국경을 넘지 못했어요. 떠날 날을 코앞에 두고 갑작스럽게 병으로 쓰러지고 말았거든요. 1914년 7월 27일, 주시경은 영영 눈을 감았어요. 이루고자 한 일을 못다 이룬 채, 서른아홉의 나이로 아쉽게 삶을 마치고 말았지요.

주시경은 평생을 오로지 우리말과 우리글을 사랑하는 데 바쳤어요. 한글의 큰 뜻이 바로 설 수 있도록 든든한 주춧돌이 되어 주었지요. 주시경의 국어 문법 연구는 우리말과 한글이 더 나아갈 수 있는 길을 열어주었어요.

주시경이 세상을 떠난 지 이십여 년이 지난 1933년, 「한글 맞춤법 통일안」이 발표됐어요. 한글에도 처음으로 공공질서가 생긴 거예요.

주제찾기 **1.** 주요 내용으로 가장 적절한 것은 어느 것입니까?

① 주시경은 어릴 적부터 우리말을 많이 알았다.
② 주시경은 한글에 처음으로 공공질서를 세웠다.
③ 주시경은 우리말과 우리글로 대신들의 부패를 비판했다.
④ 주시경은 우리말과 우리글로 일본의 침략에 저항하였다.
⑤ 주시경은 평생 우리말과 우리글을 연구하고 가르치기 위해 애썼다.

글감찾기 **2.** 인물의 어떤 행적에 초점을 맞춘 글입니까? 글자 수를 맞추어 답하세요.

□□ □□

사실이해 **3.** 주시경의 행적과 관련된 사실만 모아 놓은 것을 고르세요.

① 우리말 연구의 기초 수립, 한글 표기법 이론 정립
② 한문을 한글로 표기하는 방법 계몽, 한자 폐기 운동
③ 훈민정음 창제 취지 연구, 훈민정음의 글자꼴 전파
④ 독립신문 발간에 참여, 한글로 독립운동에 대해 광고
⑤ 자음과 모음의 발음 정리, 한글 맞춤법 통일안 제정

미루어알기 **4.** ⓛ의 주요 내용으로 떠올릴 수 있는 것은 무엇입니까?

① 독립운동을 해서 일본의 탄압을 받았다.
② 오직 학문에 매달리면서 가족과 갈등이 있었다.
③ 독립신문을 해외에서 발간하고자 하는 궁리를 하였다.
④ 한글에 애착을 가지고 우리말 사전을 편찬하는 데 힘썼다.
⑤ 우리말 연구에 힘쓴 나머지 큰 병을 얻어 앓아서 눕게 되었다.

세부내용 **5.** 기본형에서 꼴바꿈 하는 방식이 ㉠과 같은 것들만 모아 놓은 것을 고르세요.

① 고맙지, 가난치, 미덥지   ② 생각지, 갑갑지, 깨끗지

③ 깨끗지, 서슴지, 가난치   ④ 서슴지, 삼가지, 생각지

⑤ 삼가지, 생각지, 깨끗지

적용하기 **6.** 다음 글을 읽고 본문을 참고하여 주시경이 훈민정음을 연구하고 가르치기로 결심한 이유 두가지를 고르세요.

> 나무 찍는 소리 '쩡쩡'은 '쩡'이라는 소리를 가진 한자가 없어 '정'을 쓰고, 새 울음소리 '짹짹'도 '짹'이라는 소리를 가진 한자가 없어 '새가 운다.'는 뜻의 한 자 '앵'을 쓴 거야. 훈민정음은 '쩡쩡'이라 쓰고, 읽을 때도 '쩡쩡'이라 읽어. '짹 짹'도 마찬가지야.

① 소리글자이다.   ② 뜻글자이다.

③ 세종대왕이 만들었다.   ④ 배우고 쓰기 쉽다.

⑤ 우리 역사를 알아야 했다.

요약하기 **7.** 주시경의 업적을 생애의 순서에 따라 간추렸습니다. 빈칸을 채워 완성하세요.

배재학당에서 신학문을 공부하면서 □□□ □□□ 만들기에 몰두
↓
서재필과 더불어 □□□□ 발간
↓
여러 신식 학교에서 □□□과 □□□을 가르침
↓
국문연구소의 연구원이 되어 우리글의 □□□을 연구

점 수

1~7번 문제의 점수를 더하여 총점을 쓰고 168쪽의 표에 막대그래프로 표시하세요

[앞의 줄거리] 1501년 11월 25일에 경상도 예안현 온계리에서 태어난 퇴계 이황은 홀어머니의 가르침에 따라 항상 예의 바르게 행동하려고 노력하였다. 퇴계는 손을 다쳐서 피를 흘리는 형을 껴안고 울 정도로 어진 성품을 가졌다. 어린 나이에도 스스로 탐구하여 공부를 하려고 노력하였고, 숙부는 이런 조카를 알뜰히 보살피고 가르쳤다. 밤낮을 가리지 않고 책만 들여다보는 퇴계를 빈정거렸던 아이들도 나중에는 퇴계를 스승처럼 따르게 되었다.

글을 깨친 퇴계는 중국 시인 도연명의 조용하고도 깨끗한 전원시를 매우 좋아하였다. 그래서인지 그를 무척 존경하였다.

퇴계가 15세 때 지은 '가재'라는 시는 제목부터 어린이처럼 순수한 세계를 나타내고 있는데, 그 시에 나타난 거짓 없는 말들은 그의 맑은 마음을 보여 주고도 남음이 있다. 이 시는, 헛된 욕심이 사람이 지켜야 할 본분을 깨뜨리는 것임을 넌지시 나타내면서도, 어린이 같은 순진한 표현이 잘 어울리는 아름다운 시이다.

돌을 지고 모래를 파니 저절로 집이 있더라.
앞으로 가다가 돌을 차고 달아나니 발도 많네.
한 움큼의 산 샘물로서도 사는 데 충분하구나.
강과 호수에 물 많음을 물어선 무엇 하리.

퇴계의 집에는 본래부터 책이 많았다. 퇴계의 아버지는 책을 즐겨 읽으며 밤낮을 가리지 않고 공부에 열중하였다. 그래서 그는 늘 자식들에게 책읽기를 강조하였다.

"나는 식사를 할 때에도 책이요, 잘 때 꿈속에서도 책이요, 앉아서도 언제나 책과 같이 있고, 어딜 가도 책과 같이 가서, 어느 때나 책을 품에서 뗀 일이 없다. 너희도 마땅히 이와 같이 해야 하느니라! 그러지 않고 부질없이 세월을 보내서야 어찌 앞으로 큰 사람이 되겠느냐?"

아버지를 일찍 여읜 퇴계는 아버지의 이와 같은 가르침을 직접 들을 수는 없었다. 하지만 집 안 가득한 책과 아버지의 가르침에 따라 독서를 중요하게 생각하던 형제들 사이에서 자라면서 절로 학문적 분위기에 젖어 들게 되었다.

퇴계의 본격적인 학문 수업은 19세 때부터 시작되었다. 그리하여 20세 때는『주역』을 읽게 되었다. 이 책은 동양 철학의 가장 깊은 이치가 담겨 있어서 어떤 책보다도 어려웠다. 퇴계는 그 뜻을 알아내려고 너무 공부에만 힘쓴 나머지 건강을 해치고 말았다. 퇴계가 평생 고생하였던 소화 불량증은『주역』을 공부하여 생긴 것이었다. 퇴계는 이후로 고기를 먹지 못하고 언제나 채소만을 반찬으로 먹었다.

이렇게 열심히 공부한 보람으로 퇴계는 차차 학문에 대한 참뜻을 깨달을 수 있게 되었던 것이다.

퇴계는 23세 때 서울에 올라와 성균관에서 공부를 하였다. 그때는 기묘사화라는 변이 일어나 많은 선비가 죽은 지 얼마 안 되는 때였다. 그래서 유학을 공부하려는 선비들이 기가 매우 꺾여 있어서 학문에 힘쓴다기보다 거의 좋지 못한 버릇에 젖어 있었다. 이러한 때였으므로 퇴계의 옳고 예의 바른 행동을 세상 사람들은 도리어 비웃는 형편이었다.

퇴계는 이때『심경부주』라는 책 한 권을 처음으로 얻어 읽게 되었다. 이 책은 특히 마음의 수양을 위해 유명한 옛날 학자들의 깊은 생각을 기록한 것으로, 모두가 정자와 주자 같은 중국 송나라 학자들의 말을 따온 것이었다.

그런데 이것을 토를 어떻게 달아서 읽어야 할지 분간하기가 어려워서 사람들은 그 책을 도무지 읽지 못하였다. 퇴계는 방에 들어앉아서 그 책의 뜻을 캐고 생각하기에 여념이 없었다. 그 책에 적혀 있는 대로 몸소 해보기도 하고, 글 뜻을 미루어 생각하거나 다른 책을 참고하여 두고두고 연구한 끝에, 마침내 그 책의 뜻을 깨닫게 되었다.

퇴계는 아무리 이해하려고 애를 써도 알 수 없을 때에는 그대로 내버려 두었다가 기회 있을 때마다 다시 끄집어내어 깨끗한 마음으로 그 뜻을 헤아리려고 하였기 때문에 환히 통하지 않는 것이 없게 되었다.

퇴계는 뒷날 스스로 말하기를

"나는 평생에 이 책을 믿기를 신과 같이 하였으며, 이 책을 공경하기를 엄한 어버이와 같이 하였다."라고 하였다. 과연 퇴계는 늙어서도, 첫새벽에 일어나서 촛불을 밝히고 이 『심경부주』를 읽는 것을 일과로 삼은 적이 있었다.

마음의 수양을 위해 학문을 연구하려는 젊은 제자들에게 늘 이 책부터 열심히 읽기를 권하였다. 이로 미루어 퇴계가 일생을 통해 이 책의 내용을 얼마나 소중히 여겼던가를 알 수가 있다.

주제찾기 **1.** 글에서 초점을 맞춘 내용은 무엇입니까?

① 어린 시절의 어려웠던 삶

② 성품과 학문을 연구하는 태도

③ 성장하면서 발휘하게 되는 재능

④ 아버지의 가르침을 이어받는 노력

⑤ 어려운 현실을 꿋꿋이 헤쳐 가는 정신

2. 글감을 아래와 같이 정리하여 빈칸을 채우세요.

> 퇴계 이황이 □□에 들어선 □□

3. 퇴계가 참다운 학문의 연구 방향과 태도를 결정한 것은 언제입니까?

① '가재'라는 시를 지은 때
② 도연명을 좋아하고 존경했던 때
③ 『논어』, 『주역』등의 경전을 공부하던 때
④ 『심경부주』를 열심히 공부하기 시작한 청년 시절
⑤ 벼슬살이를 하면서 세상의 모진 풍파를 겪고 난 뒤

4. 퇴계의 시 '가재'에서, 시에서 말하는 사람의 마음이 바라는 세계와 관련된 말은 무엇입니까?

① 모래를   ② 저절로   ③ 앞으로
④ 한 움큼   ⑤ 물 많음

세부내용 **5.** 퇴계의 아버지가 자식들에게 가르친 생활 습관을 한자 숙어로 표현해 보세요.

① 개과천선(改過遷善): 지나간 허물을 고치고 옳은 길로 든다.

② 대기만성(大器晩成): 크게 될 사람은 갑작스럽게 이루어지지 않는다.

③ 명철보신(明哲保身): 이치에 좇아 일을 처리하여 몸을 온전하게 보전한다.

④ 백년하청(百年河淸): 오랜 세월이 흘러도 좋은 방향으로 변화할 가망이 없다.

⑤ 수불석권(手不釋卷): 손에 책을 놓지 않는다. 곧 늘 책 읽는 사람을 가리킨다.

적용하기 **6.** 퇴계가 학문하는 방법과 태도에서 떠올릴 수 있는 오늘날의 학습 방법 이름을 6자로 쓰세요.

요약하기 **7.** 글의 주요 내용을 아래의 표로 간추렸습니다. 빈칸을 채워 완성하세요.

퇴계의 학문하는 방법과 태도	• 책에 적혀 있는 대로 □□ □□□□. • 글 뜻을 □□□ 생각하거나 다른 책을 참고하였다. • 애를 써도 알 수 없을 때는 내버려 두었다가 이따금 □□□ 마음으로 뜻을 헤아리려고 노력했다.

	점 수
1~7번 문제의 점수를 더하여 총점을 쓰고 168쪽의 표에 막대그래프로 표시하세요	

평가요소	1. ☐ 20점	2. ☐ 15점	3. ☐ 15점	4. ☐ 15점	5. ☐ 15점	6. ☐ 20점

173쪽 표의 해당하는 번호에 체크하세요.

친구와 나눠 쓴 우산

우산 밖
반은 비 맞고

우산 속
반은 안 맞고

비 안 맞은
반 때문에
더 따스해진
반 때문에

비 젖은 반도 따뜻하고
시린 반도 훈훈하고

주제찾기 **1.** 시에서 말하는 사람(화자)의 중심 생각으로 알맞은 것은 무엇입니까?

① 비가 와서 마음이 울적하다.

② 우산이 없어도 비를 맞지 않는다.

③ 비 오는 날에는 우산으로 차가움을 던다.

④ 친구와 함께 우산을 써서 뿌듯하고 행복하다.

⑤ 우산 밖에 있어도 친구와 함께 있어 쓸쓸하지 않다.

글감찾기   **2.** 중심이 되는 글감을 한 낱말로 시에서 찾아 쓰세요.

사실이해   **3.** 시를 읽고 떠오르는 장면은 무엇입니까?

    ① 두 사람이 우산 없이 비를 맞고 서 있다.

    ② 두 사람이 많이 내리는 비를 바라보고 있다.

    ③ 두 친구가 우산 하나를 함께 쓰고 걸어하고 있다.

    ④ 우산 속의 친구가 우산 밖의 친구를 불러들이고 있다.

    ⑤ 우산 하나를 두 친구가 함께 쓰려고 하지만 바람이 분다.

미루어알기   **4.** 2연과 3연에서 짐작할 수 있는 두 인물의 상황은 어떠합니까?

    ① 우산 밖의 친구는 비를 맞고 우산 안의 친구는 비를 피한다.

    ② 우산 하나를 두 친구가 함께 쓰고 가는데 마침 비가 그치고 있다.

    ③ 우산 하나를 두 사람이 쓰고 있어서 한 사람은 온통 비를 맞고 있다.

    ④ 우산 하나는 한 사람의 몸을 가리고 다른 하나는 다른 사람의 몸을 가린다.

    ⑤ 우산 하나를 친구와 함께 쓰고 있어서 두 사람 모두 몸의 일부는 비를 맞고 있다.

세부내용   **5.** 화자의 마음을 전하는 데 어떤 종류의 감각이 두드러지게 나타났습니까?

    ① 시각   ② 촉각

    ③ 청각   ④ 미각

    ⑤ 후각

적용하기   **6.** 빈칸을 채워 시의 감상을 완성하세요.

> 이 시를 새겨 읽고 나서, 친구와 어려움을 함께 하고 나면 마음이 □□□□□ 는 데 공감하게 되는데, 이는 작품 속 인물의 상황과 비슷한 자신의 □□을 떠올렸기 때문이다.

	점 수
1~6번 문제의 점수를 더하여 총점을 쓰고 169쪽의 표에 막대그래프로 표시하세요	

| 평가
요소 | **1.** ☐
15점 | **2.** ☐
20점 | **3.** ☐
15점 | **4.** ☐
15점 | **5.** ☐
15점 | **6.** ☐
20점 |

173쪽 표의 해당하는 번호에 체크하세요.

누가 빚었나
새알 옹심이

외딴 섬
바닷가에

동글동글
작은 돌멩이들

파도가 달려와
앞발로 잡고

예뻐
예뻐

강아지처럼
핥고만 간다.

주제찾기 **1.** 시를 통해 떠올린 핵심적인 느낌은 무엇입니까?

① 신기하고 크게 놀랍다.

② 즐거움을 줄 만큼 예쁘다.

③ 힘차게 움직여 통쾌한 느낌이다.

④ 모르는 사이에 포근하게 어루만진다.

⑤ 동글동글하고 단단하여 굳건한 인상이다.

글감찾기 **2.** 글감을 찾아 한 낱말로 고쳐 쓰세요.

사실이해

3. 글감을 표현하기 위해 끌어들인 소재는 무엇입니까?

① 새알 옹심이   ② 외딴 섬

③ 바닷가   ④ 작은 돌멩이

⑤ 강아지

미루어알기

4. 대상에 대한 느낌을 실감나게 드러내기 위해 사용한 표현 방법은 어떠합니까?

① 물건이 여러 의미를 갖도록 했다.

② 모양과 색채를 살려 경치를 그렸다

③ 하나로써 하나가 속한 전체를 대표했다.

④ 물건에 말하는 사람의 감정을 집어넣었다.

⑤ 생명이 없는 것을 생명이 있는 것처럼 꾸몄다.

세부내용

5. 시의 모양에서 보이는 특징을 알맞게 설명한 것을 고르세요.

① 행의 길이가 모두 같다.

② 행의 길이가 점점 길어지고 있다.

③ 모든 행이 명사로 끝나도록 하고 있다.

④ 모든 연을 2행씩 통일하여 펼쳐 보이고 있다.

⑤ 연을 차지하고 있는 행의 수가 번갈아가면서 같다.

적용하기

6. 다음 시에서 '몽돌'을 표현한 낱말을 찾아쓰고, 그렇게 표현한 까닭을 한 문장으로 쓰세요.

> 물새가 껍질을 깨고 나오려는 것일까.
>
> 손에 쥐니 참 따뜻하다.
> 어미 새가 품던 알처럼.
>
> 바다가 갈고 다듬어 놓은
> 작고 까만
> 돌 새알.

점 수

1~6번 문제의 점수를 더하여 총점을 쓰고 169쪽의 표에 막대그래프로 표시하세요

"아야!
아유, 아파."
책상 모서릴 흘겨보았다.
"내 잘못 아냐."
모서리도 눈을 흘긴다.

쏘아보는 그 눈빛이
나를 돌아보게 한다.
어쩜 내게도
저런 모서리가 있을지 몰라.
누군가 부딪혀 아파했겠지.
원망스런 눈초리에
"네가 조심해야지."
시치미 뗐을 거야.

모서리처럼
나도 그렇게 지나쳤겠지.

부딪힌 무릎보다
마음 한쪽이
더 아파 온다.

주제찾기   **1.** 시의 중심 생각으로 알맞은 것은 무엇입니까?

① 사람들은 제 잘못을 다른 사람 탓으로 돌린다.
② 내가 하기 싫은 일을 남이 하도록 시켜서는 안 된다.
③ 어려움에 처한 친구와 처지를 바꾸어 생각할 줄 알아야 한다.
④ 누군가를 아프게 하고 시치미 뗐던 것이 미안해서 마음이 아파온다.
⑤ 누구나 마음이 아플 수 있는데 나만 아픈 척하여 사람들에게 몹시 부끄럽다.

글감찾기 2. 화자의 마음을 표현하기 위해 끌어들인 글감을 찾아 쓰세요.

사실이해 3. 시 속의 '나'는 어떤 경험을 하였습니까?

① 책상에게서 사람 모습을 보았다.

② 책상 모서리에 부딪혀 무릎이 아팠다.

③ 책상 청소를 하다가 떠난 친구를 생각했다.

④ 책상 사이를 재빠르게 지나치다 모서리에 부딪혔다.

⑤ 책상을 많이 모아둔 곳에서 친구와 장난을 치다가 넘어졌다.

미루어알기 4. 시 속의 '나'가 4연처럼 말한 이유는 무엇입니까?

① 사람들이 모두 남에게 상처를 입고 산다고 생각했기 때문이다.

② 부딪힌 '나'보다 모서리가 더욱 아파할 것이라고 생각했기 때문이다.

③ 마음의 상처가 시간의 흐름을 따라 아픔을 더할 것이라고 생각했기 때문이다.

④ 상처로 인한 몸의 아픔보다 마음의 아픔이 더 크게 느껴진다고 생각했기 때문이다.

⑤ 자신에게도 남의 마음을 아프게 한 마음속의 모서리가 있을지도 모른다고 생각했기 때문이다.

세부내용 5. '모서리'가 지닌 뜻으로 가장 알맞은 것은 어느 것입니까?

① 까닭 없이 다른 사람을 원망하는 태도

② 거리낌 없이 남에게 상처와 고통을 주는 짓

③ 느닷없이 다가와서 마음을 아프게 하는 말이나 행동

④ 상대의 아픔을 전혀 배려하지 아니하는 행동

⑤ 스스로에게 기쁨을 주기 위해 하는 말

적용하기 6. 시를 읽고 자신이 겪었던 유사한 일을 한 문장으로 쓰세요.

	점수
1~6번 문제의 점수를 더하여 총점을 쓰고 169쪽의 표에 막대그래프로 표시하세요	

물이라고
고여 있거나
흐르기만 하는 것은
아냐

키를 세워
일어설 줄도
알아

선 채
버틸 줄도
알아

추켜들었던 고개를
꺾어
수그릴 줄도
알아

좌르륵좌르륵!

주제찾기

1. 시에서 떠올릴 수 있는 사람의 모습을 모두 모아놓은 것을 고르세요.

① 강인함, 자립성, 참을성
② 강인함, 의존성, 겸손함
③ 강인함, 인내심, 겸손함
④ 자립성, 참을성, 경박함
⑤ 의존성, 비겁함, 인내심

제목찾기 2. 시에서 묘사된 대상의 특징에 어울리게 한 낱말로 제목을 붙이세요.

사실이해 3. 표현상의 가장 큰 특징은 무엇입니까?

　① 소리를 반복하여 운율을 이루고 있다.

　② 대상에 인격을 주어서 사람처럼 그리고 있다.

　③ 거센 소리를 자주 사용하여 날카로운 인상을 준다.

　④ 주로 시골에서 사용하는 말에 의해 분위기를 이루고 있다.

　⑤ 하나의 물건에 여러 가지 뜻을 덧붙여 상징성을 갖도록 한다.

미루어알기 4. 시의 내용 흐름이 어떤 방식으로 이루어져 있습니까?

　① 확대 → 축소

　② 축소 → 확대

　③ 긍정 → 부정

　④ 부정 → 긍정

　⑤ 사람 → 자연

세부내용 5. '추켜들었던 고개'에서 떠올릴 수 있는 사람의 특성은 무엇입니까?

　① 오만　　　　　　　② 활기

　③ 역동　　　　　　　④ 원만

　⑤ 온화

적용하기 6. 시 '분수'를 소개하는 글을 쓰기 위하여 필요한 내용을 표로 만들었습니다. 빈 칸에 공통적으로 알맞은 낱말을 넣으세요.

소개하고 싶은 사람	어려운 상황에서 □□□을 발휘하며 견디어 내는 친구
소개하고 싶은 까닭	선채 버틸 줄 아는 물처럼, □□□을 가지고 어려움을 이겨내리라 믿었기 때문입니다.

점 수

1～6번 문제의 점수를 더하여 총점을 쓰고 169쪽의 표에 막대그래프로 표시하세요

(가) 세상에는 큰 것만 있는 게 아니야

큰 것만 있다면

얼마나 재미없겠니?

큰 것 사이에

작은 것이 있어서 아름답지

하늘에서 깜박이는 작은 별들

바다에 수없이 떠 있는 섬

나무와 나무 사이에 부드러운 풀잎들

아, 엄마와 아빠 사이에

㉠우리들

작은 것이 있어서 더 아름다운

큰 것들.

(나) 내 안에는

㉡참 많은 내가 있다.

거짓말하는 나, 게으름 피우는 나, 용감한 나, 샘내는 나, 떼쓰는 나, 의젓한
나…….

어른들은

공부 잘하고 말 잘 듣는 나를 좋아하지만

엄마도

선생님도

나도

말릴 새 없이

나도 모르는 내가 튀어나오기도 한다.

나도 모르는 내가 나를 끌고 가기도 한다.

주제찾기   **1.** (가), (나)에서 공통적으로 다룬 내용은 무엇입니까?

       ① 세상의 아름다운 것들   ② 엄마와 아빠 사이의 우리들

       ③ 평소에는 잘 드러나지 않는 존재   ④ 내 안에 있는 참 많은 나

       ⑤ 나도 모르는 나

제목찾기   **2.** (가), (나)의 제목을 두 편의 시에서 각각 찾아 쓰세요.

사실이해   **3.** (가)에 나온 '큰 것'과 '작은 것'의 짝이 <u>잘못된</u> 것은 어느 것입니까?

       ① 세상 – 재미   ② 하늘 – 작은 별들

       ③ 바다 – 섬들   ④ 나무 – 풀잎들

       ⑤ 엄마와 아빠 – 우리들

미루어알기   **4.** (나)를 읽고 떠올린 생각으로 알맞은 것을 고르세요.

       ① 우리들 마음속에는 알 수 없는 내가 있다.

       ② 우리들은 항상 어른들에게서 칭찬을 자주 듣는다.

       ③ 우리들 속에는 싫어나는 나와 좋아하는 나가 싸우고 있다.

       ④ 우리들이 어른들 말씀을 귀담아 잘 들으면 공부를 잘 하게 된다.

       ⑤ 우리들은 스스로도 어떻게 할 수 없는 성질 때문에 실수를 저지를 수 있다.

세부내용   **5.** ㉠과 ㉡에 대한 설명으로 알맞은 것은 어느 것입니까?

       ① ㉠은 한 사람이고, ㉡은 두 사람이다.

       ② ㉠은 '작은 것'이고, ㉡은 '나도 모르는 나'이다.

       ③ ㉠은 작은 것 사이에 있고, ㉡은 사람들 사이에 있다.

       ④ ㉠은 사회생활을 강조하는 말이고, ㉡은 개인 생활을 강조한다.

       ⑤ ㉠은 함께 살아가는 사람들을 떠올리고, ㉡은 홀로 살아가는 사람을 떠올린다.

적용하기   **6.** 자신의 경험으로 미루어보아, 충분히 공감할 수 있게 표현한 구절을 (가), (나)에서 각각 찾아 쓰세요.

점 수
1~6번 문제의 점수를 더하여 총점을 쓰고 169쪽의 표에 막대그래프로 표시하세요

| 평가요소 | 1. ☐ 20점 | 2. ☐ 15점 | 3. ☐ 15점 | 4. ☐ 15점 | 5. ☐ 15점 | 6. ☐ 20점 |

173쪽 표의 해당하는 번호에 체크하세요.

(가) 언젠가는 나도
　늠름한 줄무늬 개구리가 되겠지.
　지금은 볼품없는 꽁지로
　숨죽여 사는 올챙이지만
　언젠가는 나도 굵고 큼직한 목소리로
　노래 부를 수 있겠지.
　개굴개굴개굴개굴

　지금은 좁은 물웅덩이에 갇혀 사는
　어린 올챙이지만
　언젠가는 나도 / 더 큰 세상으로 껑충! 뛰어오르는
　늠름한 줄무늬 개구리가 되겠지.

(나) 들깨를 턴다
　마당에 비닐을 넓게 깔고
　들깨 단을 작대기로 살살 두드린다

　두드릴 때마다 하얀 들깨가
　토―옥 톡 튀어 올라 빛난다
　내가 한눈판 사이
　들깨 몇 알이 / 비닐 밖으로 튀어 나간다

　'요놈 어디로 가'

　내가 주우려 하자
　할머니가 말했다

　'그만둬라
　배고픈 새들이 와서 먹게'

주제찾기 **1.** (가)와 (나)에서 공통적으로 떠올릴 수 있는 내용은 무엇입니까?

① 갇혀 사는 사람의 갑갑한 심경을 떠올린다.

② 시골에서 농사짓는 아이의 부지런함을 떠올린다.

③ 세상을 긍정적으로 살아가는 건강한 모습을 떠올린다.

④ 어려운 처지를 극복하고 성공의 길로 들어선 사람을 떠올린다.

⑤ 할머니에게 효도를 아끼지 않는 아이의 인정스러운 모습을 떠올린다.

제목찾기 **2.** (가), (나)의 작품 속에서 말하는 사람을 각각 구체적으로 쓰세요.

사실이해 **3.** (가), (나) 모두에서 가장 많이 사용한 감각은 무엇입니까?

① 시각 　　　　② 청각 　　　　③ 후각

④ 미각 　　　　⑤ 촉각

미루어알기 **4.** 시가 빗대어 표현한 것이라면, (가)의 말하는 이는 미래에 무엇이 되기를 바라고 있습니까?

① 훌륭하게 성장한 사람 　　　② 도시로 나간 젊은이

③ 큰소리 치는 사람 　　　　　④ 큰 웅덩이에 사는 개구리

⑤ 늘름하고 잘 생긴 사람

세부내용 **5.** (나)의 말하기에 나타난 특징은 무엇입니까?

① 고백하는 말이다. 　　　　　② 반성하는 말투가 있다.

③ 두 사람이 말을 주고받는다. 　④ 한 말을 인용하는 형식이 있다.

⑤ 등장인물이 이야기를 엮어가고 있다.

적용하기 **6.** (가)와 (나)를 그림으로 그린다면 무엇을 그린 그림이 될지 쓰세요.

	점 수
1～6번 문제의 점수를 더하여 총점을 쓰고 169쪽의 표에 막대그래프로 표시하세요	

| 평가
요소 | 1. ☐
20점 | 2. ☐
15점 | 3. ☐
15점 | 4. ☐
15점 | 5. ☐
15점 | 6. ☐
20점 |

173쪽 표의 해당하는 번호에 체크하세요.

(가) 나도 밥 먹을 줄 압니다.

　나도 잘 줄 압니다. / 나는 똥도 쌀 줄 알아요.

　나도 식구가 있습니다. / 나도 집이 있습니다.

　나도 숨을 쉽니다. / 나는 눈물도 흘려요.

　나는, / 딱정벌레예요.

(나) 플라스틱 자동차처럼 / 헝겊 인형처럼

　가지고 놀다 싫증 난 듯 / 휙 버리고 간다.

　차 쌩쌩 달리는 길가에도

　아무도 살지 않는 외딴섬에도

　개들은 횡단보도, 신호등도 모르는데

　넓은 바다 건널 줄도 모르는데…….

　한 번 싫증 난 장난감처럼

　다시 주인이 찾는 일도 없다.

　이리와, 이리 와 / 손 내밀어 불러도

　뒷걸음치며 슬슬 피하는 개들

　말은 안 해도 / 버려진 개들은

　눈빛만 보면 다 안다.

주제찾기　**1.** (가), (나)의 공통적인 중심 생각은 무엇입니까?

　　① 곤충은 재미있는 관찰 대상이다.

　　② 생명의 먹이사슬을 보호해야 한다.

　　③ 버려진 짐승은 버린 주인을 원망한다.

　　④ 모든 생명은 감정과 본능을 가지고 있다.

　　⑤ 하찮은 생명이라도 소중이 여길 줄 알아야 한다.

글감찾기 **2.** (가)와 (나)의 글감을 각각 시에서 찾아 쓰세요.

사실이해 **3.** (가)의 말하는 이가 전하고자 한 주된 내용을 가장 잘 표현한 것을 고르세요.

① 나도 사회생활을 할 줄 압니다.
② 나도 식구를 감싸는 마음이 있습니다.
③ 나도 숨을 쉬어야 살아갈 수가 있습니다.
④ 나도 기본적인 생존의 욕구를 가지고 있습니다.
⑤ 나도 기쁠 때 웃고 슬플 때 우는 감정을 가지고 있습니다.

미루어알기 **4.** (나)에서 떠올린 생각으로 알맞지 <u>않은</u> 것은 어느 것입니까?

① 사람들은 함부로 개를 버린다.
② 가지고 놀다 싫증이 나서 개를 버린다.
③ 버려진 개들은 아무도 살지 않는 외딴섬으로 간다.
④ 개들은 버려져서 횡단보도와 같은 낯선 환경에 놓이게 된다.
⑤ 한번 버려진 개들은 손을 내밀어 불러도 사람들을 피하며 뒷걸음친다.

세부내용 **5.** (가)의 말하는 이가 할 줄 안다고 내세운 것에 동의하여 답하는 말을 (나)에서 찾으면 무엇입니까?

① 플라스틱 자동차처럼   ② 가지고 놀다 싫증 난 듯
③ 아무도 살지 않는 외딴섬에도   ④ 다시 주인이 찾는 일도 없다.
⑤ 눈빛만 보면 다 안다.

적용하기 **6.** 두 편의 시를 읽고 토론을 위한 주제문을 써보았습니다. 빈칸을 채워 완성하세요.

> 모든 □□은 □□□ 가치를 가지며 □□의 욕구를 지니고 있으므로 생명의 □□□을 다시 깨달아야 합니다.

	점 수
1~6번 문제의 점수를 더하여 총점을 쓰고 169쪽의 표에 막대그래프로 표시하세요	

평가
요소   1. ☐   2. ☐   3. ☐   4. ☐   5. ☐   6. ☐
      20점   15점   15점   15점   15점   20점

173쪽 표의 해당하는 번호에 체크하세요.

선뜻! 뜨인 눈에 하나 차는 영창
달이 이제 밀물처럼 밀려오다.

미욱한 잠과 베개를 벗어나
부르는 이 없이 불려 나가다.

㉠한밤에 홀로 보는 나의 마당은
호수같이 둥긋이 차고 넘치누나.

쪼그리고 앉은 한옆에 흰 돌도
이마가 유달리 함초롬 고와라.

㉡연연턴 나뭇잎 그늘, 수묵색으로 짙은데
한창때 곤한 잠인 양 숨소리 설키도다.

비둘기는 무엇이 궁거워 구구 우느뇨,
오동나무 꽃이야 못 견디게 향기롭다.

미욱한; 매우 어리석고 미련한. 만족스럽지 못한. / 둥긋이; 둥근 듯하게.
함초롬; 가지런하고 차분한 모양. / 연연턴; 빛깔이 엷고 산뜻하고 곱던.
설키도다; 복잡하게 뒤섞이도다. / 궁거워; 궁금하여.

주제찾기

1. 시에서 말하는 이는 무엇을 하고 있습니까?

① 잠을 자고 있다.

② 창밖을 내다보고 있다.

③ 마당에서 자연을 즐기고 있다.

④ 오랜 동안 사람을 기다리고 있다.

⑤ 오동나무 잎 사이로 떠오른 달을 보고 있다.

글감찾기 2. 시에서 말하는 이가 움직임을 시작하도록 한 자연물을 찾아 쓰세요.

사실이해 3. ㉠의 분위기는 어떠합니까?

① 고요하다   ② 소란스럽다

③ 처량하다   ④ 역동적이다

⑤ 허전하다

미루어알기 4. ㉡을 통해 알 수 있는 것은 무엇입니까?

① 깨끗한 마음

② 떠나간 사람

③ 장소의 이동

④ 낙엽의 시작

⑤ 시간의 변화

세부내용 5. 시의 표현상 특징을 알맞게 설명한 것을 고르세요.

① 도시 생활과 관련된 형상을 그리고 있다.

② 힘차게 살아 움직이는 대상을 강조하고 있다.

③ 색깔의 대비를 통해 특징을 두드러지게 하고 있다.

④ 여러 가지 감각과 연결되는 낱말을 많이 사용하고 있다.

⑤ 닮은 점이 있는 둘을 견주어 모양과 움직임을 드러내고 있다.

적용하기 6. 시에서 말하는 이의 느낌을 중심으로 내용의 전개 과정을 아래의 표로 정리했습니다. 빈칸에 알맞은 낱말을 넣으세요.

시의 구절	형상과 느낌
호수같이 둥긋이 차고 넘치누나.	밀려온 □□과 더불어 □□□ 느낌
오동나무 꽃이야 못 견디게 향기롭다.	꽃 □□와 더불어 □□□ 느낌

	점 수
1~6번 문제의 점수를 더하여 총점을 쓰고 169쪽의 표에 막대그래프로 표시하세요	

| 평가
요소 | 1. ☐
20점 | 2. ☐
15점 | 3. ☐
15점 | 4. ☐
15점 | 5. ☐
15점 | 6. ☐
20점 |

173쪽 표의 해당하는 번호에 체크하세요.

(가) 할아버지가 염소에 이끌려 갑니다.

할머니와 다투고 나온 터라
집에 그냥 들어가기 멋쩍은
할아버지입니다.

염소 목에 매인 줄을 당겨
염소를 말려 보기도 하지만
할아버지는 못 이긴 척 이끌려 갑니다.

"그만 끌어, 이것아."
할머니가 듣게 큰 소리로
염소를 탓하면서
집 안으로 들어갑니다.

(나) 하늘을 날던
연 하나

나뭇가지가 / 꼬옥 붙잡고
놓아주질 않습니다.

멀리멀리
보내주고 싶은
바람만
애가 타는지

쏴아 / 쏴아

쉬지 않고 / 나뭇가지를
흔들어 댑니다.

주제찾기 **1.** 두 작품의 공통된 상황으로 알맞은 것은 어느 것입니까?

① 짐승이 사람을 이끈다.

② 바람 부는 대로 펄럭거린다.

③ 붙잡혀 움직임이 자유롭지 않다.

④ 사람과 자연이 잘 어울려 살아간다.

⑤ 보이지 않는 강한 힘이 물건에 작용한다.

제목찾기 **2.** 시에 나오는 낱말을 활용하여 (가), (나)의 제목을 각각 붙이세요.

(가) □□ □   (나) □□ □□

사실이해 **3.** (가) 시의 말하는 이에 대한 설명으로 적절한 것은 어느 것입니까?

① 자신의 생각을 드러내지 않는다.

② 사람과 사물에 대해서 잘 알고 있다.

③ 사람에 대한 평가를 뚜렷이 말하고 있다.

④ 관찰을 하고 있지만 사람 마음을 알고 있다.

⑤ 스스로 느끼고 생각한 바를 솔직히 보고하고 있다.

미루어알기 **4.** (나)에서 '붙잡음 – 놓아주고자 함'의 관계를 이루는 소재의 짝으로 맺어 놓은 것을 고르세요.

① 하늘 – 연   ② 연 – 나뭇가지

③ 하늘 – 나뭇가지   ④ 나뭇가지 – 바람

⑤ 하늘 – 바람

세부내용 **5.** (가), (나)에서 사람이 아닌 것을 사람처럼 표현한 것을 모두 모아놓은 것은 어느 것입니까?

① 염소, 바람   ② 집, 나뭇가지   ③ 염소, 연

④ 집, 바람   ⑤ 염소, 나뭇가지

적용하기 **6.** (가)에서는 재미있다고 생각되는 장면을, (나)에서는 공감이 되는 장면을 찾아서 각각 한 문장으로 쓰세요.

1～6번 문제의 점수를 더하여 총점을 쓰고 169쪽의 표에 막대그래프로 표시하세요	점 수

(가) 하수도가 막혀 / 공사를 했다

새 관 다시 묻고 / 시멘트 새로 발라
말끔하게 마무리한 아저씨

－오늘은 사용하지 마세요
밟아도 안 됩니다－
당부하고 갔다

밟지 말랬는데 / 고양이가 밟았다

발자국은 꽃 모양

무슨 꽃일까 / 고양이는 알까?

새로 바른 시멘트 위에 / 다섯 송이 꽃이 피었다.

(나) 김이 모락모락 / 따끈따끈
소중한 내 밥

살금살금 / 우리 집에 들어와
야금야금 먹고 간
옆집 고양이 녀석

－흰둥이, 너 / 또 마당 어지럽혔지!

내 발자국은 연꽃 모양
고양이 발자국은 안개꽃 모양

내 발자국도 몰라보는 / 아주머니 야속해

아주머니 새 구두 / 꼭꼭 숨겨 놨다.

주제찾기 **1.** (가), (나)에 나타난 말하는 이가 대상을 대하는 차이점을 순서대로 밝힌 것은 어느 것입니까?

① 순하기 – 억세기 ② 바라보기 – 굽어보기

③ 머물러있기 – 돌아다니기 ④ 말씀 따르기 – 말씀 거역하기

⑤ 따뜻하게 감싸기 – 미워하고 원망하기

제목찾기 **2.** (가)와 (나)의 공통된 글감을 쓰세요.

사실이해 **3.** (가)에서 말하는 이의 마음을 표현하기 위해 끌어들인 소재는 무엇입니까?

① 하수도 ② 시멘트 ③ 고양이 ④ 발자국 ⑤ 다섯 송이 꽃

미루어알기 **4.** (나)에서 남을 원망하는 생각을 드러낸 것은 어느 것입니까?

① 고양이 발자국이 꽃 모양 같아!

② 아이고, 속상해 시멘트를 새로 발라야 하나?

③ 밟지 말랬는데, 누가 이렇게 엉망으로 해 놓았나요?

④ 내 밥을 노리는 얄미운 옆집 고양이 녀석, 언제 왔다 갔지!

⑤ 어휴, 찝찝해. 발에 묻은 흙이 아무래도 도무지 떨어지지를 않네!

세부내용 **5.** (가), (나)가 보통의 시 갈래 작품들과 뚜렷하게 차이가 나는 점은 무엇입니까?

① 대화로 이루어져 있다.

② 사건의 요소를 포함하고 있다.

③ 인물의 행동으로 성격을 표현하고 있다.

④ 뜻을 여러 가지 품은 낱말을 사용하고 있다.

⑤ 같거나 비슷한 소리를 반복하여 운율을 이루고 있다.

적용하기 **6.** (가), (나)는 모두 같은 대상을 표현했지만, (가)의 제목은 '고양이 발자국'이고, (나)의 제목은 '얄미운 고양이'입니다. 이렇게 제목을 바꾸면서 달리진 것 세 가지를 모두 쓰세요.

	점 수
1~6번 문제의 점수를 더하여 총점을 쓰고 169쪽의 표에 막대그래프로 표시하세요	

(가) 집에 돌아와
 양말을 벗으려고 보니
 양말이 짝짝이다.

 ㉠짝짝이로 신은 줄도 모르고
 하루를 지냈다.
 오늘 하루, 양말은
 내 두 발이 남남인 줄 알았겠다.
 발을 모을 때마다
 얼마나 서먹서먹했을까.

 양말 벗은 두 발을 들어
 뽀독뽀독 마주 비빈다.
 오늘 일 다 잊으라고.

(나) 아이가 / 한쪽은 줄무늬 양말,
 한쪽은 내 짝을 신고 / 학교에 갔다.

 나만 서랍장 속에
 덩그러니 남았다.

 매일 같이 있던 / ㉡짝이 없으니
 가슴 속에 / 구멍이 뚫린 것 같다.

 노래도 불러 보고 / 크게 떠들어도 보지만
 어느 새 내 눈엔 눈물이 글썽글썽

주제찾기 **1.** (가)와 (나)에서 파악할 수 있는 말하는 이의 느낌을 순서대로 늘어놓은 것을 고르세요.

① 미움 – 좋음 　　　　　② 미안함 – 외로움

③ 창피함 – 속 후련함 　　　④ 안타까움 – 시원섭섭함

⑤ 고민이 됨 – 두렵고 걱정됨

글감찾기 **2.** (가), (나)의 공통된 글감을 (가)에 나온 낱말을 사용하여 쓰세요.

사실이해 **3.** (가)의 말하는 이가 집으로 돌아와 양말을 위해 한 행동은 무엇입니까?

① 양말을 벗었다. 　　　　　② 양말이 짝짝이였다.

③ 두 발이 남남 같았다. 　　④ 집에 오는 길이 서먹서먹했다.

⑤ 두 발을 뽀독뽀독 마주 비볐다.

미루어알기 **4.** (나)의 '나'를 달래기 위해 해 줄 수 있는 알맞은 말은 어느 것입니까?

① 짝이 없어도 살 수 있어.

② 다른 짝을 구하면 슬프지 않아.

③ 서랍장 속에만 갇혀 있지 말고 나와.

④ 이제 학교 끝나면 네 짝이 곧 돌아올 거야.

⑤ 양말을 바꿔 신고 간 아이 탓이지 네 탓이 아니야.

세부내용 **5.** ㉠과 ㉡의 관계를 알맞게 설명한 것은 어느 것입니까?

① ㉠과 ㉡은 비슷한 뜻이다.

② ㉠과 ㉡은 반대의 뜻으로 쓰였다.

③ ㉠과 ㉡은 뿌리가 같은 낱말이다.

④ ㉠은 ㉡의 뜻을 일부 가지고 있다.

⑤ ㉠은 ㉡에 다른 말이 붙어서 이루어졌다.

적용하기 **6.** (가)와 (나)의 말하는 이가 누구인지, 각각 10자 안팎으로 쓰세요.

	점 수
1~6번 문제의 점수를 더하여 총점을 쓰고 169쪽의 표에 막대그래프로 표시하세요	

| 평가요소 | 1. ☐ 15점 | 2. ☐ 15점 | 3. ☐ 15점 | 4. ☐ 15점 | 5. ☐ 20점 | 6. ☐ 20점 |
173쪽 표의 해당하는 번호에 체크하세요.

어버이 살아 계실 때 섬기기를 다 하여라.
지나간 후면 애달프다 어이하리.
평생에 다시 못 할 일이 이뿐인가 하노라.

남으로 생긴 중에 벗같이 믿음 있으랴.
내 그른 일을 다 말하려 하는구나.
이 몸이 벗 아니면 사람됨이 쉬울까.

이고 진 저 늙은이 짐 풀어 나를 주오.
나는 젊었으니 돌인들 무거울까.
늙기도 서러운 것인데 짐까지 지실까.

주제찾기 **1.** 전하고자 한 교훈을 연의 순서에 따라 늘어놓은 것은 어느 것입니까?

① 효도, 우정, 공경
② 효도, 화목, 공경
③ 효도, 공경, 충성
④ 충성, 우정, 화목
⑤ 충성, 화목, 공경

글감찾기 **2.** 노래를 지은 목적이 나타나게 제목을 쓰세요.

백성을 ☐☐☐☐ 위한 노래

사실이해 **3.** 노래의 모양에 나타난 특징은 무엇입니까?

① 줄을 차지한 글자 수가 모두 같다.

② 연을 차지한 줄의 수가 모두 같다.

③ 줄을 차지한 글자 수가 점점 많아진다.

④ 연을 차지한 줄의 수가 점점 많아진다.

⑤ 줄이 연이 되기도 하면서 모양이 일정하지 않다.

미루어알기 **4.** 노래를 지을 당시의 현실로 알맞은 것은 어느 것입니까?

① 이웃 사이에 서로 미워하였다.

② 백성들이 관리를 믿지 아니하였다.

③ 춥고 배고픈 백성들이 전국을 떠돌았다.

④ 윤리 도덕을 지키지 않는 백성들이 적지 않았다.

⑤ 고을마다 열녀 효자가 나와 사람들의 축복을 받았다.

세부내용 **5.** 교훈적인 내용을 효과적으로 전하기 위해 사용한 표현은 어떤 방법입니까?

① 꼬리를 물고 비슷한 말이 반복되고 있다.

② 뒤로 갈수록 중요한 뜻을 지니는 말이 나타난다.

③ 국어의 정상적인 말의 순서를 바꾸어 앞선 말을 강조한다.

④ 명령과 요청의 말투를 반복하여 행동하지 않을 수 없도록 한다.

⑤ 답을 알면서도 묻는 형식으로 표현하여 실천의 중요성을 강조하고 있다.

적용하기 **6.** 각 연에서 노래의 대상이 된 사람을 찾아서 순서대로 모두 쓰세요.

	점 수
1~6번 문제의 점수를 더하여 총점을 쓰고 169쪽의 표에 막대그래프로 표시하세요	

회차별 점수표 1 [01~21]

1. 설명하는 글 읽기 (평균 점수 _____ 점)

- 각 회차에서 얻은 점수를 막대그래프로 그리고, '1 설명하는 글 읽기'의 평균 점수를 써 넣으세요.
- 평균 이하의 점수가 나온 회차에서는 어떤 유형이 왜 틀렸는지 따져 보세요.

회차\점수	이름부터 읽히고 많이 읽기		설명하는 글 많이 읽기		펼쳐 읽으며 문항 유형 익히기		완성도를 위해 남은 한 걸음	
01								
02								
03								
04								
05								
06								
07								
08								
09								
10								
11								
12								
13								
14								
15								
16								
17								
18								
19								
20								
21								
회차\점수	10 15 20 25	30 35 40 45	50 55 60 65	70 75 80 85	90 95 100

회차별 점수표 2 [22~32]

2. 설득하는 글 읽기 (평균 점수 _____ 점)

• 각 회차에서 얻은 점수를 막대그래프로 그리고, '2 설득하는 글 읽기'의 평균 점수를 써 넣으세요.
• 평균 이하의 점수가 나온 회차에서는 어떤 유형이 왜 틀렸는지 따져 보세요.

회차\점수	이론부터 익히고 많이 읽기	설득하는 글 많이 읽기	말할 때는 항상 약점 보완	완성을 위해 남은 한 걸음
22				
23				
24				
25				
26				
27				
28				
29				
30				
31				
32				

회차\점수	10	15	20	25	30	35	40	45	50	55	60	65	70	75	80	85	90	95	100

회차별 점수표 3 [33~43]

3. 이야기 글 읽기 (평균 점수 _____점)

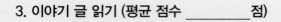

- 각 회차에서 얻은 점수를 막대그래프로 그리고, '3 이야기 글 읽기'의 평균 점수를 써 넣으세요.
- 평균 이하의 점수가 나온 회차에서는 어떤 유형이 왜 틀렸는지 따져 보세요.

회차 \ 점수	이론부터 익히고 많이 읽기	이야기 글 읽기	문항 유형을 알면 쉽게 보여	완성을 위해 남은 한 걸음
33				
34				
35				
36				
37				
38				
39				
40				
41				
42				
43				

회차\점수	10	15	20	25	30	35	40	45	50	55	60	65	70	75	80	85	90	95	100

회차별 점수표 4 [44~55]

4. 시 읽기 (평균 점수 _____점)

- 각 회차에서 얻은 점수를 막대그래프로 그리고, '4 시 읽기'의 평균 점수를 써 넣으세요.
- 평균 이하의 점수가 나온 회차에서는 어떤 유형이 왜 틀렸는지 따져 보세요.

회차 \ 점수	이론부터 익히고 많이 읽기	시 많이 읽기	문항 유형에 약점 보완	완성을 위해 남은 한 걸음
44				
45				
46				
47				
48				
49				
50				
51				
52				
53				
54				
55				

회차 점수	10	15	20	25	30	35	40	45	50	55	60	65	70	75	80	85	90	95	100

유형별 진단표 1

1. 설명하는 글 읽기 [01~21]

- 각 회차의 유형에 정답을 맞혔으면 해당하는 칸에 '○'를, 틀렸으면 '×' 하세요.
- 표의 하단에 유형별 총점을 써넣으세요.
- 자주 틀리는 유형이 한눈에 보이므로 자신의 부족한 유형을 알고 보완하여야 합니다.

	주제찾기 1	제목(글감) 찾기 2	사실 이해 3	미루어 알기 4	세부내용 5	적용하기 6	요약하기 7
1							
2							
3							
4							
5							
6							
7							
8							
9							
10							
11							
12							
13							
14							
15							
16							
17							
18							
19							
20							
21							
회차 총점							

※ 주제찾기1~세부내용5 유형은 문항당 4.5점이고, 기본점수 5.5점입니다.

※ 적용하기6 유형은 문항당 5점입니다.

※ 요약하기7 유형은 문항당 8점+기본점수 4점입니다.

유형별 진단표 2

2. 설득하는 글 읽기 [22~32]

- 각 회차의 유형에 정답을 맞혔으면 해당하는 칸에 '○'를, 틀렸으면 '×' 하세요.
- 표의 하단에 유형별 총점을 써넣으세요.
- 자주 틀리는 유형이 한눈에 보이므로 자신의 부족한 유형을 알고 보완하여야 합니다.

	주제찾기 1	제목(글감) 찾기 2	사실 이해 3	미루어 알기 4	세부내용 5	적용하기 6	요약하기 7
22							
23							
24							
25							
26							
27							
28							
29							
30							
31							
32							
회차 총점							

※ 문항당 9점이고, 기본점수 1점입니다.

유형별 진단표 3

3. 이야기글 읽기 [33~43]

- 각 회차의 유형에 정답을 맞혔으면 해당하는 칸에 '○'를, 틀렸으면 '×' 하세요.
- 표의 하단에 유형별 총점을 써넣으세요.
- 자주 틀리는 유형이 한눈에 보이므로 자신의 부족한 유형을 알고 보완하여야 합니다.

	유 형						
	주제찾기 1	제목(글감) 찾기 2	사실 이해 3	미루어 알기 4	세부내용 5	적용하기 6	요약하기 7
33							
34							
35							
36							
37							
38							
39							
40							
41							
42							
43							
회차 총점							

※ 문항당 9점이고, 기본점수 1점입니다.

유형별 진단표 4

4. 시 읽기 [44~55]

- 각 회차의 유형에 정답을 맞혔으면 해당하는 칸에 'O'를, 틀렸으면 'X' 하세요.
- 표의 하단에 유형별 총점을 써넣으세요.
- 자주 틀리는 유형이 한눈에 보이므로 자신의 부족한 유형을 알고 보완하여야 합니다.

	유 형					
	주제찾기 1	제목(글감) 찾기 2	사실 이해 3	미루어 알기 4	세부내용 5	적용하기 6
44						
45						
46						
47						
48						
49						
50						
51						
52						
53						
54						
55						
회차 총점						

※ 문항당 8점이고, 기본점수 4점입니다.

영역별 평균 총점수 [01~55]

- 각 영역별 평균 점수를 막대그래프로 그리세요.

	이론부터 다시 익히고 많이 노력하세요.	여러 글을 읽고 좀 더 노력하세요.	취약 유형이나 약점을 보완하세요.	완성을 위해 틀린 문항을 한번 더 학습하세요.
1 설명하는 글 읽기 [01~21]				
2 설득하는 글 읽기 [22~32]				
3 이야기 글 읽기 [33~43]				
4 시 글 읽기 [44~55]				
점수	10 15 20 25	30 35 40 45 50 55 60 65	70 75 80 85	90 95 100

영역별 유형 총점수 [01~55]

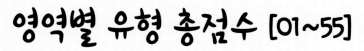

• 해당하는 칸에 영역별 유형 총점을 써 넣으세요.

유 형	주제찾기 1	제목 (글감찾기) 2	사실 이해 3	미루어 알기 4	세부내용 5	적용하기 6	요약하기 7
1 설명하는 글 읽기 [01~21]							
2 설득하는 글 읽기 [22~32]							
3 이야기 글 읽기 [33~43]							
4 시 글 읽기 [44~55]							
영역별 점수							

정답 및 해설

01 설명하는 글 읽기(1)

18~19쪽 정답

1 ②	2 우리나라, 국토	3 ④
4 ①	5 ③	6 한반도 평화, 생태계 보고

해설

1. 독도와 비무장지대에 관한 내용이 실려 있는 3, 4문단까지 다 읽어보면 글을 쓰게 된 목적이 국토의 가치를 깨닫도록 하기 위한 것임을 알 수 있다.
2. 우리나라의 국토가 갖는 의미와 가치를 설명한 글이다.
3. 영토와 영해, 영공의 넓이를 비교한 내용은 보이지 않는다.
4. '동해안은 섬이 적어서 썰물일 때의 해안선을 기선으로 하여 영해를 정하였고'라는 구절에 의해 동해안은 통상 기선으로 영해를 정했음을 알 수 있다. ② 남해안은 직선 기선을 사용하였다. ③ 서해안 역시 섬이 많아 직선 기선으로 영해를 정했다. ④ 동해안이 더 쉽다. ⑤ 어느 쪽이 어려운지 글의 내용으로 미루어 알기 어렵다.
5. '배타적 권리'란 남의 간섭이나 지배를 받지 않고 행사할 수 있는 권리를 뜻한다. 이런 비슷한 내용도 독도와 관련해서 언급한 내용은 없다.
6. 끝 문단에서 적절한 내용을 선택할 수 있다.

02 설명하는 글 읽기(2)

20~21쪽 정답

1 ③	2 온도계 3 ④	4 ⑤
5 ④	6 부피, 길이(크기)	

해설

1. 온도계의 다양한 종류를 소개하고, 그 종류에 따른 활용 방법을 설명하고 있다.
2. 글에 여러 번 반복해서 나타난 낱말이 글감이다.
3. 사람 몸의 온도는 체온계로 잰다.

4. 액체 샘에 온도에 따라 일정하게 늘어나는 액체를 담아야 눈금 표시를 정확히 할 수 있다. ① 팽창의 속도가 느리다고만 했다. ② 알코올은 온도가 낮을 때 반응을 잘 한다. ③, ④는 글에서 사실 그대로 자세히 언급되고 있어서 새로운 지식으로 볼 수 없다.
5. 온도가 그대로 숫자로 나타나는 온도계
6. 셋째 문단의 수은 온도계에 대한 설명을 보면, 온도에 일정하게 변화하는 매개물이 온도계에는 반드시 필요하다.

03 설명하는 글 읽기(3)

22~23쪽 정답

1 지형, 특징, 기후, 관계	2 지형, 기후
3 ③ 4 ④ 5 ②	
6 ① 태백산맥, ② 동해, ③ 따뜻하다	

해설

1. '지형'과 '기후'라는 두 가지 글감으로 내용을 이루었는데, 지형의 특징과 기후는 서로 밀접한 관계가 있다는 것이 중심 내용이다.
2. 우리나라의 지형 특징과 그 영향을 받는 기후의 특징을 설명한 글이다.
3. '평야'는 지형의 한 구성 요소로 나열은 했지만 자세히 설명하지는 않았다.
4. 둘째 문단에, '남해안은 해안선이 복잡하며, 크고 작은 섬이 많아 다도해라고 부릅니다. 서해안은 해안선이 역시 복잡하고 섬과 만, 반도가 많습니다.'라고 한 데서 미루어 알 수 있다. ① 동해안은 해안선이 단조로워 '만'이 발달하기 어렵다. ②⑤번 해설 참조 ③ 동해안에 '반도' 지명이 붙은 곳이 없다. ⑤ 남해안의 '고흥 반도', 서해안의 '변산 반도'등을 떠올려 본다.
5. 문장 부호, 쉼표에 의해 문장의 끝에 놓이는 서술어를 반복하지 않고 생략할 수 있다.
6. 셋째 문단의 끝에 나온 내용을 응용하여 풀 수 있도록 한 문제이다.

설명하는 글 읽기(4)

24~25쪽 **정답**

1 ⑤	2 첨단 기술을 이용한 옷		
3 ④	4 ③	5 ①	
7 ① 특수복, ② 항균, ③ 스마트			

해설

1. 주제문은 글 전체의 내용을 모두 품을 수 있는 내용의 문장이어야 한다. ① 인간의 능력에 관한 내용은 특별히 다루지 않았다. ② 특수복은 주로 혹독한 추위를 이겨내기 위해 만든 옷이다. ③ 글의 내용이기는 하지만 전체 내용을 품지는 못한다. ④ 방화복에 관해 한정하여 설명한 내용이다.

2. 첨단 과학 기술을 활용하여 만들어진 새로운 옷을 다루고 있는 글이다.

3. '옷의 기능성'은 넷째 문단에 상세히 열거되어 있다. 가상현실에 대한 내용은 글 전체를 보아도 나타나지 않는다.

4. 오스트리아 스카이다이버인 바움가르트너가 39km의 상공에서 뛰어내릴 수 있었던 조건을 설명한 둘째 문단에서 떠올릴 수 있는 생각이다.

5. 대신 넣어 보아서 가장 자연스럽다고 생각되는 구절을 고르면 된다.

7. 기능성을 살린 옷은 끝 문단에 집중적으로 설명하고 있다.

05

설명하는 글 읽기(5)

26~27쪽 **정답**

1 ⑤	2 인간과 환경의 관계	3 ④
4 ⑤	5 ①	6 (그런 만큼) 인간은 다양한 환경이 서로 영향을 주고받으며 조화를 이룰 수 있도록 배려해야 합니다.

해설

1. '인간과 환경이 조화와 균형을 이루어야 한다.'라는 내용이다.

2. '인간', '환경'이 가장 자주 반복해서 나타난 낱말이므로 이 낱말들은 제목에 반드시 들어가야 한다.

3. 인간의 손을 거치지 않고 자연 상태에 원래부터 있는 것.

4. '공원'은 대도시에 생활하는 민우네 가족이 접하기 어려운 자연을 느낄 수 있도록 만들어 놓은 공간이다.

5. ㉠은 '원인'이고 ㉡은 '결과'인 관계로 맺어진다. 황사가 원인이 되어 눈병을 일으킨다. ② 사막이 황사가 일어나는 장소이기는 해도, 원인이라 할 수는 없다. ③ 호흡이 먼지의 원인은 아니다. ④ 미세 먼지가 호흡기 자체의 원인이 될 수는 없다. ⑤ 호흡 기관이 알레르기의 원인은 아니다.

6. '주장'의 글에서 주제문은, '~이어야 한다.', '~해야 한다.'의 형태로 끝나야 한다.

06

설명하는 글 읽기(6)

28~29쪽 **정답**

1 ⑤	2 우주 탐사선 보이저호	3 ⑤
4 ④	5 ②	6 지구, 목성, 토성, 천왕성, 해왕성

해설

1. 지구 밖의 다른 별이나, 외계 생명체에 대해 탐사하기 위해 보이저호를 보냈고, 보이저호는 행성에 대한 많은 자료를 보내오고 있다고 했다.

2. 보이저호가 목성형 행성에 대해 어떤 정보를 보내왔는지 자세히 설명하고 있다.

3. 해왕성에 관한 정보는 자세히 나와 있으나 천왕성에 관해서는 자세한 언급이 없다.

4. 목성형 행성들의 표면은 얼음으로 덮여 있고 폭풍과 같이 거센 바람이 분다고 했다. ① 짐작할 수 없는 내용이다. ② 짐작한 생각이 아니라 글에 나타난 사실이다. ③ 보이저호를 두 대 띄웠다고 먼 행성을 탐사하는 데 다 그렇다고 단정하기는 어렵다. ⑤ 더 많은 별이 있을 것으로 짐작할 수 있다.

5. 앞의 내용을 요약하면서 정리하도록 하는 기능을 갖는 접속어 '이처럼'이 적절하다.

6. 지구도 글에 나오는 태양계의 행성에 속한다는 사실

을 빠뜨리지 말 것.

07 설명하는 글 읽기(7)

30~31쪽 정답

| 1 ② | 2 우리나라 경제의 특징 | 3 ③ |
| 4 ④ | 5 ② | 6 경쟁 |

해설

1. 글의 첫 문단에 경제 제도를 설명했고, 둘째 문단부터는 경제 활동을 설명했다.
2. 우리나라 경제의 특징을 두 분야로 나누어 자세히 설명하고 있다.
3. 첫 문단의 끝에 제시했고, 둘째 문단부터 자유와 경쟁을 중심으로 내용을 전개했다.
4. 셋째 문단의 '기업은 많은 물건을 팔아 더 많은 이윤을 얻기 위하여 여러 가지 방법으로 경쟁합니다.'라는 문장에서 떠올릴 수 있는 생각이다. ① 혼합 경제로서, 부분적으로 통제한다. ② '외국에 있는 기업'이라고 떠올릴 만한 근거가 보이지 않는다. ③ 글의 내용과 관계없다. ⑤ 기업은 그런 환경을 조성한다고 생각할 수 있다.
5. 들어갈 문장은, '국가나 다른 사람으로부터 강요나 간섭을 받지 않고 자신의 생각에 따라 자유롭게 경제 활동을 할 수 있습니다.'로 되어 있다.
6. 이러한 여러 가지 '노력'에서 '경쟁'이라는 낱말을 떠올릴 수 있다.

08 설명하는 글 읽기(8)

32~33쪽 정답

| 1 ② | 2 결정 | 3 ⑤ | 4 ④ |
| 5 ① | 6 정육면체 | | |

해설

1. 물질의 결정이 여러 가지 물리적 화학적 특성을 지니고 있다는 사실을 둘째 문단부터 자세히 설명하고 있다. ① 첫 문단에 나온 내용이지만 전체 내용을 감쌀 수는 없다. ③ 둘째 문단에서 알 수 있는 내용이지만 전체의 중심 내용으로는 부족하다. ④ 손난로 속에 원래부터 고체로 된 결정이 들어 있는 것은 아니다. ⑤ 글에서 알 수 없는 내용이다.
2. 하나하나의 작은 입자들이 규칙적으로 고르게 배열되어 있고, 전체적인 겉모양이 울퉁불퉁하지 않고 고른 평면으로 둘러싸인 물질이 '결정'이다. 이 글은 결정을 설명한 글이다.
3. 손난로 속에 젤 상태, 곧 액체 상태로 있는 것은 결정이 아니다. 결정은 액체가 아니라 고체이다.
4. 앞에 놓인 '이 독특한 모양을 이용하여 여러 물질들을 구별할 수 있습니다.'라는 내용을 다시 풀어 놓은 내용이어야 한다.
5. 소금 결정은 분리되고, 결정이 만들어질 때 불순물은 용액에 그대로 남게 되기 때문에 그렇다.
6. 끝 문단의 첫 문장. '따뜻한 백반 용액을 서서히 식히면 정팔면체의 결정을 얻을 수 있습니다. 이 밖에 정육면체의 소금 결정, 납작한 육각기둥 모양의 황산구리 결정도 있습니다.'에 나타난 결정의 모양 중에서 고른다.

09 설명하는 글 읽기(9)

34~35쪽 정답

1 ⑤	2 광고의 좋은 점, 나쁜 점	
3 ⑤	4 ②	5 ④
6 ① 품질, ② 효능(효과), ③ 신뢰(믿음), ④ 정보		

해설

1. 현명한 소비, 똑똑한 소비를 하자라는 뜻이 글을 쓴 의도로 깔려 있다.
2. 전체의 뜻을 대표할 내용으로 빈칸의 숫자에 맞추어 제목을 붙여 보자.
3. 허위 과대가 없다고 해서 해가 없을지는 글의 내용으로 알 수 없다. ① 첫 문단 ② 첫 문단 ③ 둘째 문단 ④ 셋째 문단

4. 첫 문단과 넷째 문단에 반복하여 나타난 내용이다.

5. 주로 컴퓨터의 블로그에 올리는 글. 본래의 취지와는 달리 악용되어 광고를 왜곡하고 삐뚤어진 길로 이끌어가는 주범으로 손꼽히고 있다.

6. 글에서 주된 내용을 이루는 낱말로 나온 것들을 찾아서 쓴다.

---

⑩ 설명하는 글 읽기(10)

36~37쪽 정답

| 1 ② | 2 인공 강우 | 3 ③ |
| 4 ② | 5 ② | 6 물 부족(자연 재해) |

해설

1. 인공 강우의 실행 방법과 사례, 그것이 초래할 문제점 등이 중심 내용이다.

2. 무엇을 설명하는 글인지 판단한다.

3. 인공 강우는 궁극적으로 물 부족에 대응하기 위해 시도한다.

4. 구름 씨를 뿌리더라도 상공에 빗방울로 자랄 만한 물방울이 부족하면 비가 내리기 어렵다. ① 빗방울을 만드는데 구름 씨의 무게는 중요하지 않다. ③ 많이 뿌렸다면 비가 올 수 있는 가능성이 높아졌을 것이다. ④ 주변 지역의 비와는 상관이 없다. ⑤ 구름 씨는 물방울이 있을 만한 높이에 뿌려진다.

5. ㉠의 앞은 긍정적 내용, 뒤는 부정적 내용으로 내용을 뒤집어 이어가는 접속어가 와야 한다.

6. 인공강우의 연구 목적을 말한 부분에서 찾는다.

---

⑪ 설명하는 글 읽기(11)

38~40쪽 정답

| 1 ② | 2 건국과 사회 생활 | 3 ① |
| 4 ⑤ | 5 ③ | 6 이야기, 법, 도구 |

7 ① 하늘, ② 비, 바람, 구름, ③ 곰, ④ 사형, ⑤ 노비, ⑥ 의, 식, 주

해설

1. 글 전체 내용에 대한 물음으로 적절한 것을 골라야 한다. ① 넷째 문단에 대해서만 적절한 물음이다. ③ 글에서 답하지 않은 물음이다. ④ 글에는 다른 나라의 건국에 관한 내용이 나타나지 않으므로 글을 읽고 답할 수 없는 물음이다. ⑤ '누가'에 대해서는 답할 수 없다.

2. 앞의 두 문단은 고조선의 건국에 관한 내용이고, 뒤의 두 문단은 법과 유물을 통해 살펴본 고조선의 사회 생활에 관한 내용이다.

3. 첫머리에서 환웅이 하늘의 아들임을 내세워 신성함을 강조했다.

4. 글에서 직접 말하지 않은 내용으로, 읽은 내용을 바탕으로 새롭게 떠올린 내용이어야 한다.

5. 이런 문장을 도입 문장이라고 한다. 뒤에 이어지는 내용을 소개하는 구실을 한다.

6. 글에 나온 낱말로 답해야 한다. 각각 둘째, 셋째, 넷째 문단의 내용을 펼치면서 자료로 삼고 있다.

7. 둘째, 셋째, 넷째 문단에서 구체적으로 설명한 내용을 순서에 따라 간추릴 수 있다.

---

⑫ 설명하는 글 읽기(12)

41~43쪽 정답

1 ①	2 기상 관측 기구	3 ②
4 ①	5 ⑤	6 수표－큰 강의 다리,
풍기－공항		7 측우기, 수표, 풍기

해설

1. 설명문, 논설문에서는 대체로 첫 문단에 주제가 무엇이 될 것인지 알려주는 문장이 나온다. 이 글에서도 '농사에 필요한 기상 관측을 위한 기구'로 요약될 수 있는 중심 어구가 첫 문단에 나타나고 있다.

2. 우리의 전통 사회가 농경 사회여서 농사에 긴요한 기상을 정확히 측정하기 위한 도구가 발전해 왔다는 설명의 글이다.

3. 둘째 문단 후반부를 보면, 세종 때 만든 수표는 전하지 않는다고 했다.

4. 정확한 기상 관측은 농업에서 가장 중요하다.

5. '풍기'는 바람의 방향, 세기를 재기 위해 만든 깃발이다.

6. '수표'는 한강 인도교와 같은 큰 강의 다리에 새겨져 있고, '풍기'는 바람의 영향에 민감한 공항 활주로의 끝에 나부끼고 있다.

7. 둘째, 셋째 문단에 자세히 설명되어 있다.

---

13 **설명하는 글 읽기(13)**

44~46쪽 **정답**

1 ③	2 고려 역사	3 ④
4 ⑤	5 ④	6 우리나라, 중국

7 ① 우호, ② 적대, ③ 벽란도, ④ 아라비아

해설

1. 고려와 주변 나라의 관계를 주요한 내용으로 다루고 있다.

2. 전체 내용을 포괄할 수 있는 제목이어야 한다. 고려의 정치 · 문화 · 외교 · 경제를 두루 다룬 내용이다.

3. 몽골이 고려를 괴롭힌 것은 고려 초기부터가 아니라 중기 이후이다.

4. 글에서는, '고려를 다녀간 아라비아 상인들에 의하여 고려는 처음으로 '코리아'라는 이름으로 외국에 알려지게 되었다는 사실은 큰 의미가 있습니다.'라고만 되어 있지만, 이루 미루어 아라비아 상인들에 의해 우리나라의 이름이 처음으로 알려졌다는 내용을 떠올려 볼 수 있다. ① 통일 국가였지만 단일 민족인지는 판단하기 어렵다. ② 사실이 아니다. ③ 사실이 아니며 미루어 알 수 있는 내용도 아니다. ④ 사실이 아니다.

5. 고려와 송이 서로 이익이 된다고 생각하여 우호적인 관계를 맺었다는 뜻이다.

6. 북한을 사이에 두고있는 우리나라와 중국은 군사, 외교, 경제의 측면에서 서로 도움이 된다고 해서 우호적인 관계를 맺고 있다.

7. 첫째, 둘째 문단은 대외 관계에 관한 내용이고, 셋째, 넷째 문단은 무역 활동에 관한 내용이다.

---

14 **설명하는 글 읽기(14)**

47~49쪽 **정답**

1 ④	2 대뇌 구조 기능	3 ③
4 ②	5 ③	6 대뇌겉질, 기능

7 사고(생각), 언어, 대뇌, 진화

해설

1. 처음 보는 전문 용어와 더불어 내용을 펼쳐 보여 쉽게 이해할 수 있도록 하기 위해 그림을 곁들였다.

2. 대뇌의 구조와 각 영역의 기능을 그림과 더불어 설명하고 있다.

3. 몸의 균형을 유지하는 것은, 글에서는 나오지 않는데, 소뇌의 기능이다. ①과 ②는 대뇌겉질의 기능이다. ④ 바닥핵의 기능이다. ⑤ 대뇌겉질의 마루엽이 가지는 기능이다.

4. 뇌와 관련되는 과학적 지식이 읽은 내용이므로 이를 활용할 수 있는 분야를 떠올려 볼 수 있다.

5. 남을 괴롭히고도 아무런 감정을 보이지 않는다면, 감정을 조절하는 뇌의 부위가 덜 발달하거나 이상이 생긴 것으로 볼 수 있다.

6. 사람의 느낌과 생각을 담당하고 있는 뇌의 부위는 대뇌겉질이므로 이를 이루고 있는 각각의 영역의 기능에 대한 이해가 먼저 이루어져야 한다.

7. 생각과 언어는 높은 수준의 능력에 속하며, 이를 대뇌가 담당한다. 대뇌의 크기나 다양한 기능은 진화의 정도를 가늠하는 잣대가 된다.

---

15 **설명하는 글 읽기(15)**

50~52쪽 **정답**

1 ④	2 유엔	3 ①	4 ④

5 ⑤   6 중국이 안보리 상임이사국이어서 거부권을 행사할 수 있기 때문이다.

7 ① 전체, ② 없다, ③ 평화, 안전, ④ 있다

해설

1. 첫 문단은 유엔의 운영, 둘째와 셋째 문단은 유엔의

기관에 대해 초점을 맞추고 있다.

2. 부분이 아니라 전체 내용을 포괄할 수 있는 제목이어야 한다.

3. 유엔의 산하 기구와 기관이 각각 몇인지 구별해서 읽어야 한다. 글의 첫머리에 산하 기구가 수십 개라고 되어 있다.

4. 실제로 1950년에 안보리에서 결의하여 연합군을 파견하여 응징했다. ① 조선이 식민지로 된 것은 1910년대인데, 유엔이 결성되기 이전이다. 식민지 규탄은 역사에 없었다. ② 유엔과 무관하다. ③ 유엔이 결성되기 이전의 일. ⑤ 유엔에서 책임을 물은 적이 없으며, 그럴 권한도 없다.

5. 유엔이라는 구조를 이루는 대상을 6개의 기관으로 나누어 살핌으로써 유엔의 원리를 밝히고 있다.

6. 셋째 문단을 보면, 중국은 안보리의 결의에 대해 거부권을 행사할 수 있는 5개의 상임이사국으로 되어 있다.

7. 둘째 문단과 셋째 문단의 내용에서 빈칸을 채울 수 있는 낱말을 쉽게 찾을 수 있다.

---

16 설명하는 글 읽기(16)

53~55쪽 **정답**

1 김치의 별난 이름과 김치와 관련된 이야기

2 김치   3 ①   4 ②   5 ⑤

6 어리석고

7 재료, 인색

해설

1. 글쓴이가 중심 내용을 제시할 경우, 그 위치는 대개 첫 문단이다.

2. 글에 반복해서 나타난 낱말을 찾으면 된다.

3. '서거리김치'는 소금에 절인 명태 아가미를 넣고 담근 깍두기이다. 곧 부재료에 따른 이름이다.

4. 글의 첫머리에 '김치는 주로 주재료나 추가로 들어가는 재료에 따라 이름이 달라져요.'라고 했듯이, 대개 주재료나 부재료에 따라 이름이 정해진다.

5. 셋째 문단은 '담그는 방법'에 따라 이름이 정해진 경

우를 말하겠다고 첫머리에 약속했다. 그런데 문단의 끝 문장, '가을에 거둔, 중간쯤 자란 배추로 담근 김치를 '중걸이김치'라고 한답니다.'는 주재료에 따라 이름이 정해진 예이다. ① 사례를 들어 뒷받침하고 있다. ② 주장의 글이 아니다. ③ 길이가 짧은지 긴지 판단할 수 없다. ④ 이렇게 판단할 만한 근거를 찾기 어렵다.

6. 김치와 관련된 속담은 대체로 못난 사람을 빗대어 표현할 때 사용한다.

7. 별난 이름의 김치는 재료를 떠올리기 어렵다고 했다. 김치와 관련된 속담은 부정적인 인상이 있는 사람과 관련이 있다.

---

17 설명하는 글 읽기(17)

56~58쪽 **정답**

1 ②   2 눈   3 ⑤   4 ②

5 ①   6 ① 원추세포, ② 간상세포

7 ① 모양, 움직임, ② 움직이는, ③ 적외선, ④ 조각조각

해설

1. 동물들이 제각기 다른 방법으로 대상을 보기 때문에 모습이 다르게 비친다는 것이 중심 내용이다.

2. '사람과 동물의 무엇'이라고 답이 될 내용을 정확히 지시하고 있다.

3. 뱀은 가시광선 이외에 적외선까지 볼 수 있다고 했다. 어떤 종류의 옷을 입었을 때 특별히 볼 수 있거나 없다는 내용은 보이지 않는다. ①과 ②는 첫 문단에서 확인할 수 있는 내용이다. ③ 어떤 깃발을 들든 투우의 소가 공격한다고 했다. ④ 움직이는 물체만 공격한다고 했다.

4. 소는 대상의 움직임을 볼 수 있다고 했으므로 투우사가 달아나도 공격을 멈추지 않는다.

5. 사람들이 정확히 알지 못하고 있을 듯한 것에 대해 수수께끼를 하듯이 질문을 던져 흥미를 일으키고 있다.

6. 매는 둘째 문단에서 볼 수 있는 개와 거꾸로 되어 있는 관계이다. '개의 눈에는 어둡고 밝은 것을 구분하

는 간상세포는 많지만, 색깔을 구별하는 원추세포는
매우 적게 들어 있어요.'

7. 각각의 동물들이 대상을 보는 방법을 자세히 설명한
문단을 찾아서 적합한 낱말을 찾는다.

18 설명하는 글 읽기(18)

59~61쪽 **정답**

1 ④   2 한지   3 ②   4 ③
5 ④   6 ㉣, ㉤   7 ① 가볍고, 부드럽고
② 온도, 습도, ③ 가공성

해설

1. 글의 전반부에서는 한지가 만들어지는 과정을 순서
에 따라 설명했고, 후반부에서는 한지의 쓰임새를 나
열했다.
2. 빈칸에 맞추어 제목을 붙인다.
3. 넷은 한지를 달리 표현한 것들이다.
4. 글에 나온 '더운 날에는 찬 공기 들여 시원하게 하고,
추운 날에는 더운 공기 잡아 따뜻하게 하지.'라는 구
절에서 추론할 수 있다. ① 한지가 직접 바깥의 차가
운 기운을 막아 줄 수 있는지는 의문이다. ②와 같으
면 점점 추워진다. ④ 이러면 보온 효과가 없다. ⑤ 보
온이 문제이지 습도 조절이 문제가 된 것이 아니다.
5. '닥나무'가 한지의 재료이며, 이것으로 만든 종이가
한지이다.
6. ㉥, ㉣, ㉤, ㉠, ㉡, ㉢의 순서이다.
7. 글에 나온 특성을 그대로 옮기거나 정리한 내용을 바
탕으로 떠올려 볼 수 있다.

19 설명하는 글 읽기(19)

62~64쪽 **정답**

1 ⑤   2 만화 영화   3 ③
4 ④   5 원화, 동화   6 ①
7 ① 시나리오, ② 주인공, ③ 배경, 소품, ④
이야기 계획표, ⑤ 원화, ⑥ 동화

해설

1. 만화 영화를 만들어야 하는 상황을 설정해 놓고 이를
실현해 가는 과정을 보여 준다.
2. 등장인물들의 이야기를 통해 만화 영화를 만드는 방
법을 설명하고 있다.
3. 한 사람이 아니라 여러 사람이 나누어 그린다. ① 만
화 영화를 만드는 데는 먼저 이야기가 필요하다고 했
는데, '이야기'가 시나리오이다. ② 어떤 행동을 하고,
사건을 벌이는지 그린다. ④ 움직임에 따라 배경이
달라지기 때문이다. ⑤ 여러 장을 따로 그려서 연결
하여 보여 주면 움직이는 동작이 된다.
4. 원화로는 중간 동작을 그린 그림이 없어 움직임을 제
대로 보여 주지 못한다.
5. 그림 쥐의 말에 나온다.
6. 문제 상황을 해결하기 위해 방안을 늘어놓는 말하기
는 토의이다. 관점과 의견의 대결을 보여 주는 토론
과 구별된다. '독화'는 혼자 말하기이다.
7. 내용 변화를 기준으로 하여 문단을 나누어 놓고 각
문단에 나타난 과정이 무엇인지 정리해야 한다.

20 설명하는 글 읽기(20)

65~67쪽 **정답**

1 ③   2 지구의 모양   3 ④
4 ⑤   5 ②   6 한 방향
7 ① 둥글다, ② 돛대, ③ 높아진다.

해설

1. 글의 주요 내용은 후반부이다.
2. 글감, 곧 글의 재료가 무엇인지 묻고 있다. 지구의 모

양에 대한 고대인들의 생각, 증명에 의해 밝혀낸 그 이후의 생각이 모두 실려 있는 글이다.

3. 피타고라스는 주변의 자연물이 둥근 모양인 것을 보고 지구도 둥글다고 생각했을 뿐 과학적으로 증명한 것은 아니다.

4. 북극성이 위도가 높아질수록 높이 보이는 것과 같은 이치로 생각할 수 있다. 즉 지구가 둥글기 때문에 높이 올라갈수록 시야가 넓어져서 멀리까지 볼 수 있다. ①, ②, ③은 글에서 과학적인 증거가 아니라고 밝혔다. ④ 사람들의 관심이 과학적인 증거가 될 수는 없다.

5. '지구가 둥글다는 증거'를 주제로 하여 세 항목을 나열하는 짜임을 보여 주고 있다.

6. 한 방향으로 계속 항해하여 제자리로 돌아왔다는 사실이 지구가 둥글다는 증거이다.

7. 기억하지 못했다면 글에서 다시 확인하면 된다.

---

21 설명하는 글 읽기(21)

68~70쪽 정답

```
1  남극 개발(진출, 탐험) 과정      2   장보고
과학기지  3 ⑤       4 ①       5 ③
6 ① 눈, ② 땅        7 ① 설계, ② 우리나
라, ③ 준공식
```

해설

1. 1985년 등정과 탐험으로 시작하여 두 개의 과학기지를 세워 남극을 연구 개발하게 된 과정을 설명한 글이다.

2. 1988년에 준공한 세종과학기지의 한계를 극복하고 연구를 보다 심화하기 위해 장보고과학기지를 추가로 건설하여 2014년에 완공하였다.

3. 영토권 주장은 평화적 이용과 모순된다.

4. 둘째 문단을 보면 '탐험'이 제일 먼저 한 일이다.

5. 필요한 내용만 골라서 읽어야 하므로 훑어 읽기가 적절하다. ① 보고서와 같이 있었던 일을 소개하는 글은 내용의 흐름을 따라가면서 모두 읽는 것이 좋다. ② 정독이다. 정확한 내용 이해를 위해 필요한 방법

이다. ④ 한문 경전을 읽을 때 이런 방법을 썼는데, 뜻을 알게 될 때까지 거듭해서 읽는 방법이다. ⑤ 이 글을 읽어서 개발 이후의 문제까지 예상할 수는 없다. 적절한 읽기 방법이 아니다.

6. 실제로 남극 기지를 건설하면서 기술자들이 고려한 사항들이다.

7. 글에서 설명한 주요 내용을 순서에 따라 정리해 보았다.

---

22 설득하는 글 읽기(1)

71~73쪽 정답

```
1 ②       2 국토 개발, 방향      3 ④
4 ③       5 ②       6 ① 경쟁력, ② 친환
경, ③ 품격, ④ 열린      7 ① 논, ② 제방,
③ 비용, ④ 람사르, ⑤ 환경, ⑥갈등
```

해설

1. '국토 개발은 친환경적으로, 주민 사이의 갈등을 해소하는 방향에서 균형 있게 이루어지는 것이 바람직하다.'를 주제문으로 삼을 수 있다.

2. 주장의 글임을 염두에 두라는 것은 특히 글의 후반부 내용에 초점을 맞추어 제목을 떠올려보라는 것이다.

3. 우포늪의 사례를 보면, 시민단체와 정부의 개입으로 주민 갈등이 해소되는 모습을 보여 주었다.

4. 한정된 자원도 국토 개발을 통해 효율적으로 이용하면 편리하고 풍요로운 생활을 할 수 있다고 하였다.

5. '마구잡이'를 어려운 한자 '난'으로 바꾸어 새로운 한자어를 만들었는데, 이렇게 되고 보니 뜻은 같지만 한자어를 많이 알지 못하는 사람이라면 뜻을 알기 어렵게 되었다.

6. 글의 내용을 기억하고, 어구의 앞뒤에 있는 다른 말과 견주면서 적절한 낱말을 떠올려본다. 4차 국토 종합 개발은 '국토를 균형있게 발전시키는데 힘을 쏟고 있다'라고 첫문단 마지막에 말하고 있다.

7. 글에서 우포늪 개발에 관한 내용이 나온 부분을 보면서 필요한 말을 넣는다.

23 설득하는 글 읽기(2)

정답

1 ②   2 학습 만화는 유익하다. 3 ①
4 ④   5 ⑤   6 ① 결론(결정), ② 해결 방법, ③ 근거, ④ 찬반, ⑤ 찬반
7 ① 유익, ② 개념, ③ 유익하지, ④ 흥미 위주, ⑤ 짧은 대사

해설

1. '공부에 도움이 된다.'가 근거의 핵심 내용이다.
2. 토론 첫머리에 제시되었다. 토론에서는 '주제'와 '제목'을 같은 뜻으로 사용한다.
3. 토론에 질문자가 있는 경우도 있지만 대개는 혼란을 피하기 위해 공식적인 참가자로 넣지 않는다.
4. 판정단이 찬성편이 승리했다고 판정하는 이유를 보면, 주장은 물론이고 근거의 타당성과 신뢰성이 모두 중요하다. ① 판정단의 관점과 입장에 따른다면 편견에 치우쳐 공정한 판정을 할 수 없는 경우가 생긴다. ② 청중의 질문이 토론에 꼭 들어가지는 않는다. ③ 객관적인 기준이 아니다. ⑤ 발표자가 보인 자세라는 말의 뜻이 지나치게 애매하다.
5. 상대방의 주장과 근거의 타당성을 철저히 따지는 것은 참가자의 권리이자 의무이므로 토론 규칙에 어긋나지 않는다.
6. 토론은 찬반으로 편이 나누어진다는 점이 토의와 가장 뚜렷하게 차이가 나는 점이다.
7. 글에 나온 대로 순서에 따라 정리한다.

24 설득하는 글 읽기(3)

정답

1 ④   2 지속 가능한 발전   3 ①
4 ①   5 ②   6 환경 보전, 자원 절약   7 환경, 경제, 성장, 인구

해설

1. 환경 훼손, 자연과 조화를 이루지 못한 무자비한 개발, 인구의 폭발적인 증가, 사회적 균형 성장이 되지 않아 성장이 한계에 이르렀음을 알려주고 있다.
2. 여러 번 반복되면서 글의 중심 어구가 되었다.
3. 사람들의 생존을 위태롭게 할 정도여야 가장 중요한 원인이라 할 수 있다. 무엇보다 중요한 원인은 20세기 접어들어서 시작된 인구의 폭발적인 증가라 할 수 있다. 이는 연쇄적으로 환경 훼손과 자원 고갈, 사회적인 불평등을 불러왔다. ② 원인 중의 하나가 될 수 있지만 그다지 중요한 원인은 아니다. ③ 풍족한 삶은 게으른 태도를 불러일으키지만 성장을 멈추게 하는 직접적인 원인이 되지는 않는다. ④ 원인 중의 하나이지만 치명적이지는 않다. ⑤ 원인과 무관하다.
4. 사람들의 지나친 욕심과 그에 따른 사회적 불평등이 성장의 한계에 이르게 하는 원인이라는 점에서 남을 먼저 배려하는 마음은 지속 가능한 발전을 위한 바람직한 태도이다.
5. 바로 앞에 있는 '적극적인 성장억제 정책과 인구 안정화'라는 구절이 같은 내용임에 착안하여 뜻을 떠올려보면서 뒤의 '세계를 균형 상태로 유도 한다.'와 이어지도록 한다.
6. 대중교통을 이용하고, 에너지를 아끼려는 노력을 보여 준다.
7. 지속 가능한 발전의 의미와 그를 위한 노력을 요약하였다.

25 설득하는 글 읽기(4)

정답

1 선의의 거짓말을 해도 된다.   2 선의의 거짓말   3 ④   4 ③   5 ②
6 해설 참고   7 ① 바늘 도둑이 소도둑 된다. ② 선의의 거짓말을 하기보다는 침묵하는 편이 좋은 방법이다. ③ 속임약 효과처럼 상대를 안심시켜 병을 낫게 한다. ④ 선의의 거짓말이 가진 긍정적인 효과에 비하면 제기된 반론은 아주 사소한 문제이다.

해설

1. 글의 첫머리에 소개되어 있다. 안건이 주제이다.

2. 무엇을 대상으로 토론하고 있는지 생각해 보자.

3. 배려하는 차원에서 하는 선의의 거짓말은 해도 된다고 하였다.

4. 어느 쪽도 인신공격을 한 적은 없다.

5. 우리 학교 학생들의 설문 조사 자료를 인용했다.

6. 판정단은 찬성편이 근거를 뒷받침하는 자료를 잘 제시해 주었고, 상대편의 반론에 재반박을 잘하였으며, 진지하고 경청하는 자세로 토론에 참여하였기 때문에 승리했다고 선언했다.

판정 영역	판정 기준	판정	
		찬성편	반대편
주장 펼치기	주장이 설득력 있고, 이를 뒷받침하는 근거가 타당하고 믿을 만하다.	○	
반론 하기	상대편의 주장과 근거의 문제점을 찾아 반박하는 주장을 펼친다.		○
	상대편이 제시한 반론에 대하여 적절히 재반박한다.	○	
주장 다지기	주장과 근거를 다시 정리하여 주장을 분명하고 굳건하게 한다.	○	
태도	토론의 규칙을 잘 지킨다.	○	○
	상대편의 말을 경청하며 예의 바른 태도로 토론에 참여한다.	○	

7. 문장으로 답하기에 어려움이 있겠지만, 해당하는 문장을 토론의 과정에서 정확하게 찾기만 하면 답을 쓸 수 있다.

---

26 설득하는 글 읽기(5)

85~87쪽 **정답**

1 ④   2 어린이 보행 안전   3 ⑤
4 ④   5 ②   6 ①   7 ① 교통
사고, ② 운전자, ③ 안전 시설, ④ 안전 수칙

해설

1. 현실에서 무엇이 문제인지 관심을 불러일으킨 다음

문제를 해결하는 방안을 제시하고 있다.

2. 어린이 보행 안전에 초점을 맞추어 교통 당국과 어린이 스스로 어떤 일을 해야 하는지 의견을 말하였다.

3. 어린이가 스스로 할 수 있는 일, 끝 문단의 내용에 유의한다.

4. 첫 문단에 문제가 무엇인지 말하고, 둘째 문단부터 끝까지 그 문제를 해결할 수 있는 방안을 제시하였다. ① 첫째, 둘째, 셋째라는 낱말과 더불어 여러 항목으로 늘어놓는 방법 ② 일이 이루어지는 순서에 따르는 방법 ③ 사건의 원인을 먼저 말하고 그 결과를 잇는 방법 ⑤ 대상 둘을 공통점이나 차이점으로 견주어 가는 방법

5. '것을 알 수 있다.'는 사실이 무엇인지 알리는 서술어이다. (이 글은 설득, 주장하는 글이다.)

6. 초등학생들의 바깥 활동 제한은 근본적 해결책이 못 된다.

7. 무엇을 문제 삼았는지, 해결 방법은 무엇이었는지 다시 확인한다.

---

27 설득하는 글 읽기(6)

88~90쪽 **정답**

1 변화하는 세계 무역 환경에 대처하는 방안
2 ②   3 ①   4 ②   5 ③
6 ① 원료, ② 원료, ③ 수출 가격
7 ① 친환경 제품을 만든다. ② 우리 제품의 우수성을 홍보한다.

해설

1. 글 전체의 중심 내용은 끝 문단에 실려 있다.

2. 무역을 중심으로 우리 경제의 특징과 나아갈 길을 제시하고 있는 글이다.

3. 농산물의 수입과 가격 변동의 관계에 대해서는 언급한 내용이 없다.

4. 원자재 가격이 오르면 국제 경쟁력이 떨어져 수출이 어려워진다는 내용에서 새롭게 떠올려 볼 수 있다. ① 첫 문단에 나온 내용이어서 새로 떠올린 사실로 볼 수 없다. ③ 의존도가 높은 국가들이므로 우리

경제도 나빠지기 쉽다. ④ 이치상으로 맞는 내용이지만, 글에서 떠올릴 수 있는 내용은 아니다. ⑤ 농산물의 가격은 내린다.

5. '무역의 개념', '국제 무역 환경의 변화', '변화에 대응하는 방안' 등의 소주제를 뒷받침하는 내용이 한 문장으로 나타났고, 구체적인 내용이 아니어서 이해가 어렵다.

6. 무역 의존도가 높은 우리나라 경제의 특징을 글의 내용으로부터 떠올려 본 것이다.

7. 끝 문단에 제시된 방안을 순서대로 따라 가면서 문장을 정리한다.

28 설득하는 글 읽기(7)

91~93쪽 **정답**

> 1 ①   2 우리말 다듬기   3 ③
>
> 4 ④   5 ②   6 ① 댓글(답글), ② 안
> 전문, ③ 생각그물, ④ 실내화
>
> 7 ① 순수 우리말 쓰기, ② 쉬운 우리말 쓰기,
> ③ 말을 사용하는 우리의 의식 바꾸기

해설

1. 첫 문단에 주제로 삼을 내용을 명확하게 제시하였다.

2. 셋째, 끝 문단의 첫머리에 반복해서 나타나면서 제목으로 삼을 구절이 있다.

3. 둘째 문장 첫머리에 '그런 까닭에'를 붙일 수 있다. 곧 첫 문장을 내용상 근거로 삼아 둘째 문장에서 주장을 펼치고 있는 것이다. ① '몸이 아팠다. – 그래서 결석했다.' ② 개념의 제시 – 알기 쉬운 설명 ④ '봄이 오면 꽃이 핀다. – 진달래, 개나리 등' ⑤ '정부 관료가 부패했다. – 국가가 위기에 처했다.'

4. '글자만 남게 된다.'라는 것은 정신과 문화를 표현하는 기능을 잃고 발음 기호 구실만 하게 된다는 뜻이다.

5. 둘째 문단과 셋째 문단에 글을 쓴 동기가 잘 드러나 있다.

6. 말이 지니는 뜻을 보면 다듬은 말을 떠올려 볼 수 있다.

7. 셋째의 '의식 바꾸기' 이외에는 글에 나온 대로 옮겨 적으면 된다.

29 설득하는 글 읽기(8)

94~96쪽 **정답**

> 1 ②   2 성공하기 위한   3 ①
>
> 4 ③   5 ②   6 할 수 있다. 7 ㉮ 긍
> 정적인 생각과 말 ㉯ 비록 회사에서 해고되었
> 지만 아직도 나는 내 일을 사랑하고 있어. 그
> 래, 다시 시작하는 거야.

해설

1. 둘째 문단의 첫머리에 미리 요지를 간추린 문장을 제시해 두었다.

2. 글의 첫머리에 어떤 내용을 쓸 것인지 약속한 문장이 있다. 여기서 제목으로 쓸 낱말들을 볼 수 있다.

3. 거의 문단마다 한 번씩 반복하여 나타났다.

4. 성공의 확신을 심어주는 긍정적인 말

5. 말한 대로 실현된다는 뜻의 속담이면 글의 내용과 잘 어울린다. ① 실속 없이 말만 그럴싸하게 잘 한다. ③ 말로만 남을 대접하는 척한다. ④ 잔말이 많으면 살림이 잘 안 된다. ⑤ 말만 잘하면 어려운 일이나 불가능한 일도 해낼 수 있다.

6. 이길 수 있다는 자신감을 심어주는 긍정적인 말을 떠올릴 수 있다.

7. 성공의 요소는 공통적이다. 자기 확신의 긍정적인 말은 글에 나온 대로 옮겨 쓰면 된다.

30 설득하는 글 읽기(9)

97~99쪽 **정답**

> 1 ⑤   2 경제 성장의 그림자   3 ①
>
> 4 ②   5 ⑤   6 ① 빈부 차이의 갈
> 등이 줄어들 것이다. ② 자원 확보를 위한 국
> 가 사이의 갈등이 줄어들 것이다. ③ 회사도
> 근로자도 소득을 높여 갈 수 있을 것이다.
>
> 7 ① 소득, ② 갈등, ③ 차등, ④ 일자리

1. 경제 성장의 과정에서 생긴 문제점을 확인하는 내용에 초점이 맞추어진 글이다.
2. 첫머리에 나온 '경제 성장'을 사용하고, 우리 사회의 어두운 측면을 다룬 내용을 비유하여 '그림자'로 비유하여 제목을 붙일 수 있다.
3. 경제 성장의 과정에서 '환경 훼손(파괴, 오염)' 문제도 생겼지만 글에서는 다루지 않았다.
4. 소득이나 분배에 차별이 없을 것이므로 더 이상 가난에 시달리지 않을 것이다. ① 자원 고갈이 해결된 미래, ③ 자원 고갈, 노사 갈등이 해결된 미래, ④ 환경 문제가 해결된 미래, ⑤ 글의 내용과 관계없는 상상
5. (마)는 해결의 필요성을 중심 내용으로 삼고 있다.
6. 글에서 문제의 심각성, 해결의 필요성을 뒤집어 답을 쓰면 된다.
7. 빈부 격차 문제를 다룬 부분에서 필요한 낱말을 찾는다.

31 설득하는 글 읽기(10)

100~102쪽 **정답**

1 ④   2 호수의 산성화   3 ②
4. ③   5 ③   6. 아시아에서 호수의 산성화가 점점 심해질 것이다.
7 ① 산성비, ② 산화 물질, ③ 토양, ④ 생태계, ⑤ 산성비, ⑥ 자세

1. 호수가 산성화하는 것이 두렵고 안타까워서 글을 쓴 것으로 볼 수 있다. 이런 동기가 잘 드러난 문장을 찾는다.
2. 무엇을 문제 삼아 주장을 펼쳤는지 파악한다.
3. 대기 오염의 원인으로 글에 나타난 것은 매연이다.
4. 첫 문단을 보면, 스웨덴, 캐나다처럼 깨끗한 나라라고 알려진 곳에서도 호수의 산성화가 일어나고 있다. 이웃 나라에서 날아온 오염된 대기 때문이다. ① 대기의 산화 과정을 설명한 내용이 나타나지 않으므로 그 결과가 산성비인지를 알 수 없다. ② 글에 나온 사

실로 미루어 알 수 있는 내용이 아니다. ④ 작은 물고기가 먹이사슬에서 어떤 위치에 있는지 알 수 있는 내용은 보이지 않는다. ⑤ 독이 없어지는지는 알 수 없다.
5. 1~3문단은 원인 분석, 4문단은 해결의 필요성, 5~끝 문단은 해결의 방안에 대해 말하고 있다.
6. 그래프에서는 황산화물인 이산화황의 배출이 아시아에서 해가 갈수록 심해진다는 사실을 알려준다. 황산화물이 산성비의 주된 원인이라는 점에서 이로 인한 호수의 산성화 심화를 예상할 수 있다.
7. 같거나 비슷한 모양의 구절을 찾아서 빈칸에 들어갈 낱말을 구한다.

32 설득하는 글 읽기(11)

103~105쪽 **정답**

1 ⑤   2 스마트폰 중독   3 ①
4 ④   5 ②   6 스마트폰 중독에 대응하기 위한 방안을 마련하고 실행해야 한다.
7 ① 위험, ② 게임, ③ 정신, ④ 계획적, ⑤ 제한, ⑥ 반복적, ⑦ 위험, 장해

1. 셋째 문단의 둘째 문장에 중심 생각이 실려 있다. 이 문장에 스마트폰 중독에 대응하는 방안이 나타나 있다.
2. 글자 수를 맞추어 제목을 붙인다.
3. '대중교통의 이용'에 관해서는 글의 어디에도 언급하지 않았다. 글에 나온 대로 인용해 보면, ② 스마트폰을 사용하느라 수업 시간에 집중을 못하는 학생들, ③ 거북목 증후군, 수면장애, ④ 강박증, 우울증, 정신증, 불안, 대인 예민증, 편집증, 신체화, 적대감, 공포 불안 등, ⑤ 어린 자녀들이 보챌 때 이를 달래기 위한 수단으로 스마트폰을 쥐어주는 경우가 있는데, 이것은 젖 뗀 아이에게 길거리에서 파는 불량 식품을 던져주는 것과 같다.
4. 글의 다음 문장에서 떠올릴 수 있다. '사람과 사람의 직접적인 교류, 일상적인 관계를 통해 나누는 대화의 소중함을 알 수 있도록 하는 것이 스마트폰 중독에

있어서 가장 필요한 예방법이다.'

5. ㉠에 이어지는 내용을 보면, 스마트폰 사용을 되도록 삼가고 억제하라는 뜻이다. 삼가고 억제하도록 여러 가지 구체적인 방법을 제시하고 있다.

6. '스마트폰 중독', '대응 방안'의 내용이 반드시 들어가야 한다.

7. 실태는 첫째, 둘째 문단에 실려 있고, 대응 방안은 셋째, 넷째 문단에 실려 있다. 실려 있는 위치로 가서 알맞은 낱말을 찾는다.

33 이야기 글 읽기(1)

106~108쪽 정답

1 ①   2 역사, 국립경주박물관   3 ④
4 ③   5 ⑤   6 ① 기대감, ② 느낌,
7 ① 섬세하고, ② 미소, ③ 장인 정신, ④ 경건한

해설

1. 여행의 목적은 기행문의 첫머리에 실려 있다.

2. 글의 갈래가 기행문이므로 기행문의 특징이 떠오르도록 제목을 붙여야 한다. 여행지, 감상의 요지 등이 드러나면 된다.

3. 기행문은 '여행한 곳과 여행의 목적, 견문과 감상, 전체적인 감상, 더 알고 싶거나 보고 싶은 것'의 순서로 전개된다. 이런 순서가 형식으로 정해진 글이다.

4. 견문과 감상을 쓸 자료를 미리 잘 준비해 두어야 글을 쉽게, 실감나게 쓸 수 있다.

5. 글을 마무리 하는 부분에 실려 있다.

6. '첫문단 → 중간 → 끝문단'의 3단계로 짜였다.

7. 본문에 실려 있는 낱말 그대로 답한다.

34 이야기 글 읽기(2)

109~111쪽 정답

1 ①   2 옹고집전   3 ④
4 ⑤   5 ②   6 ① 인물, ② 성격, ③ 말, ④ 행동   7 ① 어머니, ② 스님,
③ 가짜, ④ 진짜, ⑤ 가짜, ⑥ 거지

해설

1. 어머니도 봉양하지 않고, 스님을 구박하여 내쫓은 악한 인물 옹고집이 죄를 반성하여 착한 사람으로 거듭나는 내용이다.

2. 주인공이 '옹고집'이므로, 여기에 '전'을 붙이면 제목이 된다.

3. 원님이 집안 사정을 이야기하라고 하자, 진짜 옹고집은 자기가 가짜라고 잘못 판결이 나는 게 두려운 나머지 긴장하여 더듬거리며 말하였다. 반면, 가짜 옹고집은 집안 사정을 미리 알고 있어서 긴장하지 않고 술술 말하였다. 그래서 집안 사정을 이야기한 사건이 진짜와 가짜를 바꾸어 놓는 결정적인 사건이 되었다.

4. 몸살이 난 어머니에게 약을 지어주기는커녕 저절로 나을 병이라면서 발뺌하는 말에서 인색하고 고집스런 성격을 떠올릴 수 있다. ①과 ②는 다정다감하고 효성스런 옹고집 처의 말이다. ③ 병든 어머니의 말이다. ④ 악행을 일삼는 옹고집을 벌하고자 하는 스님의 말이다.

5. 빈 곳의 앞뒤에 나타난 말을 보고 어떤 상황인지 판단해야 들어갈 말을 떠올릴 수 있다. ㉠은 가짜 옹고집이 진짜 옹고집인 척하기 위해 시치미를 떼는 장면 부분이다. ㉡은 원님이 형방에게 명령을 하여 옹고집을 서릿발 같은 매서운 말로, 매우 치라는 장면 부분이다.

6. '옹고집'이라는 인물에 초점을 맞춘 작품이며, 특히 고집스럽고 인색한 성격이 강조되었다. 이런 성격은 옹고집의 말과 행동에 의해 떠올려 볼 수 있도록 하였다.

7. 이야기 갈래의 글이므로, 인물과 사건을 중심으로 줄거리를 간추려 볼 수 있다.

35 이야기 글 읽기(3)

112~114쪽 **정답**

1 ④   2 꿈을, 책 아주머니   3 ④
4 ④   5 ①   6 내가 즐겁게 책을
읽는 모습이다.   7 ① 하찮게, ② 호기
심, ③ 나부랭이

해설

1. 꿈쩍도 않을 것 같았던 '나'를 향해 책 아주머니가 어려움을 무릅쓰고 책을 날라 왔고, 그런 지극한 정성이 결국 책에 대한 '나'의 생각을 온통 바꾸어 놓은 장면이 감동적이다.

2. 책에 대한 '나'의 생각을 바꾸어 놓은 인물이 책 아주머니이며, 산골에 사는 '나'에게 책을 통해 꿈과 희망을 가지게 해주었다.

3. '나'는 책에 대해 아예 관심이 없었기 때문에 책 아주머니가 오든 말든 기다리지 않았다. 뒤에 책을 읽게 되었을 때도 기다렸다는 말은 나타나지 않는다. ① 가족 이외에는 주변에 매와 동물들뿐이라고 했다. ② 누나인 라크는 '세상에서 가장 책을 좋아하는 아이'라고 부를 정도이다. ③ 서술자의 목소리로 직접 전달한 성격이다. ⑤ 역시 글에 그대로 나타난 내용이다.

4. 책에 뭐라고 쓰여 있는지 가르쳐 달라고 한 것은 책에 관심을 갖게 되었음을 드러낸 것이다.

5. 낱말 대신에 새겨 놓은 뜻을 대신 넣어 보면 어색한 것이 금방 드러난다. '나부랭이'는 물건이나 사람을 낮잡아 이르는 말이다.

6. 책 아주머니의 정성에 감동하여 '나'가 책을 읽게 되었고, 자랑삼아 책을 읽어 드리는 선물을 해 주고 있다.

7. 글에 나온 낱말을 쉽사리 찾을 수 있다.

36 이야기 글 읽기(4)

115~118쪽 **정답**

1 ③   2 경쟁(다툼)   3 ②
4 ⑤   5 ①   6 남을 짓밟으려는 마음(욕심을 채우려는 마음), 이웃을 사랑(배려)하는 마음   7 더 나은 삶, 꼭대기, 노랑 애벌레, 애벌레 기둥

해설

1. 글을 다 읽고 떠올릴 수 있는 물음이 무엇인지 생각해 보라고 했다. '어디로 가고 있는 것일까?'라는 글 속의 물음과 관련되는 물음이어야 한다.

2. '애벌레 기둥 꼭대기로 올라가려는 모습'이라는 문제의 조건이 있다.

3. 애벌레 기둥이 아니라, 나무에서 내려온 이유를 물었다. 앞의 줄거리를 보고 답하는 게 좋다.

4. 호랑 애벌레에게 기둥 꼭대기로 올라가는 일은 운명처럼 정해져 있어서 거기로 향하는 마음을 떨칠 수는 없다. 얼마간 시간이 지나면 올라가게 되어 있는 곳이다. ① 애벌레들은 풀밭을 떠나 살기는 어렵다. ② 다른 애벌레와 어울릴 만한 단서가 보이지 않는다. ③ 호랑 애벌레가 병들어야 할 이유가 없다. ④ 호랑 애벌레는 살아가는 동안 내내 기둥의 꼭대기로 올라가고 싶은 욕망을 떨치지 못한다.

5. 큰길로 창이 나 있다면 '어수선한', 또는 '소란스런' 느낌이어야 어울린다. '아늑한'은 '감싸주듯이 편안한'이라는 뜻이다.

6. 서로 어울리지 못하고 대립을 계속하는 두 가지 마음이어야 한다.

7. 사건만을 간추린다고 했다.

37 이야기 글 읽기(5)

119~121쪽 **정답**

1 ④	2 글만 읽는 가난한 양반
3 ③	4 ④ 5 무능(능력없음)
6 ②	7 온종일 글만 읽으며, 일은 하지
않고 벼슬살이도 하지 않았다.

해설

1. 양반이 가난에 못 견뎌 신분을 팔아 생계를 유지하려는 현실에 놓여 있는 모습을 잘 보여 준다. 이러한 시대적 배경을 중심으로 작품을 감상해야 바람직하다.
2. 주인공은 글만 읽으며, 가난한 형편에 처해 있는 양반이다.
3. 양반은 조상으로부터 물려받은 것이 없었다.
4. 가난을 벗어나고자 하는 의욕이 없고 다시 환곡에 의존하려는 것으로 보아 가난을 면치 못할 것으로 보인다. ① 벼슬할 마음이 아예 없다. ② 양반의 본분으로 여기고 계속 독서할 것이다. ③ 부자가 되는 것을 천박하다고 생각하였다. ⑤ 양반의 자존심을 팔 수 없다고 다짐했다.
5. 능력 없음을 풍자하고자 한 것으로 볼 수 있다.
6. 다른 등장인물은 듣지 못하고, 관객은 들을 수 있도록 한 대사를 '방백'이라 한다.
7. 글의 서두에 자세히 나온 내용이다.

38 이야기 글 읽기(6)

122~124쪽 **정답**

1 ①	2 늦달이 아저씨	3 ③
4 ②	5 ⑤ 6 편지	7 ① 번개,
② 노래, ③ 최선, ④ 속도, ⑤ 여유, ⑥ 즐기는

해설

1. 탕수육도 마음껏 시키지 못한다고 하면서, 늦달이에게 배달을 시키는 것을 보면 어떤 삶을 추구하는지 짐작할 수 있다. 가난하지만 인정이 넘치는 사람과 더불어 살고자 한다.

2. 주인공의 별명은 '늦달이'이다.
3. 웃는 얼굴을 여러 번 비쳤으며, 동작이 굼떠 배달을 제 때 하지 못한다고 하였다. ① 같은 나라인지는 알 수 없다. ② '번개'에 관한 설명이다. ④ 우리말은 발음도 문법도 서투르다. ⑤ 모자를 바꾸어 썼지만 수집하는지는 알 수 없다.
4. 실수가 많았지만, 아버지가 좋아하는 삶의 모습을 보여 주었기 때문이다.
5. 꽃 이름을 물을 때마다 모른다고 한 것은 숨은 뜻이 있는 것으로 볼 수 있다. 아저씨는 애써서 정이 있는 아름다운 모습을 보여 주고 싶었는데 사람들이 그런 뜻을 몰라주고 꽃 이름만 물었으니 그런 진짜 의도를 알아달라는 뜻으로 '모른다'고 했을 수 있다.
6. ⓒ은 외국인 노동자가 된 사연을 내용으로 품고 있고, ⓒ은 한국인들, 특히 우리 가족과 맺은 인연을 말하고 있다. 이런 사연을 전하고자 한다면 편지가 가장 알맞은 글이다.
7. 두 인물의 성격 비교가 이야기의 내용 파악에 특히 중요하다.

39 이야기 글 읽기(7)

125~127쪽 **정답**

1 ⑤	2 안토니오와 샤일록의 재판
3 ③	4 ① 5 ②
6 ① 계약서, ② 피, ③ 살, ④ 피, ⑤ 전 재산
7 ① 고리대금업자, ② 재판, ③ 자비, ④ 살
⑤ 피

해설

1. 죽을 사람이 살아나게 된다든가, 이른바 극적인 반전이 있을 때 관객은 환호하게 된다.
2. 갈등을 보이는 중심인물은 안토니오와 샤일록이다.
3. 미리 음모를 가지고 맺은 계약은 이행하지 못하게 될 때 위험한 상황이 온다.
4. 샤일록은 계약대로 해야겠다고 고집을 부리며, 목숨과 관련된 계약을 기어이 실행에 옮겨야 하겠다고 할

만큼 인정이 없다. ② 안토니오가 나약한지는 판별하기 어렵다. ③ 바사니오는 친구의 위험을 보고 눈물을 흘릴 만큼 정이 많다. ④ 그레시아노가 셈이 빠르다고 판단할 만한 근거가 보이지 않는다. ⑤ 재판관으로 변장한 포셔는 공정하다고 할 수는 있지만 인정에 매여 일을 처리하지는 않았다.

5. 샤일록은 자신이 스스로 꾸며 놓은 일로 인해 궁지에 빠졌다고 할 수 있다.

6. 이야기에 실제로 나온 대사이다.

7. 이야기에 흐름을 잘 파악하면 빈칸을 채울 수 있다.

40 이야기 글 읽기(8)

128~130쪽 정답

1 ③ 2 백선행의 행적(힘쓴 일)
3 ⑤ 4 ④ 5 ② 6 다른 사람을 반드시 도와야 한다. 7 검소함, 좋은 일, 도움

해설

1. 칭송을 받을 만큼 착한 성품이어야 본받을 만하다.

2. 백선행이 살면서 어떤 착한 일을 했는지를 글감으로 삼았다.

3. 민족의 장래에 관심을 가졌지만 독립을 위해 직접 노력한 모습은 보이지 않는다.

4. 돈을 내놓으라고 위협하는 도둑에게 '돈을 줄 수 없다.'라고 하며 달려들어 부상을 입었던 말과 행동에서, 재물이 좋은 일에 쓰이기를 바랐던 그의 삶을 떠올려볼 수 있다.

5. 읽은 글의 내용과 관련이 있는 내용이어야 하고, 최선의 결론에 이르기 위해 여러 가지 의견을 내놓을 수 있는 내용이어야 한다. ① 읽은 글의 내용과 관련이 없다. ③, ④, ⑤는 모두 글의 내용과 직접적으로 관련이 없는 내용이며, 찬성과 반대로 의견이 나누어질 수 있기 때문에 토의보다는 토론의 주제로 어울린다.

6. 토론은 '도와야 한다.'라고 주제를 제시하여 찬성과 반대의 의견이 나누어져서 근거를 들어가면서 주장

의 정당성을 내세울 수 있어야 한다.

7. 글에 나온 말로 빈칸을 채울 수 있다.

41 이야기 글 읽기(9)

131~133쪽 정답

1 ④ 2 최고의 경영자 3 ⑤
4 ③ 5 ④ 6 칠전팔기 7 아들에게 자신감을 주고자 하였다.

해설

1. 어머니의 열정적인 격려의 말씀 덕분에 20세기 최고의 경영자에까지 오른 잭 웰치의 고백이 중심 내용이다. ① 자신감을 잭 웰치 스스로 가진 것이 아니다. 어머니가 불어넣어 주었다. ② 글에 나온 사실이기는 해도 중심 내용은 아니다. ③ '솔선수범'은 '앞장서서 모범을 보인다.'라는 뜻인데 글의 내용과 무관하다. ⑤ 평판, 버림받음은 글의 내용에 나오지 않는다.

2. 글에 따옴표를 써서 강조해서 나오는 구절이다.

3. 어머니가 어려운 일을 당해서 이겨내는 모습은 보이지 않으며, 그랬다는 해설도 없다.

4. 앞서 나온 "만일 실패가 무엇인지 모른다면 너는 영원히 성공하는 법도 알 수 없을 것이다. 정말 모르겠다면 경기에 참가하지 말거라!"라는 어머니의 말씀이 지니는 의미를 풀어놓은 문맥이 와야 한다.

5. 어머니는 남을 원망하는 인상과 거리가 멀다.

6. 일곱 번 넘어지고(거듭 어려움을 겪고) 여덟 번째에 일어나다[七顚八起].

7. 앞의 말은 실패를 딛고 성공할 수 있다는 자신감을 심어주고자 한 말이다. 뒤의 말 역시 신체적 약점을 극복하고 남보다 나은 능력을 발휘할 수 있다는 자신감을 심어주고자 한 말이다.

 이야기 글 읽기(10)

134~137쪽 **정답**

1 ⑤   2 한글 운동   3 ①
4 ④   5 ②   6 ①, ④   7 우리말
문법책, 독립신문, 우리말, 우리글, 맞춤법

해설

1. 우리말의 발음과 우리글의 표기, 그 편리함과 우수함을 연구하고 가르치는 데 평생을 바쳤다.
2. '한글'이라는 이름도 주시경이 붙였다.
3. 우리말을 '국어', 우리글을 '한글'이라 부르며 둘을 연구하는 데 온힘을 기울였다. ② 주시경의 계몽 운동은 주로 우리말 발음과 우리글 쓰기에 맞추었다. ③ 글자꼴에 대해서 관심을 드러낸 적은 없다. ④ 독립 운동을 광고한 적은 없다. ⑤ 한글 맞춤법 통일안의 기초에 대해서는 기여를 했으나 제정은 후세의 학자들이 하였다.
4. 뒤에 이어지는 내용을 보면 『말모이』, 곧 우리말 사전을 편찬하는 데 애썼음을 알 수 있다.
5. '넉넉지'는 기본형이 '넉넉하다'이다. 어간이 '넉넉하'인데, '하다'가 붙어 만들어진 말에서 '하'의 바로 앞이 'ㄱ ㄷ ㅂ ㅅ'이면 꼴바꿈을 할 때, '하'를 송두리째 날린다. 그래서 '넉넉치'가 아니라 '넉넉지'가 된다. '가난치'는 기본형이 '가난하다'이지만, '하'의 앞이 'ㄴ'이기 때문에 '하'를 살려 '가난치'로 표기하는 것이 맞다. 한편, '서슴지', '삼가지'는 기본형이 '서슴다', '삼가다'이기 때문에 앞의 것들과 구별된다.
6. 인용한 글은 소리 나는 대로 글자로 옮길 수 있음을 말하고 있다.
7. 여기 늘어놓아 정리한 말이 주시경의 업적을 요약하는 데 필수적이다. 글에 반복하여 나온 말들이다.

이야기 글 읽기(11)

138~141쪽 **정답**

1 ②   2 학문, 과정   3 ④
4 ②   5 ⑤   6 자기 주도 학습
7 몸소 해보았다, 미루어, 깨끗한

해설

1. 어린 시절부터 어진 성품이었음을 말하고, 학문하는 방법과 태도를 자세히 적었다.
2. 학문에 들어서기까지 어떤 일이 있었는지 순서대로 서술했다.
3. 퇴계가 성균관에서 공부를 하면서 『심경부주』를 새기기 위해 골똘히 연구에 힘쓰면서부터 본격적으로 학문의 길에 들어섰다.
4. 나아가고자 한 세계는 큰 욕심이 없이 만족할 수 있는 소박한 세계, 곧 자연이다. 자연이란 저절로 그렇게 있는 세계를 뜻한다. ① '모래'는 가재가 노니는 배경일 따름이다. ③ 나아가는 방향만 지시한다. ④ 가재가 살 수 있는 최소한의 요건을 뜻한다. ⑤ 가재가 나아가고자 하는 방향과 반대 세계인 풍요로움을 뜻한다.
5. 아버지의 가르침을 항상 책을 읽으라는 것이었다.
6. 스스로 탐구하여 공부하려고 노력하는 방법을 뜻한다.
7. 『심경부주』을 연구하던 때의 방법과 태도에서 확인할 수 있다.

시 읽기(1)

142~143쪽 **정답**

1 ④   2 친구   3 ③   4 ⑤
5 ②   6 훈훈해진다. 경험

해설

1. 화자의 중심 생각은 5연에 잘 드러나고 있다. '따뜻하고, 훈훈하다'고 했다.
2. '중심글감'은 주제와 관계깊은 것이다. 비 오는 날 우산 쓰고 가는 두 친구가 글감이다. '우산'은 시에 나타

난 물건, 곧 글감(소재)이기는 해도 시의 주제와 관계 깊은 중심 글감은 아니다.

3. 2연과 3연을 보면, 우산 하나를 두 친구가 함께 쓰고 가고 있다.

4. 우산이 하나이기 때문에 두 사람 모두 몸의 반은 비를 맞고 있다는 내용이다.

5. '따뜻하다', '시리다'로 표현되고 있는데, 이들은 모두 피부로 느낄 수 있는 감각이다. 시각은 눈, 청각은 귀, 미각은 혀, 후각은 코의 감각이다.

6. 화자의 말과 행동에 공감하게 되는 것은, 화자와 같거나 비슷한 자신의 경험을 떠올리기 때문이다.

45 시 읽기(2)

144~145쪽 정답

1 ②　　　2 몽돌　3 ①　　　4 ⑤
5 ④　　　6 새알, 새알처럼 작고 동그랗기 때문이다.

해설

1. 강아지로 비유한 파도가 즐길 만큼 예쁘다고 했다.

2. 2연과 3연에서 글감을 떠올릴 수 있다.

3. 작고 동글동글하다는 닮은 점에 있어서 몽돌을 새알 옹심이로 비유했다.

4. 대상에 대한 느낌은 4연~6연에 잘 나타나 있는데, 무생물인 파도를 생물인 강아지로 비유하여, 강아지가 즐기면서 예쁘다고 할 만큼 몽돌이 좋은 느낌을 준다는 점을 실감 있게 표현했다. ① '물'이 자연의 물 이외에 생명, 탄생 등 다른 의미까지 갖도록 하는 표현 방법이다. ② 모양이 어떠한지 그리거나, 색깔을 표현하는 낱말이 나와야 한다. ③ '빵이 전혀 없다.'라고 해서 '빵'으로 '먹을 것'을 표현하는 방법이다. ④ '산이 슬퍼한다.'와 같은 표현이다.

5. 모든 연이 2행으로 되어 있다.

6. 어떤 사물이나 일을 그와 비슷한 다른 사물이나 일로 표현할 때에는 두 대상 사이에 닮은 점이 있어야 한다. '몽돌'도 작고 동그랗고, '새알'도 작고 동그랗다.

46 시 읽기(3)

146~147쪽 정답

1 ④　　　2 모서리　3 ②　　　4 ⑤
5 ③　　　6 사물이나 사람에게 부딪혀 아팠던 적이 있다. 친구의 마음을 아프게 하는 말이나 행동을 하고 사과조차 하지 않은 적이 있다.

해설

1. 시의 4연에 잘 드러나 있다. '마음 한쪽이 더 아파 온다.'라고 한 것은 '나'도 모서리처럼 남을 아프게 해 놓고 시치미를 뗀 적이 있는 것 같아서이다.

2. 모서리를 사람처럼 비유하여 '나'의 마음을 표현할 수 있도록 했다.

3. 화자의 경험은 1연에 뚜렷이 나타난다.

4. 실제로는 무릎이 아프지만, 나를 아프게 한 모서리가 시치미를 떼면서 전혀 그런 적이 없었다는 듯이 굴었기 때문에, 나 역시 남에게 상처를 주고 저렇게 뻔뻔스럽게 굴 수 있다는 것을 반성하고 있는 것이다. 그래서 마음이 더 아팠던 것이다. ① '나'가 상처를 입은 것은 맞지만, 모든 사람이 그렇다고 한 것은 아니다. ② 모서리를 사람처럼 비유했지만 아파하는 존재는 아니다. 남을 아프게 해놓고 시치미를 떼고 있다. ③ '시간의 흐름'을 떠올릴 수 있는 내용이 보이지 않는다. ④ 몸과 마음을 비교했다고 볼 수 있는 근거가 없다.

5. 부딪힐 마음은 전혀 없었는데 모르는 사이에 나를 부딪히게 하고 그로 인해 아픔을 주는 것이다. 아픔을 주는 것을 말이나 행동으로 풀어볼 수 있다.

6. 단순히 상처를 입고 아파했던 경험을 써도 되고, 남에게 상처를 주고 반성하지 않았던 경험을 써도 된다.

47 시 읽기(4)

148~149쪽 정답

1 ③　　　2 분수　3 ②　　　4 ④
5 ①　　　6 인내심

해설

1. 강인함–2연, 인내심–3연, 겸손함–4연

2. 물인데, 키를 세울 줄 알고, '촤르륵' 소리를 내며 떨어질 줄 안다고 묘사하고 있다.

3. 2연, 3연, 4연은 모두 분수를 사람처럼 비유하고 있다.

4. 1연은 '아냐'로 끝나서 부정이다. 2연 이하는 '그렇다'라고 수긍하는 내용이어서 긍정이라 할 수 있다.

5. '고개를 추켜들었다.'라고 한 것은 성격이 '건방지고 거만하다.'라고 할 수 있다. ② 활발하게 움직여 생기가 있음. ③ 힘차게 움직임. ④ 성격이 모가 나지 않음. ⑤ 남을 감쌀 만큼 따뜻하고 부드러움

6. 빈칸의 앞뒤를 보면, '참고 견디는 꿋꿋한 마음'을 뜻하는 낱말이 적절하다.

48 시 읽기(5)

150~151쪽 **정답**

> 1 ③　　　2 (가) '작은 것들', (나) '나도 모르는 나'　　3 ①　　4 ⑤　　5 ②
>
> 6 (가) 작은 것이 있어서 더 큰 아름다운 큰 것들. (나) 나도 모르는 내가 튀어나오기도 한다.(나도 모르는 내가 나를 끌고 가기도 한다.)

해설

1. (가)의 '작은 것들'은 '큰 것들' 사이에 평소에 잘 드러나지 않는다. (나)의 '나도 모르는 나' 역시 마음속에 있는 것이어서 평소에 잘 드러나지 않는다.

2. 각각의 작품에 나오는 구절로 제목으로 삼을 수 있기 때문에 찾아 쓰라고 한 것이다.

3. '세상'은 큰 것이라 할 수도 있을 것 같은데, '재미'는 '크다, 작다'라고 말할 수 없다.

4. 4연에서 말한 것처럼 '나도 모르게' 내가 튀어나오기도 하고, 내가 나를 끌고 가기도 한다면, 나도 모르는 사이에 실수를 저지르기도 한다는 말로 볼 수 있다. '나도 모르는 나'는 '알수 없는 나'라기 보다는 '여러 가지가 참 많은 나', '내가 생각하지 못한 나'로 해석하여야 한다.

5. 낱말이나 구절의 뜻은 놓여 있는 자리를 보고 이해한다. 놓여 있는 문맥에 따라 이해하라는 것이다. ㉠은 바로 이어지는 '작은 것'과 같은 자리에 놓여 있으면서 뜻도 같다. ㉡은 그 다음 줄에 이어지는 '거짓말하는 나, 게으름 피우는 나, 용감한 나, 샘내는 나, 떼쓰는 나, 의젓한 나⋯⋯.'로 늘어놓은 것들이 실제의 내용이다. 곧, '나도 모르는 수많은 나'이다.

6. (가)는 세상의 진정한 아름다움을 표현한 구절에 공감할 수 있다. (나)는 나의 마음에 있는 나가 모르는 사이에 나의 말이나 행동으로 드러날 수 있다는 구절에 공감할 수 있다.

49 시 읽기(6)

152~153쪽 **정답**

> 1 ③　　　2 (가) 올챙이, (나) 들깨 터는 아이
>
> 3 ①　　4 ①　　5 ④　　6 (가) 웅덩이에 숨죽여 사는 올챙이, (나) 들깨 터는 아이

해설

1. (가)에서는 숨죽여 사는 올챙이가 언젠가는 늠름한 줄무늬 개구리가 되리라 희망하는 목소리를 내고 있다. (나)에서는 아무리 보잘것없는 들깨 알이라고 생명을 살릴 수 있다는 따뜻한 생명 사랑의 정신이 드러나 있다. 두 작품이 공통적으로 긍정적인 삶의 태도를 보여 준다.

2. 두 작품 모두에서 1인칭 '나'로 나타나므로, '나'가 어떤 것인지 생각하여 답하자.

3. (가)에는 청각과 시각이, (나)에는 시각이 두드러진 감각이다.

4. 미래에 되고 싶은 것이 무엇인지 시에 그대로 나타난다. '늠름하고 잘 생긴'은 생긴 모양 보다는 '훌륭한'의 뜻으로 보아야 한다.

5. 아이가 한 말, 할머니가 한 말을 따옴표에 넣어 표현했다. ① 진심이 무엇인지 솔직하게 터놓고 말하는 방식이다. ② '부끄럽다. 후회스럽다.'가 주된 내용으로 전개된다. ③ 대화의 형식이다. ⑤ 소설과 같은 이

야기 글의 형식이다. 시에서는 가끔 나타난다.

6. 현재 그려놓고 있는 대상의 모습이 무엇인지 밝히면 된다.

50 시 읽기(7)

154~155쪽 정답

1 ⑤	2 (가) 딱정벌레, (나) 버려진 개들
3 ④	4 ③	5 ⑤	6 생명, 소

중한(고귀한), 생존, 존엄성

해설

1. (가)에서는 딱정벌레가 말하는 이가 되어 자신도 하찮아 보여도 본능과 생존의 욕구를 가지고 있는 소중한 생명임을 내세우고 있다. (나)에서는 버려진 개를 본 사람이 말하는 이가 되어 버려진 개들이 불쌍하고 버리는 사람들이 무심함을 자세히 말하고 있다.

2. (가)와 (나)에 글감이 고스란히 나온다.

3. 먹고, 자고, 똥 싸고, 집을 가지고, 숨을 쉬며, 눈물을 흘리는 행동은 생명이 살아가는 데 마땅히 누려야 할 기본적인 욕구이자 본능이다.

4. 개들이 스스로 외딴섬으로 가는 것이 아니라 주인이 외딴섬으로 데리고 가서 버린 것이다. ① 플라스틱 자동차나 헝겊 인형처럼 버린다고 했다. ② 1연에 나온 내용에서 떠올릴 수 있다. ④ 3연을 보면 횡단보도와 같은 모르는 곳으로 간다고 했다. ⑤ 5연의 내용에서 떠올릴 수 있다.

5. 딱정벌레도 본능이나 욕구가 있다고 주장하는 데 동의하여 '눈빛만 보면 안다.'고 대답할 것이다.

6. 두 편의 시를 감상하고 떠올릴 수 있는 낱말들이다.

51 시 읽기(8)

156~157쪽 정답

1 ③	2 달	3 ①	4 ⑤
5 ④	6 달빛, 충만한, 향기, 황홀한		

해설

1. 달이 비친 마당을 거닐며 분위기를 흠뻑 즐기고 있다.

2. 영창으로 밀려온 '달'이 모든 행동을 유발한다.

3. 한밤에 홀로 보는 마당의 분위기

4. 엷고 곱던 나뭇잎 그늘이 짙게 바뀌고 있다면 계절이 봄에서 여름으로 넘어가고 있다고도 볼 수 있고, 밤에 보는 잎이 수묵색으로 짙게 보일 수도 있다.

5. 특히 시각과 연결되는 시어를 많이 사용하였고, 청각, 후각도 나타나고 있다. ① 도시 생활보다는 시골에서 살아가는 모습과 연결되어 있는 인상이다. ② 사물의 움직임이 그다지 크지 않다. ③ 비슷하거나 반대되는 색깔의 비교나 대조와 관련된 시어가 잘 보이지 않는다. ⑤ '호수같이', '흰 돌의 이마' 등이 비유이지만 모양과 움직임을 드러내는 수단이 아니다.

6. '차고 넘치게 된' 것은 1연의 '밀려온 달' 때문이다. 시상을 맺으면서 후각을 활용하여 향기가 못견딜 만큼 황홀한 느낌으로 접어든다고 하였다.

52 시 읽기(9)

158~159쪽 정답

1 ③	2 (가) 염소 탓, (나) 연과 바람
3 ④	4 ④	5 ①	6 (가) 할

아버지는 못이긴 척 (염소에) 이끌려 갑니다. (나) (바람만) 쉬지 않고 나뭇가지를 흔들어댑니다.

해설

1. (가)에서는 염소 목에 매인 줄에 이끌린 할아버지의 행동이 자유롭지 않다. (나)에서는 나뭇가지에 걸린 연이 하늘로 자유롭게 날아가지 못하고 있다.

2. (가) 염소 탓을 하며 집으로 돌아가는 할아버지의 모습, (나) 나뭇가지에 걸린 연과 바람의 안타까움

3. 사람과 사물에 거리를 두고 관찰하면서도, '멋쩍은', '못 이긴 척'처럼 할아버지 마음을 알고 있기도 하다.

4. 나뭇가지가 붙잡고, 바람이 애가 타서 놓아주고자 한다.

5. (가)에서 '염소'가 탓하고자 하는 대상이라는 점에서 사람처럼 표현되었다고 볼 수 있고, (나)에서 '바람'이 애가 탄다고 했으므로 사람처럼 표현되었다 할 수 있다.

6. (가) 염소에게 이끌려 가는 할아버지의 모습을 떠올려 보면 웃음이 난다. (나) 묶여 있어 자유롭지 못한 존재를 보면 놓아주도록 하고 싶은 것이 보통 사람의 마음이다.

53 시 읽기(10)

160~161쪽   정답

1 ⑤   2 고양이 발자국   3 ⑤
4 ④   5 ②   6 말하는 이, 말하는 이의 관점(시선), 전하고 싶은 말

해설

1. (가)에서는 고양이가 일을 망쳐놓았지만 말하는 이가 '다섯 송이 꽃'으로 대상을 떠올리면서 곱고 따뜻한 마음씨를 보여 준다. (나)에서는 발자국으로 남은 고양이 흔적을 떠올리며 밥을 훔쳐 먹고도 오히려 비난이 제게 쏠릴 강아지가 고양이를 원망하고 미워하고 있다.

2. 공통된 글감이 (나)에 고스란히 나온다.

3. 일을 저지른 고양이의 발자국을 '다섯 송이 꽃'으로 비유하여 곱고, 따뜻한 마음을 보여 준다.

4. 흰둥이가 원망하고 미워하는 생각을 담은 것

5. 보통 시와 달리 두 편의 작품은 과거 시제로 표현한 서술어가 여러 군데 나타나는데, 이는 사건의 요소를 표현하기 위한 방법이다. ① 말을 주고받는 장면은 보이지 않는다. ③ 행동이 묘사된 내용도 보이지 않는다. ④ 비유, 상징과 같은 표현인데 '꽃'이 비유일 따름이다. ⑤ 반복되는 같은 소리 비슷한 소리를 지시하기 어렵다.

6. 제목도 바꾸었지만, 답에는 제시하지 않아도 된다. 세 가지 달라지는 점은 시를 바꾸어 쓸 때 기억해 두어야 할 중요 사항들이다.

54 시 읽기(11)

162~163쪽   정답

1 ②   2 짝짝이 양말   3 ⑤
4 ④   5 ②   6 (가) 짝짝이 양말을 신고 하루를 지낸 아이, (나) 짝을 잃고 혼자 남은 양말

해설

1. (가)에서는 짝짝이 양말을 학교에 신고 간 창피함, 짝짝이 양말을 향한 미안함이 느낌으로 표현되었다. (나)에서는 혼자 남은 양말이 말하는 이가 되어, 혼자 남게 된 허전함과 외로움이 느낌으로 표현되었다.

2. 말하는 이가 다를 따름이고 두 작품의 글감은 같다.

3. 3연에 잘 나타나 있다.

4. 제 짝인 양말을 아이가 학교로 신고 가 버려서 남은 한 짝의 양말이 허전해하고 외로워하고 있으므로, 아이가 돌아오면 짝도 돌아온다고 말하면 위로가 된다. ① 남은 한 짝은 짝이 없는 상황을 상상할 수조차 없다. ② 없어진 짝만 짝으로서 의미가 있다고 여긴다. ③ 서랍장이 문제가 된 것은 아니다. ⑤ 제 탓을 하고 있는 상황이 아니다.

5. '짝짝이'는 자기짝이 아닌 다른 것, '짝'은 본래 자기 짝을 뜻한다. 말의 뿌리는 서로 다르고, 서로 반대의 뜻이다.

6. 각각의 작품 첫머리만 보아도 말하는 이가 누구인지 알아낼 수 있다.

55 시 읽기(12)

164~165쪽 정답

1 ①　　**2** 가르치기　　**3** ②

4. ④　　**5** ⑤　　**6** 어버이, 벗, 늙은이

해설

1. 어버이 섬기기, 벗에 대한 믿음, 늙은이 받들어 모시기가 각 연의 교훈이다.

2. 노래의 원래 제목이 '훈민가'인데, '백성을 가르치는 노래'라는 뜻이다. 지은이 송강 정철이 강원도 관찰사 때에 백성을 가르치기 위해 지은 18수의 연시조이다.

3. 시조는 정형시이다. 한 연이 석 줄이며, 각 줄은 네 도막으로 되어 있다.

4. 윤리 도덕을 지키자고 가르치고 있는 것으로 보아서 지키지 않는 사람들이 적지 않았다고 할 수 있다.

5. 1연의 중장, 2연의 초장과 종장, 3연의 중장과 종장이 모두 의문의 형식으로 되어 있는데, 답을 알고 있는 뻔한 물음이다. 그럼에도 불구하고 이런 형식을 취한 것은 실천의 중요성을 강조하기 위해서이다. ① '연쇄법'이라 한다. 아들이 아버지 되고, 아버지가 할아버지 되고, 할아버지가 ……. ② '점층법'이라 한다. 우리의 행동은 가족을 구하고, 마을을 구하고 국가를 구하며 ……. ③ '도치법'이라 한다. 이 말을 너는 잊어서는 안 된다. ④ 명령과 요청의 말투는 실천을 강요하는 어법이지만 노래에서는 반복되지 않았다.

6. 어떤 사람과 관련된 교훈을 전달하고자 한 노래인지 연별로 그대로 드러내었다.